SUPERPOCKET

grandi best-seller da grandi editori

IRVINE WELSH
ECSTASY

Traduzione di Mario Biondi

UGO GUANDA EDITORE
IN PARMA

IRVINE WELSH

ecstasy

SUPERPOCKET

Titolo originale:
Ecstasy
Traduzione dall'inglese di Mario Biondi

ISBN 88-462-0198-1

a Sandy MacNair

Amore estatico e anche di più per Anne, per i miei amici e parenti, per tutta la gente come si deve: sapete chi siete.

Grazie a Robin, della casa editrice, per l'attenzione e l'assiduità con cui mi ha seguito.

Ringrazio Paolo per le rarità di Marv, in particolare *Piece of Clay*; Tony per l'eurotechno; Janet e Tracy per la loro felice casa; Dino e Frank per la chiacchiera. Grazie ad Antoinette per lo stereo e a Bernard per la casa.

Amore per tutte le bande giovanili di Edimburgo, Glasgow, Amsterdam, Londra, Manchester, Newcastle, New York, San Francisco e Monaco.

Gloria all'Hibernian.

Riguardatevi.

Dicono che è la morte a uccidere, ma non è vero. Sono noia e indifferenza a uccidere.

I Need More
Iggy Pop

GLI INVITTI

A Colin Campbell
e Dougie Webster

We're the undefeated
TV in the shade
girls at all our parties
*we have really got it made**

Iggy Pop

* Siamo gli invitti – la tele in un canto – ragazze a tutti i nostri party – ce l'abbiamo veramente fatta. (*N.d.T.*)

Prologo

Le ho veramente piene, perché qui non succede niente e mi sono probabilmente fatto un paracetamol ma vaffanculo bisognerebbe avere vibrazioni positive, e la piccola Amber è qui che mi accarezza la nuca dicendo che succederà, quando questa melodrammatica paccata di synth sembra diventare 3D e sento che mi sto sollevando in un mondo fantastico mentre una mano invisibile mi afferra e mi sbatte verso il tetto perché la musica è dentro di me intorno a me e dappertutto, mi cola semplicemente dal corpo, così, così, e mi guardo attorno e stiamo andando tutti in orbita e i nostri occhi sono soltanto grandi pozze nere d'amore ed energia e i miei visceri vanno sottosopra mentre la nausea mi schizza per tutto il corpo ed eccoci in pista uno dopo l'altro e mi sembra che mi viene da cagare però la tengo e mi passa e sono a cavallo di questo razzo per la Russia...

«Roba mica male, eh?» dico ad Amber, mentre ci lasciamo tirare dentro lentamente ballando.

«Sì, forte.»

«Eh, ottima», fa Ally.

Poi si mette alla consolle il mio main man, che questa sera è in forma, smenazza i nostri organi sessuali psichici collettivi lì spaparanzati davanti a noi e io mi becco un grosso sorriso roseo da questa dea in top di lycra, che con la sua pelle abbronzata e un velo di sudore è allettante come una bottiglia di Becks di frigo in una giornata caldissima, afosa, e via che il mio cuore fa bong bong bong, Lloyd Buist a rapporto, e l'E-NER-GIA della dance l'EU-FO-RIA della dance, ahhhh mi prende per il collo ed eccomi in un piccolo striscio sexy con Ally, Amber e Hazel, e questo gigantesco testa di birillo formato boxe mi dà un urtone e mi abbraccia e si scusa e io gli riempio di cannonate uno stomaco simil-muro, ma ringraziando la buona sorte siamo sotto E e in questo locale e non sbronzi all'Edge o chissà dove fuori di cervello non che toccherei quella schifezza di merda... uaah come un razzo... uaah ecco che arriva di nuovo e penso *adesso* è il momento di innamorarsi adesso adesso adesso ma non del mondo no di quella particolare *lei*, fallo, fallo subito, cambia tutta quella merda della tua vita in un battito di cuore, fallo *subito*... macché... è soltanto divertimento...

Poi andiamo a rilassarci a casa di Hazel. Ally ci imbandisce un po' di Slam ed è proprio niente male, se non che ha una voglia matta di baccagliare mentre a me mi va di ballare anzi no in realtà mi va di scopare. Queste Amsterdam Playboy fanno qualcosa dentro la testa. Uuuf!

Qui così c'è un sacco di fighe. Mi piacciono le fighe, perché hanno un'aria super, soprattutto quando si è fatti di E. Ma sembra un'idea un po' ovvia, visto che i maschi la pensano più o meno tutti così. Ho letto da qualche parte che le si vede come sante o come puttane. Troppo semplice... mi sembra una cagata. Forse però parlava del modo come le vedono i ragazzini. Chiedo ad Ally.

«Nah, è una cagata, vecchio, troppo semplicistico», risponde. Ha un sorriso eccezionale, i suoi occhi sembrano mangiarsi tutte le parole che ti escono di bocca. «Io mi sono creato una classifica personale, Lloyd. Le fighe sono: uno, Da party; due, Manici di scopa; tre, Stemegne; quattro, Da party...»

«Da party l'avevi già detto», faccio.

«Vediamo... Da party, Manici di scopa, Stemegne, Cani da caccia, ecco i quattro generi», sorride, facendo scorrere lo sguardo sulla stanza. «Qui sono per lo più Da party, grazie al culo.»

«Quali classifichi Da party?»

«Sa il cazzo... dipende tutto dal modo di fare, logicamente... sì... di', Lloyd, ti sei già ingoiato l'altra pasticca?»

Non ancora. Qualche ingrugnato sta bruciando incenso nell'angolo e mi arriva una bella zaffata che mi riempie le narici e gli faccio segno con la testa: «Nah...»

«Hai intenzione di farlo presto?»
«Nah... sono ancora in orbita, vecchio. Eh, potrei magari tenerla per il futbol, domani.»
«Mah, non saprei, Lloyd, boh...».fa lui con il muso, sembra un bambino che gli hanno portato via i biscotti.
«Vabbè, in culo, è un'occasione particolare» gli dico, come diciamo sempre io o lui o qualche altro coglione ogni weekend, perché in effetti ogni weekend è una situazione particolare. Ingoiamo le nostre pasticche e lo sboffo di adrenalina che gli viene dall'essersi fatto ancora un po' di chimica lo rimette in orbita.
«Le Da party si possono suddividere in due gruppi, vecchio: le Ciaotù e le Femministe Sexy. I Manici di scopa sono quelle che non toccano droghe, no no e poi no, e scopano soltanto con maschi mesti come loro, fissati con quella merda di casa e giardino. Manici di scopa doc, vecchio, si capiscono al volo. Poi ci sono quelle alternative, il tipo di femminista supponente che legge il 'Guardian' o l''Independent' eccetera ed è in carriera e tutta quella merda lì. Occhio che non siano lesbiche, vecchio: può capitare di scambiarle per Femministe Sexy. Non sempre, ma capita.»
Magico. Ally non lo ferma più nessuno. «Il Giovane Boyle è partito per la tangente!» grido, e qualcun altro viene lì, mentre lui continua la sua tirata.
«Le Ciaotù sono il massimo, vecchio, ma ci torniamo fra un po'. Le Stemegne bevono un sacco di alcol e se la fanno con gli imboscati. Vestono rozzo e toccano droga pesante di rado, se non mai, anche se da un po' capita di più. Sono il tipo di donna che va in disco e balla da sola. Le Cani da caccia sono il peggio del peggio, scoperebbero qualsiasi cosa e sono spesso alcoliche. Le Ciaotù vengono dette così perché quando ti incontrano dicono sempre: ciao-tu.»
«Lo dici sempre anche tu, Amber», fa Hazel.
«E allora?», replica Amber, chiedendosi cosa c'è che non va.
«Però bisogna stare in campana», mi fa Ally, «perché ogni tanto lo dicono anche le Stemegne. Importante è il *modo* come lo dicono.»

«Mi staresti dando della Stemegna?» gli chiede Amber.

«No, vecchia... tu dici ciao-tu in un modo giusto», le sorride e lei si scioglie. Sa il cazzo se non stiamo andando tutti in orbita un'altra volta. «Tu sei una Ciaotù, che sono delle Da party spensierate, giovani, il sale della terra. Le migliori prendono una certa piega e diventano Femministe Sexy; le peggiori si imbucano con un supertesta di cazzo e diventano Manici di scopa. Ti dirò un'altra cosa, Lloyd», fa rivolgendosi a me, «nell'ottanta per cento dei casi il maschio diventa tutto casachiesa e noioso prima della donna.»

«Non dire stronzate, Ally.»

«Nah, ha ragione», pigola qualcuno. È Nukes.

«Visto? Dipende dal fatto che ti sei beccato donne noiose per tutta la vita, drittone!» sorride Ally e mi abbraccia stretto.

Fuah... sono fatto, mi sembra che fra un po' cago l'anima da tutti i pori della faccia. «Bisogna che questo me lo ballo, se no sto qui imbambolato tutta la sera... Nukes... dammi una mano in pista, vecchio...»

«Sono accecato, vecchio... blinded by the fucking light... non era un pezzo che cantava un coglione... devo sedermi», geme Nukes, che emana un'aura abbagliante. Trapesto verso le casse acustiche.

«Ohé, Lloyd, resta qui a chiacchierare un po'», fa Ally, con gli occhi che si fanno sempre più neri ma le ciglia che diventano sempre più pesanti.

«Tra un attimo, Ally. Sento una vibrazione da disco. Vieni in pista.»

Lo lascio lì a ballare con Amber e la sua socia Hazel, due Da party di prima in base a qualsiasi classifica, con un'aria squisita e colorata come un paio di cocktail happy-hour tentatori, appollaiati sul banco del bar dell'Old Orleans. Dopo uno striscio le mie gambe cominciano ad andare e me la godo tutta. Dalle parti dei miei genitali cominciano a succedere altre cose strane. Mi viene in mente che a una festa, l'anno scorso, mi sono fiondato su Amber, e a guardarla mi chiedo perché non l'ho più fatto. Glielo dico subito: «Senti, ti va una scappatina in camera da letto per uno scambio di opinioni e altre cosette?»

«No, non mi va di fare sesso con te. Ho voglia di fiondarmi su Ally, dopo: è assolutamente divino!»

«Seh, seh, seh», sorrido e butto un'occhiata ad Ally con la sua abbronzatura di Tenerife e devo riconoscere che il coglione è, be', un pochino più che presentabile; d'altra parte, intendiamoci: presentabili sotto E, lo sono tutti. Mi sta gesticolando e gli rispondo. È veramente uno sballo.

Però qui non si sballa del tutto, anche se pulsazioni, sudore e calore sono senza dubbio aumentati. Vai con la Volvic. La sentite, gente?

«Nastro fantastico, Amber, cazzo... fammene una copia È Slam? Eh?»

Lei chiude gli occhi, poi li apre un attimo e annuisce tutta seria: «Soltanto un nastro misto dello Yip Yap».

Uaah, sì, da sbattere...

«Io sarei pronta», mi fa Haze.

«Eh?»

«Una scopata. Parlavi di quello con Ambs, no? Allora, tu e io. In camera da letto.»

Stavo appunto per chiederglielo, prima di essere sviato da... vediamo... prima di essere sviato dal knock back di Amber; ohé, scemo, ho il controllo delle mie sensazioni o cosa? Ma va benissimo così, e grido: «Ehi, Ally, sono eroticamente geloso di te», e lui fa il muso, poi viene lì e mi abbraccia, e lo fa anche Amber, per cui dovrei stare bene, e invece mi sento un po' un cazzone per averli fatti sentire in colpa, perché in realtà scopro che non sono per niente eroticamente geloso di Ally, che è un ragazzo favoloso come direbbe Gordon McQueen su Scotsport, solo che adesso non c'è più, è quell'interdetto di Gerry McNee che lo dice, adesso, e quell'altro cazzone che parla di futbol eccetera, ma, appunto come direbbero quei giovanotti: gli auguro ogni successo etc. etc.

«Amber dice che ha intenzione di fiondarsi su di te», dico ad Ally.

Lei sorride e mi dà una spinta al petto. Lui mi guarda e fa: «L'importante, vecchio, è che io Amber l'amo», e la stringe a sé con un braccio. «Quello che succede sotto il profilo erotico... è soltanto un dettaglio. L'importante è che io amo tutti quelli che conosco in questa stanza. E conosco tutti! Tranne quei ragazzi là», e indica gli ingrugnati che si stanno facendo in un angolo. «Ma amerei anche quei coglioni lì, se li conoscessi. Si può amare il novanta per cento delle persone, una volta che si arriva a conoscerle... se credono abbastanza in se stesse... se si amano e si rispettano, eh...»

Sento che la faccia mi si apre come una scatola di sardine per spararglì un sorriso, poi guardo Hazel e dico: «Andiamo, dai...»

In camera da letto lei si sfila di dosso l'addobbo e io mi libero del mio ed eccoci sotto il piumino. Fa troppo caldo per stare lì, ma lo facciamo caso mai arriva qualcuno, come faranno senz'altro. Ci diamo dentro un bel po' di lingua e probabilmente so parecchio di sale e sudore, visto che lei sa così. Mi ci vuole un casino per avere un'erezione, ma la cosa non mi disturba perché sotto E mi va più di palpare che di scopare. Lei però va un bel po' su di giri e riesco a farla partire con le dita. Poi resto lì steso a guardarla nel suo orgasmo come se la stessi vedendo segnare per gli Hibs. Questa la ripetiamo... voglio fargliela fare sette volte. Dopo un po', però, comincio a sentire che succede qualcosa e devo smettere e uscire dal letto per andare a frugare nei miei jeans.

«Cosa c'è?» chiede lei. «Ho un preservativo, qui...»

«Nah, è per via del nitrito, i popper.» Trovo la bottiglietta. Siamo arrivati al punto che senza il nitrito di amile scopare non mi dice più niente. Le pasticche di E sono più sensuali che erotiche, però il nitrito bisogna averlo, gente, perché non è più un optional ma una cosa essenziale come il cazzo o la figa, per dire.

Oh bene, oh bene, eccoci di nuovo a fare giochi di pelle ed è magnifico perché sono ancora in orbita e la sensibilità tattile è aumentata dieci volte con l'Ecky, abbiamo la pelle talmente sensibile che sembra quasi che possiamo entrarci dentro a vicenda e accarezzarci tutti i componenti interni, così ci rigiriamo in un sessantanove e comincio a leccare, e anche lei, ma in questo caso non c'è verso che io non vengo in un lampo, per cui facciamo un break e io le monto sopra e dentro, e poi è lei a mettersi sopra di me, e poi sono io e poi è lei, ma lei fa un po' troppo teatro, sospetto; potrei sbagliarmi, forse è soltanto inesperta perché deve essere sui diciotto o roba del genere mentre io cazzo ne ho trentuno e probabilmente è troppo tardi per comportarsi così quando potrei essere sposato con una bella cicciona in una bella casa di periferia con bambini e un lavoro fisso dove devo scrivere relazioni urgenti per informare la direzione centrale che se non viene presa una certa misura l'azienda potrebbe rimetterci, e invece siamo io e Purple Haze, qui insieme, grazie al culo...

...e adesso le cose vanno meglio, più relax, più anima. Sta diventando bello...

...è bello bello bello, e Haze e io ci spargiamo vicendevolmente fluidi dentro e addosso e io le ficco il nitrito di amile nel naso, e anche nel mio, e stiamo abbrancati in questa superba travolgente ondata di orgasmo simultaneo

UHA OH OH

OH OH

OH

OOOHHHHHOOOOOOOOOOOOOHHHHHHHHHHHHHHHH

OOOOOOOOOOOOOOOOOOOOOHHHHHHHHHHHHHHHHH-HHH!!!!!!!!!!!!!!!!!!!!!!!!!!!

Mi piace la sensazione del dopo, con il cuore che pompa di orgasmo e nitrito. È bello sentire il corpo che si riaggiusta, le pulsazioni che rallentano.

«Fantastico!» fa Hazel.

«Una cosa...», cerco di trovare le parole, «fruttata. Piena e con un gusto fruttato.»

Mi domando se più tardi qualcuno avrà voglia di farsi qualche cocktail all'Old Orleans, oggi o domani sera, o è stasera?

Parliamo un po', poi andiamo dagli altri. È veramente strano come, sotto E, si può essere intimi con persone che in realtà non si conoscono. Hazel non la conosco, in realtà, ma da una sconosciuta fatta di E si può tirare fuori una bella scopata. In situazioni normali ci vuole un bel po' per diventare così intimi. Bisogna arrivarci a poco a poco, eh.

Ecco Ally. «La piccola Hazel, un'assoluta bambolina. Un

vecchio pedofilo, tu, eh? Alla faccia del cazzo, Lloyd, mi piacerebbe avere sedici anni adesso e disporre di tutto questo. Il punk eccetera, era merda in confronto a questo...»

Lo guardo e poi faccio scorrere gli occhi sulla stanza. «Ma ce l'hai, questa roba, scemo, come hai avuto il punk e come avrai quello che verrà subito dopo, visto che ti rifiuti di crescere. Il bello è avere la torta e mangiarsela. Cazzo, non c'è altro da fare, vecchio.»

«Non ha senso avere la torta, cazzo, se non si può rifiutarla, no? Eh.»

«Ottima questa... A proposito, com'è stata Tenerife? Non me l'hai mai veramente detto.»

«Di primissima, vecchio. Meglio di Ibiza. Non sto scherzando. Dovevi venire, Lloyd. Te la saresti ciucciata tutta.»

«Avrei veramente voluto, Ally, ma il grano ha mandato in merda tutto, eh. Non riesco a risparmiare, ecco il mio problema. E John Grancesso, la settimana scorsa? Com'è stato?»

«John Granfesso? Un dj di merda.»

«Già. Be', capita.»

«Sì... mai entrato nel tipo di roba che suonava... cioè, intendiamoci, in parte era anche buona... Tu comunque sei un gran schifoso...»

«Lo so, lo so. Dovresti fiondarti su Amber. È lì pronta, vecchio.»

«Cazzo, Lloyd, non ce la faccio a farmela. Comincia a darmi fastidio correre dietro alle bamboline, riempirgli la testa di merda e sbatterle e poi andare a spasso come uno scemo fino al weekend dopo. Mi sembra di essere tornato tra i quattordici e i sedici anni, quando si scopava tanto per provare e poi via come il vento. Sto regredendo al primo stadio dello sviluppo sessuale, eh, vecchio?»

«Già, e lo stadio successivo quale sarebbe?»

«Vai piano, fai divertire la figa, cerchi di farla venire, provi con il clitoride, con il sesso orale... come facevo tra i sedici e i diciotto. Poi, più o meno tra i diciotto e i ventuno, tutta una questione di posizioni. Farlo in modi diversi, provare maniere differenti come la pecorina, su una seggiola, nel culo e tutta quella roba lì, una specie di ginnastica sessuale. Quello dopo è stato trovare una figa e cercare di sintonizzarsi a vicenda sui ritmi interni. Fare musica insieme. Secondo me, Lloyd, credo di avere superato quello stadio e di star ricominciando il ciclo da capo, mentre vorrei andare avanti.»

«Forse hai già provato tutto», azzardo.

«Nah», sboffa, «ma va'. Voglio quel tipo di comunione psichica, entrarsi in testa a vicenda, come il volo astrale eccetera.» E mi preme l'indice sulla testa. «E questo periodo dura finché non la trovo. Mai capitato, vecchio. Cioè, i ritmi interni li ho avuti, ma non la congiunzione degli spiriti. Neanche arrivato vicino. Gli Ecky servono a qualcosa, ma l'unico modo di arrivare alla congiunzione degli spiriti è fare in modo che lei ti entri in testa e ti faccia entrare nella sua, contemporaneamente. È la comunicazione, vecchio. Non la si può avere con qualsiasi Da party, neanche se si è tutti e due sotto E. Dev'essere amore. Ed è proprio quello che sto cercando, Lloyd: l'amore.»

Gli sorrido negli occhioni e dico: «Cazzo, Mister Boyle, sei un filosofo del sesso».

«Nah, non sto scherzando. Sto cercando l'amore.»

«Forse è quello che in realtà stiamo cercando tutti, Ally.»

«Il fatto è che forse non si può cercarlo, vecchio. Forse è lui che ci deve trovare.»

«Già, ma, finché non capita, una bella ingroppata fa sempre bene, no?»

Più tardi Amber, tutta in lacrime, mi dice che Ally l'ha respinta e non vuole andare a letto con lei perché non l'ama da amante ma soltanto da buon amico. Nukes è lì in cucina con noi, alza le mani come per dire che per lui è troppo e fa: «Io vado... ci vediamo». Ma mi accorgo che se ne va con una tipa, e sarebbe il segnale per tutti che è ora di battersela, però io resto lì e cerco di spiegare la situazione di Ally ad Amber e Hazel e mi faccio qualche riga di coca con lei e poi guardiamo il sole che sorge e discutiamo di tutto. Hazel se la fila a letto ma Amber vuole stare alzata a parlare. Poi finalmente si addormenta sul divano. Io vado in un'altra stanza, prendo una coperta e gliela metto sopra. Ha un'aria pacifica. Ha bisogno di un ragazzo: un bel giovane che si occupi di lei e le permetta di occuparsi di lui. Penso di infilarmi a letto con Hazel e sbattere, ma sento il distacco che cresce fra noi a mano a mano che l'MDMA ci cala in corpo. Vado a casa e anche se non sono religioso prego perché saltino fuori un ragazzo per Amber e un paio di ragazze speciali per Ally e me. Non sono religioso ma mi piace l'idea che gli amici si augurino a vicenda qualcosa di bello; mi piace l'idea di tutta questa buona volontà che aleggia nello spazio psichico.

Tornato a casa mi gargarizzo due uova e ci bevo sopra una bottiglia di Becks. Crollo sul letto, e su di me cala un sonno agitato. Mi trovo nel noto quartiere Te-Lo-Sbatto-Nel-Culo, a Truzzo City.

PARTE PRIMA

L'INSOSTENIBILE AMORE DELL'ESTASI

1. Heather

Stai battendo questa relazione con il programma di scrittura dell'unità centrale, e Brian Case, il *signor* Case, è lì che gironzola lascivo e fa: «Come sta la luce della mia vita, oggi?» Non sono affatto la luce della tua vita, oppure, se lo sono, hai un bisogno tremendo di trovartene una, malinconica testa di cazzo, vorresti rispondere, ma hai bisogno dell'impiego e non di litigare, per cui ti limiti a sorridere e continui a inserire i dati sullo schermo.

Però dentro fa male.

Fa male dentro perché vieni definita una cosa che non sei, vista in un modo che non sei. Ecco perché fa male.

Tornando a casa mi fermo in un pub. Un bar dell'East Port. Sono due settimane che sbircio dentro, cercando di trovare il coraggio di entrare. Guardando i clienti che bevevano, ascoltando il rumore, qualche scarsa risata rauca, sentendo l'odore di fumo. Quando finalmente varco la soglia penso che sarà un poderoso attimo di catarsi. In realtà non mi accorgo quasi di essere al banco finché non chiedo un gin tonic a un vecchio con la faccia tutta rughe. Che ci faccio qui?

Io non entro mai

Mai

Perché Liz mi ha chiesto di venire qui. Liz. Che però non è ancora arrivata.

Pare che siano tutti uomini, qui nel bar, all'ora di cena, anche se l'hanno arredato per renderlo un po' più trendy. Un coglione mi guarda come se stessi battendo. Qui. All'East Port Bar. A Dunfermline. Qui! Sarebbe ridicolo. Dovrebbe essere ridicolo. Ma ormai non c'è proprio più niente da ridere. Ho riso per troppo tempo. Senza sapere perché ridevo.

Arriva Liz. Insieme a quello che ordino per lei chiedo un

altro gin tonic anche per me. Liz e io. Sempre amiche, anche se siamo state depistate in uffici diversi. Motivo ufficiale: vantaggioso per la nostra carriera avere l'opportunità di lavorare con gente diversa, in gruppi di lavoro diversi, in settori diversi. L'opportunità di accrescere il nostro bagaglio professionale. Un potere che il nostro sindacato ha concesso di recente ai boss dopo un negoziato: maggiore flessibilità. L'opportunità di inserire dati in una macchina diversa in un ufficio diverso. Il vero motivo per cui siamo state spostate, in realtà, è che stavamo benone insieme e ce la spassavamo, e a quelli lì non va che sul lavoro si sia *troppo* contenti.

Liz è più vecchia di me. Fuma una sigaretta dietro l'altra e beve quantità industriali di gin. Io vivo con Hugh, *per la casa*, ma per farmi quattro risate *vivo* con Liz. E con Marie, la mia migliore amica.

2. Lloyd

Ho la testa un po' fusa, fondamentalmente perché ho preso un paio di pasticche di metadone per planare. Stupidità e inconsistenza, ecco cos'è. Finestre di meschinità. Guardo il mondo attraverso finestre di meschinità. Il telefono accanto al letto suona. All'altro capo della linea c'è Nukes.

«Sono io, Lloyd.»

«Nukes. Ottimo. Ti sei ripreso da ieri sera? O era stamattina? Non riesco a decollare, vecchio. Ho preso un paio di quelle pasticche di merda, per planare...»

«Dillo a me. Vai al futbol?»

«Nah... mi andrebbe una pinta.»

«Mi piacerebbe vedere come si vede dalle nuove gradinate.»

«Mandale in culo le nuove gradinate, vecchio.»

«Sembrano ottime... infinitamente meglio di quella merda dello stadio dei Jambo.*»

«Figurati, robaccia da quattro soldi, compensato da bricolage. Le ha montate Gary MacKay una sera che non c'era calcio su Sky TV. Però non so se riesco a stare seduto novanta minuti fermo nello stesso posto, Nukes...»

«Okay, allora, terrò aperte le diverse opzioni...»

«Ottimo.»

«D'accordo, ci vediamo al Windsor fra mezz'ora. Però non ho telefonato ad Ally. Se sento quel coglione sparare altre cazzate su com'è stato bravo John Digweed la settimana scorsa, o com'è fantastica Tenerife, lo sbatto sotto un autobus.»

* I tifosi dello Heart of Midlothian FC, ovvero Hearts, l'altra squadra di Edimburgo. (*N.d.T.*)

«Vero... però è un po' ballerino: a me ha detto che Digweed è un dj che fa cagare...»

«Dice lo stesso di Tony Humphries, il truzzo. Comincia sempre la serata dicendo che tutto è merda. Poi lo senti dire a un testa di cazzo qualsiasi che non era male e poi, verso la fine della serata, non la pianta più di dire che era uno sballo.»

Faccio una doccia e cerco di darmi una mossa. 'Sti cazzi di anfe: mai più. Arranco sul Walk per incontrarmi con Nukes. E via con la sbronza. Per risparmiare prendiamo un paio di pasticche di metadone a testa. Nukes ha una tesi convincente: «Con un paio di pasticche e quattro pinte si ottiene lo stesso effetto che con trenta pinte. Perché regalare soldi a quelle merde di fabbricanti di birra e sprecare tempo?»

Il pomeriggio si dissolve in una sera limacciosa. «Sono fatto, vecchio», dico a Nukes. Scivolo in Città dello Sfigato, Testachecrollandia, e vengo richiamato nel Pianeta Leith dal barista. Sta dicendo qualcosa, ma non capisco cosa. Mi trascino fuori della porta. Sento Nukes che canta canzoni di battaglia degli Hibs ma non lo vedo, il coglione. Non so dove siamo, in centro, pare. Sento gente che ride di me, voci da babbi. Poi sono in questo taxi e mi trovo in un altro pub di Leith. Sento un tale che mi grida: «Ecco lì il coglione che si è fatto sua sorella», e cerco di dire qualcosa, ma sono troppo ubriaco e sento un altro che fa: «Nah, vecchio, quello lì è Lloyd Buist, il fratello di Vaughan Buist. Tu hai in mente l'altro Lloyd: si chiama Lloyd Beattie».

«Cazzo, non dirmi che a Leith ci sono due Lloyd», fa un tale.

Poi so soltanto che sto parlando con il mio amico Woodsy, che non vedo da secoli e che si scatena a baccagliare di Dio, alcol ed E. Mi porta a casa sua e io mi schianto.

3. Heather

Hugh è a casa. Fa più tardi di me al lavoro. Ha un posto più di responsabilità. È responsabile. Di che cosa è responsabile? «Andata bene la giornata?» sorride, smettendo per un attimo di fischiettare *Money for Nothing* dei Dire Straits.

«Seh», rispondo. «Non male. Che cosa vuoi con il tè?» Avrei già dovuto preparare qualcosa. Non avevo nessuna voglia.

Ho passato più di un'ora a farmi le unghie: taglia, lima, dipingi, tutta roba che richiede tempo. Vola, il tempo.

«Quello che c'è», risponde, accendendo il telegiornale.

«Mah, toast con uova strapazzate, okay?»

«Ottimo.»

Vado di là a preparare le uova. «E la tua giornata com'è stata?» grido.

«Non male», sento rispondere la sua voce dall'altra stanza. «Jenny e io abbiamo presentato un progetto di urbanizzazione all'ufficio gestione aree. Sembra che l'abbiano accolto bene», e ficca la testa oltre lo stipite. «Penso che li convinceremo.»

«Congratulazioni», dico, cercando di mettere un po' di entusiasmo nella voce.

Hugh e io siamo usciti dall'università contemporaneamente e siamo andati a lavorare in due diversi enti pubblici locali. Adesso lui dirige una società di costruzioni e io sono rimasta esattamente dov'ero sei anni fa.

Non è colpa di nessuno se non mia.

Se lo amassi, non sarebbe neanche tanto male. Un tempo credevo di amarlo. Era ciò che pensavo fosse un ribelle: classe operaia, impegno nella politica studentesca. Che massa di cazzate.

«Stasera esco», gli dico.

«Oh...» fa.

«Con Liz. Una collega. Adesso che lavoriamo in uffici diversi non riusciamo mai a vederci. Vado semplicemente da lei. Magari le prendo qualcosa di pronto per strada e una bottiglia di vino.»

«Su Channel Two c'è un bel film, stasera.»

«Ah sì?»

«*Wall Street.* Michael Douglas.»

«Ah, già. Però ormai l'ho detto a Liz.»

«Eh sì, capisco.»

«Allora okay.»

«Okay.»

Okay. Mi vedo con Liz da McDonald's, poi torniamo all'East Port Bar e ci facciamo qualche gin tonic, dopo di che ecco lì ad aspettarci un taxi per andare a Kelty, in quel locale. «Che cosa andate a fare a Kelty, ragazze? Da quel posto lì arrivano soltanto puttane e minatori», ci fa il tassista.

«Ohé, dacci un taglio, scemo», fa Liz. «Vengo anch'io da Kelty.»

«In che pozzo lavoravi, stella?» chiede quello, prima di scaricarci nel parcheggio del locale.

Entriamo e ci troviamo da sedere nell'angolo. Al centro della pista c'è un'enorme palla a specchi. Liz getta un'occhiata a un tavolo vicino al bar.

«Ecco lì il mio ex», fa. «Davie. Bel ragazzo, eh?» E indica con la testa un tale tutto preso con la schedina del bingo. Dopo un po' eccolo che arriva.

All'affermazione di Liz ho risposto con tutto l'entusiasmo che sono riuscita a mettere insieme, ma in realtà non sono del tutto d'accordo. Si può soltanto dire che, un bel ragazzo, Davie dev'esserlo stato una volta, ma è un'impressione dovuta più a quell'apparente sicurezza di modi che ai pregi fisici sopravvissuti a tempo e alcol. Mi guarda e sorride con un'aria quasi idiota. Però qualcosa c'è.

«È degli occhi azzurri che mi sono innamorata», dice Liz, mentre lui fende la calca per venire a sedersi con noi.

«Come va, stella? E chi sarebbe questa bella e giovane signora?»

«Heather, una collega.»

«Ciao», faccio.

«Piacere di conoscerti, Heather. Posso offrirvi qualcosa, belle signore?»

«Due gin tonic andrebbero giù bene», risponde Liz.

«Bell'e fatto», sorride Davie, andando al bar.

Più che puntare sulla forza dei suoi occhioni azzurri, questo tipo mette tutte le uova in un unico paniere di seduzione. Dopo un po' il suo gioco di sguardi lo fa sembrare piuttosto cretino.

«Il problema», dice Liz confermando i miei sospetti, quando lui si alza per andare alla toilette, «è stato che dietro quegli occhi non c'era un granché.»

4. Lloyd

Mi sveglio sul divano di Woodsy sentendomi di merda. Sto di peste, sì, con un mal di testa da trapano del dentista, labbra gonfie e scoppiate e una specie di schifosa macchiolina di rimmel nero rossastro sotto l'occhio destro. E questo mi fa ricordare perché ho preso roba forte invece che alcol. Ricordo Nukes e io che ci meniamo. Sa il cazzo se fra noi o con qualche altro testa di rapa. Visto che non mi sono fatto quasi niente dev'essere stato qualcun altro, perché Nukes è tosto e mi avrebbe conciato molto peggio.

«Ti sei ridotto mica male, questa notte, eh?», dice Woodsy, portandomi una tazza di tè.

«Sì», rispondo, ancora troppo fatto per essere in vena di scusarmi, «Nukes e io abbiamo drizzato le antenne satellitari e ci abbiamo puntato diritti. Dobbiamo essere finiti in una rissa.»

«Voi due siete matti da legare. L'alcol è lo strumento di Satana, vecchio. Quanto al metadone... be', non capita spesso che io sia d'accordo con quel frocetto conservatore della tv... però, cazzo, un comportamento del genere posso aspettarmelo da Nukes, che è un coglione eccetera, ma avrei pensato che avessi un po' più di sale in testa, Lloyd.»

«Oh, Woodsy, dai», lo imploro. Il coglione è ancora alle prese con il suo trip religioso. Comunque c'è da dire che ci è rimasto affezionato, visto che era l'estate scorsa quando è cominciato. Si è messo a proclamare di avere visto Dio dopo due Supermario e due tiri di neve al Rezurrection all'aperto. Lo abbiamo scaricato al Garage Room a rinfrescarsi, perché sembrava tremendamente surriscaldato. Gli ho ficcato in mano una Volvic e l'ho lasciato lì con i suoi elefanti rosa. Sbagliato, certo, ma ero così su di giri e lo spettacolo di luci nel tendone centrale era così super che volevo tornare in mezzo al movimento. Due Da party di cuore materno gli tenevano addosso uno sguardo indulgente.

La cura è andata in merda quando l'attacco di nausea lo ha costretto a piantare in asso le due Da party e puntare sul cesso chimico per fare quattro chiacchiere con il grosso telefono di alluminio. È stato in uno di quei cubicoli fetenti che ha incontrato il Grande Capo.

La cosa peggiore è che a quanto pare Dio gli ha detto che l'Ecstasy è un suo dono per coloro che sanno, e questi di conseguenza hanno il dovere di diffondere la buona novella. Pare gli abbia ordinato di mettere su un locale di Vangelo Rave.

Adesso, io non so se la testa di Woodsy è andata in frittura, o se è una tremenda mania di grandezza, magari una fissazione alla Koresh, di conquistare tutte le Da party prescritte. Mi ricevete, ragazze? Siete veramente pronte a ricevermi, e tutta questa merda. Comunque, prende la medicina sbagliata, per uno con la mania del dominio. L'unica persona sotto E che puoi dominare sei te stesso. Koresh non sarebbe durato cinque minuti, a Waco, se avesse fatto di E la sua banda. Dacci un taglio con questa merda religiosa, Davey, vecchio mio, siamo qui per ballare...

«Senti, Lloyd, hai ancora a casa quella consolle Technics?»

«Sì, però è di Shaun. Eh, la tengo soltanto finché torna dalla Thailandia.»

Shaun doveva stare via un anno, ma se appena ha un po' di buon senso resta via per sempre, ed è un tipo piuttosto sveglio. Aveva fatto società con questo tipo del Lancashire detto il Corvo e hanno messo insieme una piccola fortuna spazzolando case di ricchi. Dopo di che hanno saggiamente deciso di darci un taglio prima di fare il famoso colpo di troppo, e se la son filata in Thailandia via Goa. Buon per loro e buon per me, visto che ho ereditato la consolle e la raccolta di registrazioni di Shaun, che vanta alcune meravigliose rarità soul.

«Te la spassi parecchio con quella consolle, eh?»

«Be', sì», mento. In realtà la uso soltanto da un paio di mesi. Non ho senso del tempo, né abilità gestuale, né una grossa quantità di lp. Avrei voluto farci più pratica, ma poi mi è capitato questo lavoretto di assistente falegname con il mio amico Drewsy e spaccio anche parecchio per conto della Figa Velenosa.

«Senti, Lloyd, ho organizzato questo concerto al Reck-Tangle Club di Pilton. E ti voglio in cartellone con me. Prima tu, poi io. Che cosa ne pensi?»

«Quando sarebbe?»

«Il mese prossimo. Il quattordici. Fra un bel po'.»

«Ottimo. Conta su di me.»

Alla consolle faccio schifo, ma una data precisa mi costringe a impegnarmi. Certo, non sono più così entusiasta quando Woodsy mi spiega che vuole brani di inni e gospel mixati con roba techno, house, garage e ambient, ma l'idea continua a interessarmi.

In ogni caso decido di passare un casino di tempo in casa con la consolle. Un sacco di miei amici mi danno una bella mano, specialmente Nukes, Ally e Amber. Vengono qui per una botta di vita e spesso mi portano dischi di dance che si sono fatti prestare. Comincio ad andare in qualche locale come si deve per guardare i dj e vedere come fanno. Quello che preferisco è Craig Smith, il dj di Edimburgo, del Solefusion, che sembra sempre divertirsi un casino con quello che fa. Mentre troppi sembrano degli schifiltosi privi di qualsiasi spirito, e lo si vede al Richard Millhouse. Non si può far divertire gli altri se non ci si diverte.

Un pomeriggio sto per dedicarmi a un po' di Richard Nixon,* quando sento picchiare alla porta. Tenevo la musica bassa, ma penso ugualmente che siano gli yuppie che abitano dall'altra parte del pianerottolo e che si lamentano sempre di tutto e di qualsiasi cosa.

Apro la porta e mi trovo davanti la vecchia McKenzie del piano di sotto. «Minestra», sputa, tutta torta in viso.

E allora mi ricordo. Mi sono dimenticato di andare al supermercato a prendere gli ingredienti per fare una pentola di mine-

* Sta per «mix on», «mixing», «mixtape». (*N.d.T.*)

stra. Ne faccio sempre una grossa, il giovedì, prima che cominci il weekend di casino, in modo da sapere che ho qualcosa da mangiare in casa se sono troppo fatto o al verde per fare qualunque cosa. E ne porto sempre giù un po' alla vecchia McKenzie in una tazza. È una carampana simpatica, ma quello che era cominciato come un gesto una tantum di buona volontà ormai è diventato un'abitudine e sta cominciando a frantumarmi i coglioni.

«Mi spiace, signora Mack, ma non ho ancora avuto la possibilità di prepararla, eh no.»

«Io stavo appunto pensando... minestra... il ragazzo di sopra di solito il giovedì ne porta giù una tazza... lo stavo proprio dicendo a Hector. Minestra... stavo appunto dicendo a Hector l'altro giorno. Minestra. Il ragazzo di sopra. Minestra.»

«Sì, fra un po' la faccio.»

«Minestra minestra minestra... credevo che ce ne arrivava giù un po'.»

«È tutto sotto controllo, signora Mack, posso assicurarglielo.»

«Minestra...»

«LA MINESTRA NON È ANCORA PRONTA SIGNORA MCKENZIE. QUANDO L'AVRÒ FATTA, CIOÈ PIÙ TARDI, MA COMUNQUE OGGI, VE NE PORTO GIÙ UN PO'. OKAY?»

«Minestra. Più tardi.»

«ESATTAMENTE, SIGNORA MCKENZIE. MINESTRA. PIÙ TARDI.»

Devo aver fatto un casino bestiale perché la Manico di scopa che abita di fronte viene alla sua porta a indagare sul baccano. «Tutto bene, signora McKenzie? Il rumore di quella musica ha disturbato anche lei?» chiede alla cara vecchietta, cazzo di stronza senza anima, egocentrica e intrigante.

«La minestra arriva», fa la signora McKenzie tutta giuliva, tranquillizzata, andandosene con laboriosa lentezza per il pianerottolo e giù per le scale.

Rientro, riavvolgo il Richard e punto sulle botteghe per prendere gli ingredienti per la minestra. Quando esco arriva un messaggio sulla segreteria telefonica. Una lunga dichiarazione sconnessa di Nukes che in realtà non dice niente se non che in casa sua c'è stata un'irruzione della polìs.

5. Heather

Come se.

Come se la prossimità fisica potesse compensare la distanza emotiva.

Lui mi abbraccia stretta, ma non c'è amore né tenerezza, soltanto disperazione. Forse dipende dalla consapevolezza che sto scivolando via a poco a poco da lui, da questo mondo che vuole io abiti: il suo mondo, che non è quello di tutti e due.

Non è quello di tutti e due perché io sono sua, una sua proprietà, cui non rinuncerà facilmente. Sono una fonte di tranquillità, l'orsacchiotto di un bambino cresciuto. Il fatto è che nessuno lo vedrebbe mai così, ma se lo vedessero, l'inquietante immaturità di quest'uomo di presunto successo, la troverebbero semplicemente tenera, com'è successo a me una volta. Però non so perché è una cosa triste e penosa.

È un ritardato di merda.

Che cosa ci ricava comportandosi così?

È un fiore, lui, mentre io sto morendo dentro.

Dovrebbe esser lì lì per morire anche lui, invece no.

No, perché ci sono io che lo faccio per lui.

Che cosa voglio? L'amore non basta. È un problema di innamoramento. Io amo mia madre, mio padre. Non voglio un'altra mamma e un altro papà. Una volta sì. Ero programmata così, perché non sapevo che cosa volessi veramente.

Non voglio essere protetta. E Hugh protegge.

Un tempo avevo bisogno anche di questo.

Ma vedi, Hugh, io sono cresciuta dentro, più di quanto tu desideri. Mi dicevi sempre che dovevo crescere. Se avessi visto chi ero veramente avresti avuto paura di me. Ma credo che tu ormai ce l'abbia. Per questo tieni duro, quasi ne andasse della vita.

Morire dentro.

Crescere dentro.

Come si conciliano queste due cose?

6. Lloyd

Quando torno dal supermercato con gli ingredienti per la minestra, sono appena entrato dalla porta che il campanello suona argentino alle mie spalle. È la Figa Velenosa, con al traino la Vittima, la faccia fissa in uno sguardo nervoso, teso, che neanche il mio sorriso più aperto può scardinare.

La Vittima è cronicamente fuori di testa. Le persone come lei sembra che si appiccichino sempre alla Figa Velenosa. La quale tiene basso il loro livello di autostima, facendo in modo che rimangano in uno stato di miseria psichica. È una tutrice di anime morte. E mi preoccupa l'idea che passo sempre più tempo con la Figa Velenosa: ci siamo convertiti in reciproci fornitori di droga e buone occasioni. Una volta la Vittima l'ho scopata: una sera ero fatto di coca e l'ho sbattuta su un letto... su un letto il mio culo, in realtà è stato sul pavimento, quello dietro il divano dove Ally stava scopando quella fighina che aveva conosciuto al Pure. Comunque, dopo, la Vittima mi ha rotto i coglioni per settimane, con telefonate, nei locali eccetera. Ha la tendenza ad accettare tutto, si squaglia per qualsiasi tipo di attenzione. Per questo finisce sempre in situazioni dove la maltrattano.

«Diddly dit dit dii, due dame», canto loro con un'allegria che non provo affatto mentre le faccio entrare, scontrandomi però con nient'altro che gelo. La Figa Velenosa arrotola il labbro inferiore all'ingiù come un tappeto rosso rovesciato. Ha la tipica aria affaticata, irritata della giovane che ha visto più di quanto avrebbe dovuto vedere ma non ancora quello che vuole, e ha appena deciso di piantarla lì invece di cercare oltre.

«Aspetta qui», ringhia alla Vittima, che comincia a mugugnare sottovoce. Sto per procedere a una piccola sceneggiata di conforto, ma la Figa Velenosa mi chiude il braccio in una presa ferrea e mi trascina in cucina, chiudendo la porta dietro di noi e abbassando la voce al punto che vedo soltanto le sue labbra che si muovono.

«Eh?» le chiedo.

«È fottuta.»

«Che novità sarebbe?» rispondo con uno scrollone di spalle, ma non credo che la Figa Velenosa mi abbia sentito.

«Si sta illudendo, gliel'ho detto», continua quella, ciucciando una cicca e torcendo la faccia in una maschera di spregio schifato. «'Cazzo, vivi nel paradiso degli scemi, stella', le ho detto. Ma non vuole ascoltare. Sta ricominciando tutto da capo. E chi è la prima persona da cui arriva di corsa?»

«Già... già...» annuisco con l'aria più comprensiva che posso, trasferendo la mia roba da mangiare dal sacchetto alla credenza e al frigo.

«Continua a essere in ritardo con le mestruazioni, ma si accontenta di dire: 'Sono nella merda fino al collo'. Pensavo di dirle: vedrai che non ci finisci se lui te lo sbatte nel culo, ma ho lasciato perdere. O magari: il motivo per cui sei sempre in ritardo è che sei fuori di testa, stella; la tua vita è un casino, e quando si è così fuori di testa, prima o poi ci va di mezzo il corpo.»

«Capisco, capisco... di nuovo lei e Bobby...»

Il principale sfruttatore della Vittima è al momento un certo Bobby, un fanatico della bici, che conosco da anni. Soffre di sdoppiamento della personalità. Una parte di lui è puro male, l'altra è cazzonaggine al cento per cento.

«...Ma mi sono morsa la lingua. Insomma, Lloyd, lui è venuto lì e si è messo a fare dei giochi psicologici con lei. Solo crepava dal ridere, cazzo, per cui siamo dovute uscire. Vogliamo soltanto metterci qui per rilassarci un momento finché quel bastardo di Bobby se ne va.»

«Senti, a me va benissimo, però dovrete star qui sole. Devo vedermi con un tipo che dovrebbe avere un po' di champagne rosa, di speedball, sai.»

«Prendimene cinque... nah, sei», raspa, frugando nella borsa in cerca del borsellino.

«Sempre se ne ha», rispondo, prendendo i soldi. Non ho affatto intenzione di cercare di battermela, soltanto di andare da mio fratello a mangiare qualcosa. E non solo non mi sembra il caso di dirlo, alla Figa Velenosa, ma sta di fatto che è una gran rompicazzo ficcanaso e non voglio che sappia troppe cose di me.

Le pianto lì, tirando una pacca sul culo della Vittima nei suoi fuseaux neri e restando soddisfatto e seccato insieme di non notare nessunissima reazione.

Prendo l'autobus ai piedi del Walk per andare da mio fratello Vaughan. Sono un po' in ritardo. Quando arrivo, mi tocca suonare un secolo. Vaughan è fuori, e Fiona, mia cognata, è sul retro a giocare con la mia nipotina, Grace, che ha due anni ed è un po' intronata, come sono i bambini di quell'età.

«Lloyd, l'ho pensato che eri tu. Entra, entra.»

Capisco che Vaughan si è dedicato all'arredamento, ma non dico niente. La casa è combinata in uno stile campestre di un gusto orrendo, ridicolo in una bifamiliare di periferia. Ma Vaughan e Fiona sono fatti così. Gli voglio bene in un modo strano, un bene teso e rispettoso, ma con truzzi del genere inutile mettersi a parlare di gusto. Non ci pensano proprio. Gli viene sparato dalle pagine di un catalogo.

Chiedo a Fiona se posso usare il telefono e lei capisce al volo e porta fuori Grace in giardino. Chiamo Nukes. «Cos'è questa storia?» gli chiedo.

«È che ho finito con ultras e droghe. Sono un uomo segnato, Lloyd. La polìs è venuta qui l'altra sera ad accusarmi di un sacco di cose, vecchio. Un bel casino.»

«Hai una denuncia?»

«No, ma sono nella merda. Alcuni dei ragazzi dicono di non preoccuparsi, ma col cazzo. Sto facendo un po' di commercio, e potrebbe significare tre anni della mia vita, cazzo, soltanto per aver fatto un po' di botte al futbol.»

«Volevo chiederti se potevi trovarmi un po' di roba...»

«Neanche parlarne. Profilo basso per un po', dalle mie parti.»

«Okay, allora. Però vieni giù la settimana prossima per un colpo di vita.»

«D'accordo.»

«Auguri, Nukes... ah... ti ricordi che cosa è successo l'altra sera? Ci siamo messi in qualche casino?»

«È meglio se non lo sai, Lloyd.»

«Nukes...»

La linea muore lì.

Roba piuttosto normale, per me, ma non è da Nukes. Il truzzo ha qualche grosso casino. So che da qualche tempo non frequenta un granché i tifosi, ma per una bella rissa ogni tanto è sempre pronto. Non ho mai capito che gusto ci sia, ma lui ci va matto. Se è noto alla polizia, però, è un pessimo affare; appena sei in possesso di qualche dose per gli amici vieni considerato spacciatore. Quindi dimostra buon senso e decido che per un po' è meglio se sto in campana.

«Ti piace il nuovo colore?» chiede Fiona.

Grace mi si arrampica addosso e cerca di cavarmi un occhio dall'orbita. Le tiro via la mano prima che passi all'altro, quello con il livido. «Sì, bello. Molto rilassante. Volevo proprio dirtelo», mento. «Devi avere tenuto Vaughan piuttosto occupato, eh? Dov'è?»

Grace mi smonta di dosso, corre dalla madre e le si abbarbica a una gamba.

«Ti concedo tre risposte», sorride Fiona in quel modo che la trasforma da massaia in scopona.

«Alle bocce?» chiedo

«Beccato al primo colpo», annuisce stancamente. «Ha detto di dirti di raggiungerlo là per una pinta. La cena non sarà pronta fino alle cinque.»

«Ottimo...», rispondo. Ma non è affatto vero. Preferirei restare qui con Fiona e Grace invece di ascoltare le cazzate di Vaughan, «...ma magari resto qui un attimo tranquillo.»

«Ho un sacco da fare, Lloyd. Non ti voglio tra i piedi, una bambina mi basta», ghigna.

«Grazie mille», rido, fingendo di essere offeso. Continuiamo con questo rituale. È una cosa penosa e loffia, ma spesso mi dà uno strano, nauseante senso di esaltazione scambiare un po' di cazzate con la gente, senza dovermi preoccupare di fare il dritto semplicemente perché abbiamo un qualsiasi legame. Un vero trip di follia.

Un'indigestione di questa merda, però, può mandare fuori di testa, per cui dopo un po' decido che è meglio se vado a cercare Vaughan.

Quando esco per strada è una magnifica sera d'estate. Mi trovo con un passo stranamente scattante. Naturale, è giovedì. A questo punto la droga del weekend è stata assimilata ben bene, le tossine eliminate: sudate, cagate e pisciate; la sbronza è finita; lo schifo di se stessi scompare a mano a mano che la chimica del cervello si decazza, la fatica sprofonda nel passato e la vecchia pompa dell'adrenalina ricomincia a mettersi in marcia per il prossimo casino. Questa sensazione, quando si è superata la sbronza di depressione, e corpo e mente ricominciano ad avviarsi, è seconda soltanto a farsi di buon E.

Al club, Vaughan sta giocando a bocce con un vecchio coglione. Mi saluta con la testa, e il vecchio pisquano mi guarda un po' storto, e capisco che gli ho rotto la concentrazione facendo cadere la mia ombra nel suo campo visivo. Poi il vecchio stronzo si tende tutto e fa partire la boccia, che rotola, rotola, rotola, al punto che penso stia andando per farfalle, e invece no, il furbone conosce il gioco, perché la palla fa una giravolta brasiliana, sì, proprio un dribbling brasiliano, cazzo, torna indietro come un boomerang, tipo una drittona salta-code, e scivola dietro la massa delle linee di difesa di Vaughan, raggiungendo il pallino e portandolo via.

Applaudo il vecchio catorcio per il bel colpo. Vaughan ha l'ultima boccia, ma decido di non guardare e di andare dentro a prendere qualcosa da bere. Scopro di avere una bustina di anfe in tasca, rimasta lì da chissà cazzo quando. La porto al cesso e la sistemo in un po' di righe sulla vaschetta. Se mi tocca parlare di bocce sarà meglio che mi faccio alla grande... Torno fuori caricato come una molla. Me la ricordo questa roba, come me la sono slavandinata la settimana scorsa. Ma è molto meglio sniffarla.

«Non sei rimasto qui per il gran finale», fa Vaughan, con un'aria scoppiata. «Mi avrebbe fatto comodo il tuo appoggio morale per l'ultimo colpo.»

«Mi spiace, Vaughan, me la stavo facendo addosso. È andata bene?»

«Nah, è andato a farfalle di chilometri!» ruggisce il vecchio coglione. Pantaloni flosci bianchi, camicia azzurra aperta sul collo e berrettino con visiera.

Gli do una pacca sulla schiena. «Congratulazioni, socio! Magnifico tiro, fra l'altro, quel piccolo avvitamento che ha chiuso la partita. Sono Lloyd, il fratello di Vaughan.»

«Ciao, Lloyd, sono Eric», mi tende la mano e stritola la mia in una presa massonica, «giochi a bocce anche tu?»

«Nah, Eric, non gioco, non è proprio il mio genere, sai. Cioè, non disprezzo affatto il gioco, è un grande gioco... l'altra sera mi sono messo lì tranquillo a guardare quel Richard Corsie, alla tele... era del Post, no? Sa come si tira la boccia, quello lì.»

Cazzo, questa Lou Reed* che mi sono sniffato sta già centrando il bersaglio.

«Ohé, cosa volete bere», grida Vaughan, un po' imbarazzato per tutte le mie chiacchiere.

«Nah, nah, nah», faccio io. «Tre bionde, vero?»

«Piscia da froci», schifeggia Eric. «Per me una Special.»

«Un bicchiere speciale per una vittoria speciale, eh, Eric», sorrido. Il vecchio truzzo mi scocca un sorriso. «Il nostro Vaughan, qui, è rimasto al palo.»

«Sì, proprio», fa Vaughan. «Allora, vai a prendere da bere o che cosa?»

Filo al bar e il tizio dietro il banco mi dice che bisogna avere un vassoio per essere serviti, e io scherzo che ho già quanto basta per il trasporto e lui ribatte qualcosa tipo regole della casa, ma un nanerottolo in coda me ne passa comunque uno.

* Sta per «speed», «speedball», «anfe». *(N.d.T.)*

Mi ero dimenticato tutte le regole del supercazzo che ci sono in ambienti come questo, pieni di coglioni brylcremati e con il distintivo del club sul blazer, e che all'ora di chiusura cascano più pezzi di massonica muratura di quando la Luftwaffe ha bombardato la cattedrale di Coventry... comunque eccomi tornato alla mia sedia.

«Salute, ragazzi!» faccio, alzando la mia pinta. «Ti dirò una cosa, Eric: dopo averti visto in azione qui ho capito che hai le bocce. Questo qui ha le bocce, mi sono detto. Quella giravolta brasiliana, vecchio! Uah, sei una bella lenza!»

«Sì», fa lui con un'aria compiaciuta, «una robetta che mi è venuto in mente di provare. Mi sono detto: Vaughan ha schierato lì in fila le sue difese, ma cerchiamo di imbucarci dentro dal retro, potrebbe funzionare.»

«Sì, è stato un bel tiro», ammette Vaughan.

«Roba da assi», gli dico io. «Hai sentito parlare del calcio totale, l'hanno inventato gli olandesi, no? Be', questo tipo qui», e accenno a Eric, «è il gioco delle bocce totale. Avresti potuto provare a sfasciare tutto, andarci dentro di potenza, e invece no: un po' di classe, un po' di arte.»

La pinta è secca. Vaughan fila al bar.

Sempre la stessa storia, quando si vede con me. Ha il senso del dovere e delle responsabilità dell'uomo con moglie e figli, per cui, ogni volta che gli viene concesso un po' di tempo libero, cerca di strizzarci dentro tutte le unità alcoliche di cui è capace. Ed è capace di bere. Grazie al cazzo io vado di Becks alla spina. Non toccherei per niente al mondo nessuna merda scozzese, in particolare la McEwan bionda, schifosa piscia tossica. Le pinte continuano a scorrere e l'anfe continua a scavarmi dentro, e sta quasi per mancarmi il fiato. Il fatto è che il vecchio Eric sembra preso anche lui dalla vibrazione, dall'esuberanza, pare che si è sniffato anche lui qualche riga eccetera, vecchio bastardo.

Dopo avere prosciugato in un baleno una nuova pinta, torna indietro con altre birre e bicchierini di cicchetto.

«Alla faccia del cazzo!» dico. «C'è da aspettarsi l'imprevedibile da questo qui, eh?»

«Sì, proprio», sorride Vaughan. Ci guarda tutti e due con un gran sorriso indulgente, tipo sono-matti-ma-gli-voglio-bene. Quasi mi sciolgo.

«Dovresti andare su a trovare la mamma e il papà», mi fa.

«Sì», dico, sentendomi colpevole, «avevo intenzione di fare un salto a portargli questo nastro che ho messo insieme per loro. Roba Motown, sai.»

«Bene. Gli farà piacere.»

«Sì, Marvin, Smokey, Aretha eccetera», faccio, ma cambio subito argomento, rivolgendomi a Eric: «Senti, Eric, quel numero che hai fatto con le bocce...», attacco.

«Sì», mi interrompe lui, «gli ha praticamente tagliato le gambe, a Vaughan, spero non ti dispiaccia se lo dico, Vaughan», e ride. «Aspettarsi l'imprevedibile!»

«Do-do-do-do, do-do-do-do», attacco sul tema di *Ai confini della realtà*, poi mi viene in mente una cosa: «Di', Eric, di cognome non fai Cantona, per caso, eh?»

«Macché», fa. «Stewart.»

«No, è che c'era un qualcosa di cantonesco in quell'ultimo tiro», attacco a ridacchiare, un'autentica botta di Tenente pilota, e ride anche Eric. «Ha mandato a fondo la Corazzata Vaughiomkin, cazzo.»

«Sì... vabbè, okay, scemi», si acciglia Vaughan.

«Oh-ah Cantona», comincio, ed Eric mi fa eco. Alcuni gruppi di bevitori e qualche coppia anziana ci guardano.

Con questo incoraggiamento, il vecchio Eric e io ci buttiamo nel can-can: na, na, na, na na na na na na na, na, na na, na na na na na na...

«Ohé, su, basta. Qui c'è gente che sta cercando di godersi un bicchiere», geme un truzzo tutto acido con tanto di blazer e distintivo.

«Vabbè non è successo niente!» gli grida il vecchio Eric e poi, a voce più bassa, ci fa: «Cazzo vuole quello lì?»

«Dai, Eric...», attacca Vaughan. «Lloyd non è socio.»

«Vabbè, il ragazzo è stato registrato. Registrato come ospite. Tutto a posto, non facciamo male a nessuno. Ripeto: non è successo niente», ribatte Eric scrollando la testa.

«Le procedure sono state rispettate, eh, Eric?» ghigno.
«Tutto a posto», conferma stoicamente Eric.
«Mi sa che a un certo Monsieur Vaughan Buist forse gli brucia il culo per una recente débâcle sportiva, n'est-ce-pas, Monsieur Cantona? È, come si dice, incazzato nero.»
«Je suis un bocciateur», gracchia Eric.
«Non c'entra, Lloyd», bofonchia Vaughan. «Sto soltanto cercando di dire che non sei socio di questo posto. Sei ospite. Sotto la responsabilità di chi ti ha portato qui. Ecco che cosa sto cercando di dire.»
«Sì... ma non è successo niente...» borbotta Eric.
«È come quel club dove vai tu, Lloyd. Quello su al Venue. Come si chiama?»
«Il Pure.»
«Ecco, appunto. Metti che sei al Pure e io capito lì e tu devi registrarmi...»
«Come mio ospite», sboffo, scoppiando a ridere smodatamente all'idea. E sento il vecchio Eric che comincia anche lui. Va a finire che ci tocca filare.
«Come tuo ospite...» attacca Vaughan. Penso: sono fatto. Il tenente pilota Biggles* in missione sulla truce metropoli di Truzzo City... Il vecchio Eric attacca a stronfiare, mentre Vaughan continua: «come ospite di mio fratello Lloyd nell'esclusivo club che frequenta in città...»
Veniamo interrotti da un suono strozzato, e il vecchio Eric spara uno spruzzo di vomito birroso sul tavolo. Il tappetto truzzesco in blazer e distintivo gli salta addosso e dà di piglio alla sua pinta. «Basta così. Fuori, forza. Fuori!»
Vaughan gli ristrappa la pinta. «Non va per niente bene, Tommy.»
«E invece sì, cazzo! Basta così», ringhia il tappo.
«Non venire al mio tavolo a dire basta così, cazzo», dice Vaughan, «perché non basta così proprio per niente.»

* Asso dell'aviazione britannica, è il protagonista del film *Avventura nel tempo*. Oltre che nei cieli francesi della Prima guerra mondiale, Biggles volerà anche nel futuro. (*N.d.T.*)

Io tiro una botta sulla schiena a Eric e aiuto il vecchio coglione a mettersi in piedi e ad andare al cesso. «È una brutta storia, proprio», lo becco a sbanfare tra uno spruzzo e l'altro di vomito nella tazza del cesso.

«Sì, Eric, va tutto bene, vecchio. Non c'è pericolo», dico in tono di incoraggiamento. Mi sembra di essere al Rez, a cercare di calmare Woodsy quando è fuori di testa, se non che qui sono con un vecchio rimbambito in una bocciofila.

Portiamo Eric a casa. È una casa vecchia, con la porta che dà direttamente sullo stradone. Ce lo appoggiamo, suoniamo il campanello e filiamo. Viene ad aprire una donna che lo tira dentro e sbatte la porta. Da dentro sento arrivare un rumore di sberle ed Eric che urla: «No, Betty, no... oh, mi spiace, Betty... non darmele un'altra volta...»

Dopo di che torniamo da Vaughan. La cena si è un po' freddata e Fiona non è per niente contenta del nostro stato. Io non ho voglia di mangiare niente, ma trangugio come se morissi di fame.

Mi sento pesante e pieno di imbarazzo e me ne vado presto, decidendo di scendere a piedi al porto. Mentre vado giù per Leith Walk, vedo la Figa Velenosa sull'altro marciapiede. Attraverso.

«Dove vai?» le chiedo.

«Sto tornando da te. Ho telefonato a Solo e mi ha chiesto di prendergli un po' di roba. Sei sbronzo!»

«Un po', sì.»

«Hai preso gli speedball?»

La guardo per un po'. «Nah... quello là non l'ho poi visto. Ho trovato qualche coglione... insomma, no.» Poi sento un'improvvisa punta di paura. «Dov'è la Vittima?»

«Sempre a casa tua.»

«Cazzo!»

«Cosa c'è?»

«La Vittima è bulimica! Mi fa fuori tutte le provviste, cazzo! Non dovevi lasciarla sola!»

Ci precipitiamo a casa, dove scopriamo che la Vittima ha

mangiato e vomitato tre cavolfiori crudi che avevo messo da parte per la minestra della McKenzie.

Mi tocca correre dagli asiatici a comperare qualche altro ingrediente mezzo marcio e stracaro – anche se va comunque bene, direi, perché i coglioni mi hanno tolto dalle croste tante volte dandomi roba da mangiare e bere a credito –, dopo di che, mezzo sbronzo, mi ci vuole un secolo a preparare la minestra. La Figa Velenosa ha qualche tavoletta di acido che mi dà in cambio della fresca che mi deve, la troia impestata. «Vacci piano con questa roba, Lloyd, è roba dozzinale.»

Si diverte alla consolle con i microfoni per un po'. Devo riconoscere che non è poi male, la Figa Velenosa, sembra avere un bel feeling. Noto che ha un anello nell'ombelico, lasciato scoperto dalla T-shirt corta. «Forte quell'anello», le grido, e lei mi fa pollice su, si esibisce in uno strano balletto e mi spara un sorriso strambo, brutto. Se a un reparto effetti speciali di Hollywood le chiedono di riprodurla, questa cosa che è una via di mezzo tra un ghigno e un rictus, fa diverse carriere.

La Vittima è seduta a singhiozzare alla tv, fumando una cicca dietro l'altra. L'unica cosa che mi dice è: «Hai qualche sigaretta, Lloyd...» con una voce rauca e sfiatata. Finalmente se ne vanno e io porto giù la tazza di minestra alla signora McKenzie. Ho intenzione di andare a Glasgow per il weekend, a trovare alcuni amici che ho da quelle parti. È un pezzo che voglio farlo, scazzato come sono di Edimburgo. Il fatto è che ho detto al mio socio Drewsy che domani mattina gli do una mano; non ho nessunissima voglia di farlo, ma significa fresca in mano, e ho bisogno di soldi per il weekend.

7. Heather

Famiglie felici.

Io, Hugh, la mia mamma e il mio papà. Il papà e Hugh stanno parlando di politica. Il papà è favorevole al Servizio sanitario nazionale, mentre Hugh dice che abbiamo bisogno di costruire una:

«...società orientata alla responsabilità. Per questo la gente dev'essere libera di scegliere il tipo di sanità e di educazione che vuole».

«Porcherie da conservatori», ribatte il papà.

«Secondo me bisogna guardare in faccia la realtà: il socialismo vecchio stile, come le vedevamo noi, è morto da un pezzo. Adesso si tratta di accontentare diversi gruppi di interesse in una società più articolata, di prendere quel che c'è di meglio da entrambe le filosofie tradizionali di destra e di sinistra.»

«Be', mi sa che io sarò sempre laburista...»

«Lo sono anch'io, sempre stato», ribatte Hugh.

«Neolaburista, però, Hugh», intervengo io. La mamma mi scocca un'occhiata di disapprovazione.

Hugh sembra un po' sorpreso: «Che cosa?»

«Sei neolaburista. Il laburismo di Tony Blair. Che è identico al conservatorismo, con la differenza che Major è probabilmente più a sinistra di Blair. Il quale non è che una versione ancora più fasulla di Michael Portillo, che è il motivo per cui farà meglio di quanto farà mai Portillo.»

«Credo che la questione sia un po' più sottile, Heather», replica Hugh.

«No, non credo affatto. Che cosa progettano di fare i laburisti per la classe operaia di questo paese, se tornano al potere? Niente.»

«Heather...», dice Hugh stancamente.

«Be', mi sa che voterò sempre laburista», insiste il papà.

«Ormai laburisti e conservatori sono esattamente la stessa cosa», ribatto a entrambi.

Hugh gira lo sguardo in direzione di mia madre come per scusarsi del mio comportamento. Conveniamo in silenzio di cambiare argomento e il papà dice: «Non andrebbe bene se avessimo tutti le stesse idee, no?»

Il resto della serata è piuttosto piatto. Fuori, in auto, mentre partiamo, Hugh mi dice: «Qualcuno era un po' teso, questa sera».

«Non ho fatto altro che dire ciò che credo sia vero. Perché agitarsi tanto?»

«Non mi sono affatto agitato. Tu, caso mai. Non c'era bisogno di essere così combattiva.»

«Non lo ero per niente.»

«Secondo me, invece, un po' lo eri, tesoro», sorride scuotendo la testa. Tira fuori quella sua aria da ragazzino e vorrei ammazzarlo per l'orribile tenerezza che provo nell'intimo per lui. «Sei una donnaccia, piccola», dice poi con un accento da gangster americano, e mi strizza la gamba. Sono felice di friggere nell'intimo mentre la tenerezza svapora.

8. Lloyd

Drewsy e io siamo in questo ghetto di Bambalandia. Carrick Knowe, penso, ma potrebbe essere Colinton Mains. Sono nel furgone, fatto e sbronzato. «È soltanto un lavoretto di zoccolini, Lloyd. Più le porte nuove. Non ci vuole niente», mi fa Drewsy.

Sembra sempre che stia sorridendo, perché ha due occhi che ridono, con sopra un paio di occhiali a culo di bicchiere. Fatto sta che è una persona molto felice ed emana vibrazioni positive. Lavoravo con lui secoli fa a Livingston in una fabbrichetta di schiavisti dove costruivamo pannelli da arredamento, e, da quando si è messo in proprio, se appena può cerca di passarmi un po' di lavoro saltuario; il che oggi in prima visione tv, è davvero ottimo per il vostro Doppio-L-L-O-Y-D.

In casa, il cazzone, tale signor Moir, ci fa una tazza di tè. «Qualsiasi cosa vi serva, ragazzi, basta gridare. Io sono lì in giardino», ci fa tutto garrulo.

Comunque, ci mettiamo a sistemare le stanze come si deve e io sto cominciando a sentirmi meglio, in previsione della notte fuori con gli amici weedgie.* Drewsy e io siamo in questa stanza che sembra la camera di una fighetta. Su una parete c'è un grande poster del ragazzo degli Oasis, sull'altra uno del cazzone dei Primal Scream e uno del duro dei Blur. Vicino al letto, invece, c'è il ragazzo dei Take That, quello che ha preso su e se n'è andato. C'è anche qualche nastro. Metto su *Parklife* dei Blur, perché mi piace il pezzo del titolo, dove si sente baccagliare il ragazzo che c'era in *Quadrophenia*. Un filmone da sballo.

* Di Glasgow. (*N.d.T.*)

Mi metto a cantare mentre strappo via gli zoccolini vecchi.
«Ehi! Fuah... guarda qui!» grida Drewsy. Sta trafficando nel cassettone della fighetta e so quale cassetto sta cercando. Fa piuttosto in fretta a individuare quello della biancheria intima, tirando fuori un paio di mutandine e annusandole al cavallo. «Cazzo, come mi piacerebbe trovare il cesto della biancheria sporca», ride, e poi, di punto in bianco, con un lampo di ispirazione, esce nel corridoio e apre un po' di armadi a muro. Ma non c'è dentro niente. «Bastarda. Comunque, qui abbiamo qualche bella mutandinina, eh?»
«Alla faccia del cazzo, vecchio. Io sono pazzamente innamorato di questa bimba», gli dico, alzando un paio di slippini alla luce e cercando di visualizzare mentalmente un bell'ologramma da infilarci dentro. «Quanti anni avrà, secondo te?»
«Tra i quattordici e i sedici, direi», sorride Drewsy.
«Cazzo, che meraviglia di fighino», dico, facendo scorrere lo sguardo sulla collezione di indumenti ultrasexy. Tiro via i Blur e metto su gli Oasis, che ci danno dentro alla grande, anche se a me piace solo roba da night, ma decido che questo mi va bene. Torno ai miei zoccolini, ma Drewsy è ancora tutto preso.
Alzo lo sguardo e salto per aria vedendolo che balla al ritmo della musica: però si è teso un paio di mutande della fighetta sulla testa, tirandoci sopra gli occhiali. A questo punto prima mi sembra e poi so senza ombra di dubbio che sento un rumore lì fuori, e prima che possa gridare un avvertimento a Drewsy ecco che la porta si apre e compare il nostro brav'uomo, il signor Moir, lì in piedi, davanti a Drewsy che continua a ballare. «Che cosa succede! Che cosa sta facendo? Quelle... quelle...»
Il povero Drewsy si tira via dalla testa le mutande. «Ehm, mi spiace, signor Moir... stavo soltanto scherzando un po', eh. Ah ah ah», dice, appiccicandosi una risata sforzata in viso.
«È quella l'idea che ha dello humour? Frugare tra gli indumenti intimi di una persona? Comportarsi come un animale con le mutande di mia figlia!»
A quel punto non ce la faccio più. Scoppio a ridere incontrollabilmente. Tutto un festival di Tenente pilota Biggles. Mi

torco come se avessi un attacco epilettico e sento che la faccia mi diventa paonazza. «Ahgh ahgh ahgh...»

«Lei che cos'ha da ridere?», fa quello rivolto a me. «Secondo lei sarebbe una cosa divertente? Questo... depravato imbecille del cazzo che fruga tra gli oggetti personali di mia figlia!»

«Mi spiace...», farfuglia debolmente Drewsy, prima che io possa dire qualcosa.

«Mi spiace? Col cazzo che le spiace! Ha figli, eh?»

«Sì, due maschietti», risponde Drewsy.

«E le pare il modo di comportarsi, per un padre?»

«Ho detto che mi spiace. Ho fatto una scemenza. Stavamo soltanto facendoci una risata. Quindi adesso possiamo stare qui a discutere come deve comportarsi un padre, oppure lascia che io e il mio socio andiamo avanti a finire il lavoro. La fattura le arriva comunque. Cosa facciamo?»

Forte, Drewsy, penso, ma Moir non è dello stesso parere.

«Prendete i vostri attrezzi e fuori dai piedi. Vi pagherò per il lavoro che avete fatto. E si consideri fortunato se non si becca una denuncia!»

Facciamo pulizia, con il cazzone che torna lì di quando in quando a baccagliarci qualcosa, dimenticandosi che si porta dietro le mutande della figlia strizzate nella mano.

Drewsy e io filiamo al pub. «Mi spiace di non essere riuscito ad avvertirti in tempo, Drewsy. Colpa della musica. Non l'ho sentito, quello stronzo di un ficcanaso. Non c'erano segni di vita, e di punto in bianco eccolo lì davanti a noi a guardare il tuo balletto.»

«Capita, Lloyd», sorride. «Comunque, cazzo, ci siamo fatti una bella risata, eh? Vista la faccia del coglione?»

«E tu hai visto la tua?»

«Basta così!» scoppia a ridere.

Drewsy mi paga e finiamo di bere. Prendo un taxi per Haymarket e salto sul treno per Scansasapone City. Quando smonto a Queen Street prendo un taxi per l'appartamento di Stevo, nel West End, spendendo circa un terzo di quel che spenderei per la stessa distanza a Edimburgo. E questo mi fa venire in mente che razza di teste di cazzo sono i tassisti di Edimburgo. Sono ormai quasi pulito. Dovrei cercare di mettere in offerta quegli E di merda della Figa Velenosa.

Da Stevo ci sono Claire, Amanda e Siffsy, che si stanno intappando tutti. «Come mai questo cazzo di sfilata di moda, ragazzi?» belo nervoso, sgamando l'inadeguatezza del mio addobbo.

«Adesso non andiamo al Sub Club, perché al Tunnel c'è Roger Sanchez», risponde Claire.

«Oh, cazzo...», frigno.

«Stai benissimo», fa Stevo.

«Credi?»

«Ma certo», annuisce Claire.

Siffsy continua a uscire ed entrare dall'ingresso, come se fosse su una passerella. Non la finisce più. «Non so bene, queste scarpe e questi calzoni con questo top», fa.

«Nah», dico, «i calzoni non vanno assolutamente bene con quel top, eh no.»

«Ma il top non posso assolutamente non mettermelo, capisci? Sessantacinque carte, allo X-ile. Però, se mi metto questi calzoni marron, stonano con le scarpe.»

«Dobbiamo andare», dice Claire alzandosi. «Forza.»

Amanda e Stevo la seguono. Io non ce la faccio ad alzarmi da questo scassone di divano, continuo a sprofondarci dentro.

«Aspettate un momento!» implora Siffsy.

«Vaffanculo», scuote la testa Stevo. «Forza, Lloyd, vecchio burino frocio. Sei pronto?»

«Sì», dico, alzandomi.

«Ancora un momento...» implora Siffsy.

«Ci vediamo nella prossima vita», fa Stevo, uscendo con noi a ruota. Siffsy ci anfana dietro tutto agitato per via dell'abbigliamento.

Ma al Tunnel il suo imbarazzo svapora. Gli E che ha preso Stevo sono al fulmicotone, molto meglio della merda che ho portato io, se devo essere sincero. Roger S è in ottima forma, e il mattino dopo, quando torniamo da Stevo, siamo fatti come pere. A mano a mano che l'effetto cala, Siffsy ricomincia ad agitarsi e si precipita a casa per cambiarsi. In casa io mi sparo uno degli acidi «dozzinali» della Figa Velenosa, considerando che se i suoi E sono di merda non devono essere un granché nemmeno questi.

Tiro fuori il mio sacchettino di plastica di E da sotto le palle. «Queste sono merda», dico, sollevandole alla luce. «Non riuscirò mai a venderle, cazzo.» E le sbatto sul tavolo.

Ma nessuno di questi babbi weedgie è in vena di stripparsi. Stevo resta appiccicato alla tele, mentre Amanda e Claire si mettono a preparare canne.

Sulle prime l'acido non fa un granché. Poi colpisce. Poi colpisce un po' di più.

9. Heather

Non voglio un figlio.

Hugh è pronto. Ha la moglie, il lavoro, la casa, l'auto. Manca qualcosa. Secondo lui è un figlio. Non ha un granché di immaginazione.

In realtà non comunichiamo, per cui non posso dirgli chiaro e tondo che un figlio non lo voglio. Parliamo, certo, in quella strana lingua che ci siamo creati allo scopo di evitare la comunicazione. Il non-linguaggio che ci siamo creati. Forse è un segnale che la civiltà sta regredendo. O comunque è qualcosa. Qualcosa è.

L'unico aspetto positivo della faccenda è che Hugh non può dirmi chiaro e tondo che vuole che abbiamo un figlio. Non può fare altro che sorridere ai bambini quando siamo fuori, darsi un gran daffare con nipotine e nipotini a cui prima non dedicava mai un attimo. Se soltanto dicesse voglio un figlio.

Lo dicesse, in modo che io possa rispondere: no, io non lo voglio.

NO.

NO.

Non voglio un figlio. Voglio una vita. Una vita mia.

Adesso le sue dita mi sono scese alla figa. Come un bambino

che cerca di infilarle in un barattolo di dolci. Non c'è nessuna sensualità, è soltanto un rito. Provo un attacco di nausea. Adesso sta cercando di infilarmi dentro l'uccello, spingendolo a forza tra le mie pareti asciutte, strette, tese. Sta grugnendo. Grugnisce sempre. Ricordo la prima volta che sono andata a letto con lui, all'università. La mia amica Marie mi ha chiesto: «Com'è?»

«Non male», ho risposto. «Grugnisce un po'.»

È scoppiata a ridere come una matta, per un bel po'. Intendeva com'era *in quanto persona.*

Una volta pensavo in questo modo. Ero sfacciata, nel mio modo tranquillo. Lo dicevano tutti. Adesso non sono più così. Però sono. Sono qui.

Mia madre diceva sempre che ero fortunata ad avere trovato uno come Hugh. Uno ambizioso. Uno capace di provvedere alla famiglia. «Quello lì provvederà a tutto», mi ha detto, quando ho sottoposto al suo esame l'istantanea di Hugh. «Come tuo padre.»

Se Hugh provvede a tutto, a me che cosa resta?

Coltivare.

Coltivare Ughino il piccino.

Coltivare il figliolino di Ughino il piccino.

Coltivare il risentimento.

«Oh... Scopona...» ansima, depositandomi in corpo il suo carico, scostandosi da me e crollando in un sonno profondo. Scopona. Mi chiama così, me, sotto di lui come un pezzo di carne, aggrappata alle lenzuola, tutta tesa.

Scopona.

Ho l'abitudine di lasciare «Cosmo» strategicamente aperto sul tavolino e restare lì a guardare Hugh che lo sbircia e poi si ritrae inorridito dai titoli:

orgasmo vaginale e clitorideo
il tuo compagno funziona a letto?
com'è la tua vita sessuale?
le dimensioni sono veramente importanti?
migliora la tua vita sessuale

Una volta leggiucchiavo «Woman's Own». Una laurea in letteratura inglese, una qualifica che non vale niente, certo, ma sempre più di una sfogliatina a «Woman's Own». Hugh continuava a chiedermi: «Perché leggi quella robaccia, tesoro?» in un tono in parte di disprezzo e in parte di condiscendente approvazione.

Questo capitano dell'industria locale di Dunfermline si rende conto che sta portando la nave del nostro rapporto a naufragare sugli scogli dell'oblio? Si rende conto dell'effetto che sta esercitando sulla sua stimata signora, Heather Thomson, anche nota come Scopona in certi ambienti selezionati? No, sta guardando dall'altra parte.

Il suo sperma tossico è dentro di me, sta cercando di aggredire il mio uovo. Sia ringraziato Dio per le pilloline. Trovo il clitoride e, sognando un amante misterioso, me lo sfrego deliziosamente.

Succede.

Mentre Hugh dorme come un sasso, succede. Divento Scopona.

10. Lloyd

Sento un campanello negli orecchi e un testa di cazzo che dice qualcosa tipo «forse un giorno capiranno il vero motivo per cui le cose rimangono diverse» con un accento che mi fa venire in mente il Corvo: non precisamente Manchester, piuttosto una cittadina dell'East Lancashire.

Chi l'ha detto? Comincio ad andare in crisi perché non ha una logica e non può averlo detto nessuno. In questa stanza siamo eravamo siamo eravamo in quattro: io, sì, io sono qui, poi c'è Stevo, seduto a guardare il golf o meglio il culo celeste di un tale che potrebbe essere un golfista ma anche no; Claire, stesa sul divano che ride forte e spiega perché la gente che lavora nella refezione scopa di merda (sgobbo in orari antisociali e impotenza da alcol, mi pare concluda... un po' scorrettamente, direi, ma vabbè, vaffanculo); e c'è anche Amanda, che mangia fragole con me.

Mangiamo fragole e cream cheese.

Il sistema migliore è tagliare le fragole, tipo sezionandole. L'operazione rivela un aspetto del frutto che vediamo di rado. Sì, proprio quello, drittoni. Dopo di che basta godersi il riverbero di rosso e bianco, guardare il tappeto marron della stanza che si trasforma in lucide piastrelle di marmo screziato e si estende sontuosamente all'infinito e, intanto, abbandonarsi semplicemente al capriccio di guardare me stesso che mi allontano da Amanda e Claire sul divano, e da Stevo, che continua a guardare il golf, ed ecco che urlo: «FUAAAH TESTA DI CAZZO CHE NON SEI ALTRO VAFFANCULO» e lascio cadere la fragola e la stanza assume un qualcosa di prossimo alla sua dimensione normale e loro si voltano a guardarmi e Stevo sporge le labbra in un modo che sembrano due fragole enormi e Claire ride ancora più forte facendomi scoppiare in una risata ansimante, spezzettata, a mitraglia, ed ecco che Amanda scoppia anche lei e io sparo: «Mani in alto, tutti quanti! Questi trip sono fantastici, e io sono fuori di testa, ragazzi...»

«Ti sei beccato una botta di Tenente pilota alla grande, Lloyd», ride Stevo.

È vero. Me lo sono beccato.

Per calmarmi comincio a preparare le fragole da primo chef, che nella mia testa è diventata una specie di missione urgente. Non perché sono fatto fino a quel punto, ma perché ho in testa un vuoto, uno spazio che se non mi do do da da fare con queste frago mi si riempie di brutti pensieri, e il segreto consiste nell'usare delicatamente questo coltello affilato per infilzare qualcuno

Eh

No no no vaffanculo il segreto consiste in perché l'ho detto no no nessun brutto pensiero si può spiegare, il che li peggiora ancora di più, bisogna soltanto ignorarli, perché ciò che si fa con il coltello consiste semplicemente nel togliere la parte bianca dalle fragole e riempire il risultante buco con cream cheese con un cappellotto di cream cheese con la crema del cheese di cappella di quello che

Vaffanculo

Non so se lo penso o lo dico o tutte e due le cose insieme, però certe volte si riesce a dire una cosa mentre se ne pensa un'altra. Quindi, se lo sto dicendo, se lo sto dicendo sul serio ad alta voce, che cosa sto pensando? Eh? Ahà!

«Sentite, stavo menandola con le fragole, cioè, ne stavo parlando a voce alta?» chiedo.

«Stavi pensando a voce alta», mi fa Stevo.

Pensando. Ecco che cosa stavo facendo, ma stavo pensando a voce alta? Questi stronzi stanno cercando di prendermi per il culo, ma ci vuole ben più che una tavolettina di LSD per mandare in tilt il vecchio Lloyd Buist qui presente, cazzo, te lo dico gratis compagno dei sette mari. «Pensavo ad alta voce», dico o penso.

Lo dico, perché Claire fa: «Psicosi da droga, Lloyd, ecco cos'è. Il primo segno».

Mi limito a ridere e continuo a ripetere: «Psicosi da droga psicosi da droga psicosi da droga».

«Tra l'altro, Lloyd, non ci importa se ti sei mangiato tutte le fragole», fa Amanda.

Guardo il cestello e sicuro come il cazzo ecco lì evidentissimo quel che resta delle fragole, buccia eccetera, ma i frutti ancora interi brillano per la loro assenza. Sei una gran fogna, Lloyd, penso tra me.

«Sei una gran fogna, Lloyd», dice Claire.

«Vaffanculo, Claire, stavo proprio pensando le stesse parole... è telepatia... oppure le ho dette... questo acido va letteralmente pazzo per le fragole, le ho mangiate tutte...»

Comincio ad andare un po' in crisi. Sta di fatto che una volta consumate le fragole ho perso il mio strumento di viaggio nello spazio-tempo. Le fragole erano la mia macchina dello spazio-tempo; no, troppo semplice, troppo banale, lasciamo perdere questa linea di pensiero e ricominciamo da capo: le fragole erano il mio mezzo di trasporto da questa dimensione o condizione a un'altra. Senza fragole sono condannato a vivere nel loro mondo di merda il che non va affatto bene perché senza allucinazioni di natura visiva e uditiva l'acido è piuttosto una cagata; cioè, allora tanto vale essere stroppiato sbronzo di pisciobirra, regalando profitti ai birrai e al partito conservatore, che è precisamente quello che si fa ogni volta che si accosta alle labbra un bicchiere di quella merda, ma senza le allucinazioni l'unico vantaggio che si ha con il vecchio acciiido è il Tenente pilota che è ancora meglio che bere perché uno sembra semplicemente un testa di cazzo muso triste lì seduto a bere il depressore detto birra quindi vaffanculo quello che serve a me sono le FRAGOLE...

«Vado giù in gastronomia a prendere ancora un po' di fragole», annuncio. Qualcosa della faccia di Claire mi fa ridere. Mi viene una crisi cronica di Tenente pilota.

«Sta' in campana, così strippato», dice Claire.

«Sì, sta' attento», annuisce Amanda.

«Sei matto ad andare fuori in quello stato», dice Stevo distogliendo l'attenzione dal culo blu del golfista.

«Nah, vecchio, va benissimo», ribatto. «Sto da dio.»

Proprio così. È da sballo sapere che c'è gente che mi vuole bene sul serio. Non fino al punto, però, da impedirmi di uscire o da dire «ti accompagno», ma potrebbe essere semplicemente paranoia. Dico che voglio stare un po' solo, dico

Voglio stare

Prima di uscire mi faccio una pisciata. Mi sta sul culo pisciare quando sono sotto acido perché sembra di non avere mai finito e la distorsione del tempo fa pensare di essere lì a pisciare più a lungo del necessario e la situazione si fa noiosa finché so soltanto che ne ho pieno il cazzo di questo pisciare e metto via l'uccello prima di avere veramente finito, cioè, ho *finito* ma non ho scrollato come si deve e vaffanculo non ho su i jeans ma calzoni di flanella e con il denim non sarebbe un casino ma con la flanella mi troverò sul cavallo una carta geografica del Sud America o dell'Africa a meno che non prendo un provvedimento risolutivo come faccio inzeppandomi carta da cesso nelle mutande. Le mie mutande. Inzeppando. Le accuse volano. J'accuse. Vaffanculo. Io sono Lloyd Buist.

Mi chiamo Lloyd Buist, non Lloyd Beattie. B-U-I-S-T. Un'altra brutta crisi di Tenente pilota. Respira calmo...

Pensa tu, *io*, Lloyd Buist, confuso con Lloyd Beattie, il coglione che dicono si è sbattuto la sorellina. Non ce l'ho neanche una sorellina, io, cazzo. Cazzo, rinuncio alla difesa, vostro onore; vostro giudice, giuria e boia psicopatico che comincia ogni conversazione da pub di Leith con le parole: Mi ricordo di te. Sei lo schifoso coglione che...

Cioè, come cazzo fate a confonderci? Certo, viviamo tutti e due a Leith e abbiamo più o meno la stessa età. Sicuro, ci chiamiamo Lloyd... nome non inusuale per Leith. Okay, sia io sia l'altro Lloyd abbiamo una B come iniziale del cognome. Ah, credo che ci sia un altro ambito di somiglianza, vostro onore; okay, è ora di mettere le carte in tavola: ci siamo sbattuti tutti e due la sorellina. Cosa posso dire? Per tenere le cose in famiglia. Senza perdere tempo con interminabili telefonate al

144 e litri di Bacardi. Semplicemente: ciao sorella, come va? Pronta per una sbattutina? Eh? Sì? Ottimo. Solo che nel mio caso era la sorella di un altro. Va bene? Va bene, stronzi? La rock opera che sto componendo su Lloyd Beattie, l'altro Lloyd:

Nella sua città Lloyd è in pena
non può far altro: se lo mena

Dalla finestra della sua stanzetta
di veder chissà cosa si aspetta
Guarda di qua, guarda di là
Non vede altro che la città

Una vera merda, perché è troppo personale perché parla di me, o di com'ero da ragazzetto, mentre dovrebbe parlare di Lloyd Beattie, per cui devo cercare di capire i trighi che lo hanno indotto a questa relazione incestuosa con la sorella, perché sono cose che non capitano così per il cazzo, eh no, ma aspettate un momento... se il Lloyd B. Number One, che devo chiamare Lloyd Il-Non-Scopa-Sorellina, cioè io stesso, se ne stava seduto a farsi seghe da annoiato quattordicenne sessualmente represso nella sua stanza di Leith, cosa stava facendo il Lloyd Number Two, quello che ha, o che si dice abbia, trombato la giovine sorella? Probabilmente lo stesso di Lloyd One, come tutti i quattordicenni di Leith a quei tempi. Però non si limitava a farsi seghe, lo schifoso coglione, portava la cosa a uno stadio più avanzato, coinvolgendo una ragazzina allora appena dodicenne, si dice, un casino per gli assistenti sociali, relativamente parlando...

Ma col cazzo che assomiglio a quello spastico, abbiamo lo stesso nome... e basta... sta' calmo, è questo acido di merda. Torno dai miei amici a salutarli come si deve prima di filare finalmente, per sempre, una volta per tutte, alla gastronomia.

«Non ho mai scopato la mia sorellina», dico loro, tornando nella sala.

«Non ce l'hai una sorellina da scopare», fa Stevo. «Ma se l'avevi probabilmente lo facevi.»

Ci penso su. Poi mi sento una botta di nausea allo stomaco.

Ho fatto una cazzata a ciucciarmi in un paio di giorni un casino di Ecstasy, anfetamina, solfato e acido. Però mi sono fatto anche una sciroppata di Lucozade Isotonic, oltre a un po' di pera che aveva Amanda e, naturalmente, il cream cheese e le FRAGOLE. Ora di andare.

Lascio l'appartamento e saltello, sì, saltello, giù per Great Western Road. Lloyd Buist, continuo a dirmi. Mi sembra importante ricordarlo. Leith. Profugo del party. Il genere più oppresso. Lotta per il diritto di party; rifiutati di sprecare le tue energie in frivole sciocchezze come cibo, lavoro e simili. Roba noiosa, noiosa, merdosamente noiosa. Il profugo del party Lloyd, arenato nel West End di Glasgow. Ero perso in Francia, innamorato. Nah, nah, drittone. Sei andato. Sei semplicemente andato.

«Ehilà, grand'uomo!»

Accanto a me due giovani, che respirano pesante e si guardano attorno senza incrociare il mio sguardo mentre roteano la testa di qua e di là. Sono quei due... Robert e Richard, di quella banda di Maryhill. Continuo a sbattergli addosso, al Metro, al Forum, al Rezurrection, a al Pure, all'Arches, al Sub Club... grandi maghi di Slam. «Ehilà, ragazzi!»

Hanno la faccia stravolta e già se la battono in gran fretta.

«Ci spiace, grand'uomo, mica possiamo fermarci, abbiamo fatto un po' di mangia e scappa... bisogna farlo per forza, cazzo, sai com'è, grand'uomo... cioè, non si può mica rinunciare a battere locali notturni eccetera soltanto per mangiare...» sbanfa Robert correndo all'indietro come un arbitro. Bisogna essere bravi.

«Proprio così, ragazzi! Giustissimo, cazzo! Bel numero, Robert! Bel numero, Robert, figlio mio!» grido tutto incoraggiante, mentre schizzano via per la strada. Mi volto ed ecco questo immenso moloc che mi punta, e io mi metto in posizione perché questo pazzoide sta per saltarmi addosso, per aggredire l'innocente Lloyd di Leith, profugo non abituato ai vostri modi di weedgie, e invece no eccolo che si precipita giù per la strada all'inseguimento di Richard e Robert che puntano sulla metro di Kelvin Bridge e il trippone alcolizzato non ce la farà mai a beccare i due atletici giovani perché il loro corpo è levigato da dance ed Ecstasy: sono in forma come lippe e il trippone pesante e carnoso (non è poi così grasso) lo capisce e lascia perdere. I nostri eroi fuggono, lasciando il loro sfiatato inseguitore a sbanfare pesantemente con le mani sui fianchi.

Sto ridendo. Il giovanotto punta verso di me ma non riesco a smettere. Nome: Tenente pilota Biggles. «Di dove sono quelle teste di cazzo?» sbanfa e ringhia più o meno. A quanto pare Lloyd di Leith, un bravo ragazzo di Edimburgo, rispettabile, gran lavoratore diplomato alle commerciali, che gioca a squash e niente gli piace più che andare ai grandi incontri internazionali di rugby al Murrayfield, viene sbattuto sullo stesso carro di Ricardo e Roberto, due miserabili usciti da un bassofondo weedgie.

Un po' come essere accusato di essermi sbattuto la sorella che non ho.

«Eh?» credo di essere riuscito a tossire.

«Quelle teste di cazzo sono tuoi amici. Di dove sono?»

«Vaffanculo», rispondo, voltandomi. Poi sento il suo braccio sulla spalla. Ha intenzione di darmele. No. Non vuole lasciarmi andare via. Che è peggio. La violenza sotto forma di sberle la sopporto, ma l'idea di essere trattenuto, non se ne parla neanche... gli tiro un cartone, nel petto, che razza di posto per tirare un cartone, ma non avevo veramente voglia di menarlo, soltanto di farmi mollare, e non va bene perché, come può spiegarti qualsiasi dritto, un truzzo lo si mena o non lo si mena, e stupidi cartoncelli e spintoni a mezzo corpo ti fanno soltanto sembrare scemo, per cui mi metto a dargliele *sul serio*, ma sembra di sbattere un materasso e lui intanto grida: «Polizia! Telefonate alla polizia! Questo qui è scappato dal mio ristorante senza pagare», e io sbraito: «Lasciami andare, testa di cazzo, non ero mica io» e tiro lecche al truzzo, ma mi sento di gomma e sono senza fiato e lui non molla la presa, la faccia tutta torta e decisa, piena di paura e apprensione.

E

ed ecco accanto a noi un poliziotto. Ci separa.

«Cosa succede?» chiede.

Ho quattro trip nei calzoni. Nelle tasche. Nel taschino, lo scomparto. Li tasto. Il truzzo sta dicendo: «I soci di questo qui mi hanno piantato sul gobbo un conto di cibo e bevande per quasi centoventi sterline e hanno tagliato la corda!» Io pesco fuori i quadretti di carta impregnata.

«È vero?» chiede il poliziotto rivolgendosi a me.

«Come cazzo faccio a saperlo, eh? Cioè, io ho soltanto visto questi due che correvano giù per la strada. Uno dei due l'ho riconosciuto vagamente, l'avevo visto al Sun Club, e l'ho salutato, e basta. Poi arriva questo coglione qui», e indico con la testa il bettoliere, «che insegue i due ragazzi. Dopo di che torna indietro e salta addosso a me.»

Il poliziotto torna a rivolgersi al bettoliere. Io prendo i trip tra indice e pollice e li ingoio tutti, che coglione, potevo lasciarli dov'erano: non li avrebbe mai trovati, non mi avrebbe comunque perquisito di sicuro, non ho fatto niente di male ma ho ingoiato tutto il malloppo quando avrei potuto persino buttarli via. Non ragiono come si deve...

Il suo nome era Beattie Lloydino
è venuto su bello carino

Lloyd One chiama Lloyd Two, mi senti Lloyd Two? Mi senti, Lloyd Two? Senti

sono in volo

Il trippone bastardo non si diverte per niente. «Questi stronzi mi hanno rapinato! Mi sbatto come un dannato per guadagnare quattro soldi e questi barboni...»

Si è fermata un po' di gente a osservare il trigo. Mi accorgo di loro soltanto quando una donna che ci stava guardando fa: «Lei è saltato addosso a quel ragazzo! Gli è saltato addosso e basta. Non c'entra niente, quel ragazzo lì...»

«Proprio così», dico io, annuendo al poliziotto.

«È vero?» chiede.

«Sì, può darsi», dice il trippa bettoliere, tutto umile, ed è giusto che lo sia, perché ha ingiustamente molestato un certo Lloyd Buist di Leith, che è un casinista e si è messo all'opposizione contro lo stato fascista britannico ma che adesso, con suo estremo imbarazzo, trova dalla sua parte uno dei suoi tutori della legge, che strapazza l'affarista capitalista responsabile di aver cercato di catturare detto abitante di Leith.

Un'altra donna fa: «Quelli come lei hanno già abbastanza soldi!»

«Fatti così, gli uomini. Soldi, soldi, soldi, non pensano ad altro», ride un'altra, quella che ha preso le mie parti.

«A quelli e al buco», dice la prima. Poi guarda il bettoliere e gli scocca un'occhiata di scherno da incenerirlo.

Lui la guarda, ma quella non fa una piega e sta per dire qualcosa, però poi ci ripensa.

Il poliziotto alza gli occhi al cielo in un modo che vuole inequivocabilmente dire esasperazione ma che si trasforma in un gesto sgangherato, teatrale. «Sentite», fa il nostro tutore della legge con un'aria annoiata, «possiamo procedere secondo le regole, il che significa che vi porto giù tutti e due al commissariato e vi denuncio per rissa.» Quindi inarca le sopracciglia in un'espressione tipo come-la-mettiamo rivolta al bettoliere, che pare si caghi addosso.

«Be', dai... ci lasci perdere», implora.

«Lei è andato sopra le righe, amico mio», pontifica il poliziotto, indicando il trippa, «cercando di trattenere quest'uomo quando in realtà i colpevoli erano altri due. Riconosce che costui non era nemmeno nel suo ristorante?»

«Sì», fa quello. Ha l'aria di vergognarsi come un cane.

«Ah, guarda un po'», faccio io. «Brutto bastardo. Io, un passante innocente, eh», dico alla guardia. Sembra una bambolina di quelle che fanno sempre sì.

Si rivolge a me, adottando il tipico tono solenne del Tutore-della-Legge. «E lei», fa, «è fuori di testa. Non so di che cosa cazzo è fatto, e al momento ho troppo da fare per occuparmene. Ma apra ancora soltanto un attimo quella bocca e me ne occupo. Quindi la chiuda.» E torna a guardare il bettoliere. «Da lei voglio sapere nei dettagli com'erano gli altri due.»

Il trippa fa una dichiarazione e fornisce al poliziotto una descrizione dei giovani, come si dice. Quindi ci viene chiesto di stringerci la mano, come se fossimo due bambini nel campo giochi di una scuola. Vorrei evitare un simile atteggiamento di condiscendenza, ma mi dà uno strano piacere essere magnanimo, e intanto vedo i lividi e i bozzi che si stanno formando sulla guancia del povero truzzo, sono andato un po' pesante suonandogliele in quel modo, povero coglione, era fuori di sé per essere stato rapinato e cercava soltanto di ottenere giustizia, ma nel suo stato alterato non ragionava bene, quando ha catturato detto abitante di Leith. Finché il tutore della legge monta nella sua auto e se ne va, lasciandoci lì a guardarci. Le donne se ne sono andate su per la strada.

«Imbarazzante, eh?» ride il trippa.

Non rispondo un cazzo, scrollo le spalle e basta.

«Mi spiace, socio... cioè, potevi mettermi nei guai. Se facevi denuncia eccetera. Ti sono grato.»

Mettere *lui* nei guai, cazzo... «Senti, drittone, ero già strafatto, e quando è arrivato quella sega di poliziotto ho dovuto sbattermi in gola un po' di altri trip che tenevo nascosti. Fra più o meno un minuto vado completamente nel pallone.»

«Cazzo... acido... sono anni che non mi faccio di acido...» dice e poi: «Senti, socio, vieni con me. Al ristorante. Siediti lì un attimo».

«Se hai qualcosa da bere, in quel posto», rispondo.

Lui fa di sì con la testa.

«Sai, l'unica cosa che posso fare è una bella bevuta. È l'unico modo per tenere sotto controllo un trip: cacciare giù tutto l'alcol che posso. È deprimente, sai.»

«Sì, okay. Al ristorante ho da bere. Ti porterei a farci una birra in una bettola, ma devo tornare là a preparare per questa sera. Sabato sera, il momento di punta eccetera.»

Non sono in condizione di rifiutare. I trip mi hanno preso come la labbrata di un pesce marcio. Mi scoppia in testa un casino di piccole esplosioni tutte insieme e mi rendo conto che non vedo più niente, soltanto una gran luce dorata e certi oggetti oscuri che mi roteano attorno, fuori portata. «Cazzi acidi... amico, qui crepo, se non ci spicciamo ad andare via.»

«Okay, socio, ti porto là...»

Il trippa mi stringe di nuovo, e questa volta gli sto aggrappato anch'io, anche se sembra quel cazzo di dinosauro di Jurassic Park, uno di quelli piccoli che, okay, su scala dinosauro sono robetta, non grossi come il Tirannosaurus Rex, quello sì che è un truzzone, il T. Rex: «Il sabato sera mi piace ballare... hai in mente quel cazzone del T. Rex?»

«Va tutto bene, socio, stiamo andando... ci siamo quasi... però, vecchio mio, il semplice fatto che ho un ristorante non significa che sono un ricco bastardo che gli danno tutto su un piatto d'argento. Sono come quei ragazzi, quei tuoi amici. Rubare a uno come loro! Perché è questo che hanno fatto. Ed è quello che mi fa incazzare di più. Cioè, io sono di Yoker, la conosci Yoker? Sono una roccia rossa, io.»

Continua a baccagliare una montagna di cagate e intanto io sono cieco, cazzo, e il respiro mi è andato in merda oh no non pensare al respiro, cazzo, no no no il trip storto diventa senza speranza se si pensa al respiro la maggior parte dei trip storti capita proprio se si pensa al respiro

ma

ma noi siamo diversi, diciamo, dai delfini, perché quei drittoni devono pensare a ogni respiro che fanno quando escono a cercare aria eccetera. Mandare tutto in merda per un gioco di soldati, poveri diavoli.

Non io, però, non Lloyd Buist. Un essere umano con un sistema respiratorio superiore, inattaccabile dall'acido. Ma non c'è bisogno di pensare al respiro, capita da solo. Sì.

E se

E se, però, no no no, però e se no no no un trip sbalestrato; io stesso adesso in volo nello spazio che vedo il corpo di Buist: un guscio abbandonato trascinato al covo del pervertito ristoratore assassino di massa, questo corpo che viene piegato su un tavolo con applicazione di lubrificanti al buco del culo e penetrazione compiuta proprio mentre la carotide della vittima viene recisa con un coltello da cucina. Il sangue viene abilmente cavato per essere raccolto in un secchio onde farne sanguinaccio e il corpo viene sistematicamente smembrato dopo essere stato pompato di seme di Yoker e quella sera nel ristorante del trendy West End gli ignari weedgie sederanno a blaterare inconsapevoli del fatto che invece di sbafarsi i soliti ratti morti stanno sgranocchiando i resti di Lloyd A. Buist, divorziato bruttozzo della parrocchia di Leith, integrata nella città di Edimburgo nel millenovecentodiciannove, no no no un momento, nel millenovecentoventi perché conosco la mia storia ed è quanto basta per far volare in alto i cuori ooh là là mi andrebbe una trombata perché ho appena visto qualcosa o qualcuno di veramente super attraversare il mio campo trance-visivo quassù tra le nuvole ma sì, Leith l'hanno incorporata a Edimburgo nonostante un plebiscito popolare che aveva respinto la fusione con una maggioranza tipo sette miliardi contro uno ma invece sì, l'hanno fatto lo stesso perché questi fessacchiotti delle case popolari non sanno un cazzo e hanno bisogno che una benigna autorità centrale gli spieghi cos'è il loro interesse e cosa no ed ecco perché è da allora che Leith prospera, cazzo, ah ah ah, col cazzo... se si esclude l'arrivo di un po' di yuppie ma evidentemente la storia di Leith ha risvolti più ampi

«Dico semplicemente che ho conosciuto momenti duri eccetera», fa il mio socio Roccia Rossa, mentre io ripiombo nel mio corpo con un tremebondo soprassalto di brividi.

A quanto pare continuo a espirare e basta. Che senso ha inspirare? E se il respiro è un riflesso volontario non è precisamente quello che l'acido manda in merda?

Precisamente, Holmes. Il che significa che sei in un mare di merda drittone. «Ah ah ah ah ah ah ah ah ah ah ah ah ah ah ah ah ah ah ah ah ah ah ah ah ah ah ah ah ah ah ah Tenente pilota Biggles a rapporto, signore. Biggles, vecchio mio, non starmi così appiccicato cazzo e metti via quell'arma quando ti parlo. Ti ho detto che il tuo respiro è piuttosto faticoso, è tutto un cazz cazz cazz cazz.»

«Tranquillo, socio, ci siamo.»

Niente respiro.

no no no pensa al tipo di scenario alla Giardino dell'Eden con tonnellate di ardenti donne nude stese qua e là e di punto in bianco chi dev'esserci lì in mezzo se non Lloyd ma le facce cazzo le facce non le distinguo bene e se a questi crudeli bastardi dei laboratori di ricerca gli viene in mente di dare LSD ai delfini? Cazzo scommetto che è già stato fatto, crudeli teste di cazzo. Amanda mi ha fatto vedere quella roba che le arriva a quintali per posta dove c'è tutto quello che queste teste di cazzo fanno a gatti cani topi e conigli ma non è ancora niente; questa sì che sarebbe una vera crudeltà: dare LSD a un delfino.

Non ci stiamo adesso muovendo. Muovendo adesso non. Adesso non ci stiamo muovendo. Siamo in un altro posto. Un posto chiuso.

«Cosa cazzo succede?»

«Sta' un po' tranquillo. Sei senza fiato... ti porto un bicchierino.»

«Cosa cazzo è questo posto?»

«Calma, socio, è il mio ristorante. Gringo's. La Gringo's Mexican Cantina. Hodge Street. Questa è la cucina.»

«Lo conosco, questo posto. Ci sono venuto una volta. Ottimi cocktail. Con la mia ragazza di allora. Abbiamo bevuto qualche cocktail. Mi piacciono i cocktail. Ne voglio uno ne voglio uno ne voglio uno ne voglio uno... oh, scusami, socio, sono completamente strafatto e fuori di testa. FUAH. Un bel dritto, tu! Sì... la mia ex. Si chiamava Stella ed era carina. Non ci amavamo, però, eh no, socio. E se non c'è il vero amore non va bene, sai? Non ci si può accontentare della seconda scelta. E questi cocktail, socio? Eh?»

«Tutto sotto controllo, amico. Te ne preparo uno. Cos'è che vuoi?»

«Mi andrebbe bene un Long Island Iced Tea.»

Bene. Continuo a dire questa parola, a pensare questa parola. Bene.

Quindi il giovanotto attacca a preparare gli aperitivi e io sono in questa cucina e tutto mi sta volando via ma lui continua a menarla con questa storia che è una roccia rossa che se ne sbatte dei soldi...

«...una roccia rossa. Non uno che frega i soldi, e so benissimo che a Glasgow c'è un casino di gente che crepa di fame ed è senza casa, ma è colpa del governo, cazzo, non mia. Io cerco di guadagnarmi da vivere, cazzo. Non posso dar da mangiare a tutti i poveri, questa non è una mensa popolare. Lo sai quanto fanno pagare di affitto quei criminali del comune?»

«Nah...»

Il giovanotto dovrebbe mettere su una comune di militanti a Yoker e chiamarla Roccia Rossa. Bel nome. Roccia Rossa.

«Non è che sono un conservatore, ci mancherebbe altro», fa Roccia Rossa. «Ricordati, questo consiglio comunale non è che una massa di conservatori travestiti, ecco cos'è. Succede così anche a Edimburgo?»

Troppo forte, cazzo. «Eh, sì, Edimburgo. Leith. Lloyd. Però non ho mai, cioè, non sono quello che si è sbattuto la sorella, era un altro Lloyd... ottimo cocktail, socio.»

Un Long Island Iced Tea.

Sta riverberando come tutto il resto. Sta per esplodere...

«Salute. Sì, vedi, se dovessi votare, che non mi sogno neanche, voterei Scottish National Party... nah, macché, te lo dico io per chi voterei se mai votassi per qualcuno: hai in mente quel ragazzo che è stato messo dentro perché non aveva pagato la poll tax?»

Questo cocktail non va bene. Ho bisogno di qualcosa alla fragola, fragola, un daiquiri alla fragola.

«Come si chiama?»

«Daiquiri alla fragola.»

«Nah... il ragazzo che hanno messo dentro perché non aveva pagato la poll tax. Il militante.»

Ho bisogno di fragole... «Un daíquiri alla fragola, socio... mi farebbe proprio bene.»

«Daiquiri alla fragola... sì, sicuro. Però prima finisci quell'Iced Tea, eh! Io per adesso mi faccio soltanto una birretta, una San Miguel, nah, troppo pesante, magari soltanto una Sol.»

«La Becks non ce l'hai, socio?»

«Nah, soltanto Sol.»

Roccia Rossa si alza dalla sedia di fronte a me per preparare i beveraggi e mi sembra che esploda un vulcano, cazzo, sta venendo giù il soffitto... macché mi mi mi sono sbagliato, però è partita la finestra, è pazzesco, cazzo.

«Mi spiace, amico mio, niente fragole. Dovrai accontentarti di un daiquiri al lime.»

Niente fragole, cazzo... che massa di merda, vecchio... niente fragole, cazzo, fa precisamente il truzzo e io faccio: «Ottimo, socio, ottimo. E, a proposito, grazie per esserti occupato di me, eh».

«Nah, mi sento un po' in colpa, per quella storia dei trip eccetera. Come va?»

«Benone.»

«Io, come ho detto, cerco soltanto di guadagnarmi da vivere. Ma quei tipi lì, sono spazzatura e basta. Hanno i soldi per andare in giro per locali tutta notte, però rubano il pane a quelli come me. È fuori della logica, cazzo.»

«Nah, vecchio, nah; io quei ragazzi lì li ammiro... sanno che il gioco non è pulito, cazzo. Sanno che c'è un governo pieno di bastardi ottusi e noiosi che se ne sbattono di quelli come noi e ti vogliono mesto come loro. Gli rompe il culo se non lo sei, nonostante tutto l'impegno che ci mettono. Ma se c'è una cosa che queste teste di cazzo non riescono a capire è proprio che i soldi per la droga e il ballo non sono un lusso, cazzo. Sono un bene essenziale.»

«Come fai a dire una cosa del genere?»

«Perché siamo animali sociali, cazzo, collettivi, e abbiamo bisogno di stare insieme e divertirci. È una condizione essenziale dell'essere vivi. Questi stronzi del governo, invece, essendo drogati dal potere, sono semplicemente incapaci di divertirsi, cazzo, e allora vogliono che tutti si sentano colpevoli, stanno nelle loro scatolette e dedicano le loro inutili vite ad allevare per lo stato la prossima generazione di carne da fabbrica o soldati o disoccupati. È dovere di questi ragazzi in quanto esseri umani, cazzo, andare in giro per locali e party con i loro amici. Avranno anche bisogno di mangiare, di quando in quando, no? È importante ma, cazzo, sempre meno importante di un po' di bello spasso.»

«Io, gente simile non posso ammirarla. Sono spazzatura, e basta.»

«Io invece li ammiro *eccome*. Tutto il rispetto del vostro Lloyd; il Lloyd di Leith, quello che non si è mai scopato la sorella: tutto il rispetto per quei due, Richard e Robert di Glesgie... la cara, vecchia città di Glesca...»

«Mi sembrava che avevi detto che non li conoscevi.» E la faccia ferita di Roccia Rossa si ingrugna davanti a me, circondata da una cacofonia di rumori metallici e luci che pulsano...

«Li conosco come Richard e Robert, nient'altro, socio. Ho cianciato con loro, nelle zone relax eccetera. Oltre a questo, niente... senti, sono fatto. Potrei morire. Ho bisogno di appoggiare la testa o di un'altra Sol...»

La Sol e il daiquiri e il Long Island Iced Tea sono vuoti e non riesco a ricordare chi è che li ha bevuti ma di sicuro non io cioè

Il giovanotto va a preparare un po' di tavoli nella zona pranzo davanti. Io mi arrampico sul lavandino, in mezzo a un po' di piatti sporchi, e scivolo via come un'anguilla per la finestra aperta, cadendo su alcuni cassonetti pieni di spazzatura e rotolando in un canale di scolo asciutto in un cortiletto di cemento. Cerco di alzarmi ma non riesco, così striscio verso questo portone verde e amen. So soltanto che devo andare via, continuare a muovermi, ma mi sono strappato i calzoni e tagliato un ginocchio e vedo la ferita nella carne che pulsa come una fragola aperta ma adesso sono in piedi ed è strano perché non ricordo di essermi mai alzato e sono su uno stradone affollato che forse è Great Western o forse Byre's o forse Dumbarton e non vedo dove sto andando ma dovrebbe essere verso casa anche se non significa affatto, no, cazzo, l'appartamento di Stevo.

Il sole si alza sui casermoni. E io sto per volarci dentro.

Grido qualcosa a certa gente per strada, due tipe. «Il sole», gli faccio, «sto per volarci dentro diritto.»

Non dicono niente e non si accorgono neanche che volo fuori da questo mondo e dalle sue triviali, banali oppressioni, dritto sparato in quel grosso bastardo dorato del cazzo che se ne sta lì in cielo.

11. Heather

Suppongo che ad attrarmi verso Hugh fosse il suo senso dell'impegno. Da studente ce l'aveva formidabile. Poi negli anni la cosa è cambiata, si è evoluta come potrebbe dire lui. Com'è cambiato il suo impegno?

Nome: Studente Hugh.
Impegnato a: liberare i lavoratori dagli orrori del capitalismo.

Nome: Laureato Disoccupato Hugh.
Impegnato a: combattere per il mantenimento del posto di lavoro degli operai ma per il cambiamento del sistema.

Nome: Ultima-ruota-del-carro Impiegato di Concetto Hugh.
Impegnato a: difendere e migliorare i servizi cui hanno diritto i lavoratori.

Nome: Ispettore Hugh.
Impegnato a: ottimizzare la qualità dei servizi per gli utenti di detti servizi.

Nome: Dirigente di Settore Pubblico Hugh.
Impegnato a: realizzare l'eccellenza nei servizi attraverso un miglioramento del rapporto costi-rendimenti. (Il che significava esubero di personale per molti dei lavoratori impegnati nella produzione di detti servizi, ma visto che è per il bene della massa che li utilizza è un prezzo che vale la pena di pagare.)

Nome: Dirigente di Settore Privato Hugh.
Impegnato a: massimizzare il profitto tramite ottimizzazione dei costi, sfruttamento delle risorse ed espansione in nuovi mercati.

«Ma dall'Ottantaquattro a oggi ci siamo mossi un po', Heather», sorrideva da dietro il suo «Independent».

Solo che si sono puniti gli innocenti per salvare le formule. Per Hugh la «analisi finale» è diventata la «linea di fondo». La semantica ha un senso. I banali slogan di rivoluzione e resistenza sono diventati quelli ancora più banali dell'efficienza professionale, del conto economico e dello sport: linee di fondo, ampliamento delle porte, copertura delle zone, campi di gioco livellati...

Strada facendo i nostri sogni si sono sbriciolati. Gli slogan della rivoluzione potevano anche essere ingenui, ma almeno puntavamo a qualcosa di grosso, a qualcosa di importante. Adesso miriamo bassissimo. E per me non è sufficiente. Per certa gente va benissimo, buon pro gli faccia. Ma a me non basta.

Non basta perché ho quasi ventisette anni e sono quattro che non ho un cazzo di orgasmo. Sono quattro anni che lui mi spara in corpo la sua colla da tappezzeria, consumandomi mentre io sono lì stesa a pensare a cosa manca.

Mentre lui mi scopa io compilo la mia lista:

zucchero
marmellata
pane
latte
piselli
riso
odori
pizze
vino
pomodori
cipolle
peperoni verdi

...finché ho fatto qualcosa di veramente visionario: ho smesso di consumare così tanto per farlo.

Il grasso ha cominciato a cadermi dal corpo. A cadermi dal cervello. Tutto è diventato più leggero. L'inizio vero e proprio è stato fantasticare di esser fottuta per bene. Poi fantasticare di dire a tutti di andare a farsi fottere e crepare. Poi i libri che ho cominciato a leggere. La musica che ho cominciato ad ascoltare. La televisione che ho cominciato a guardare. Mi sono scoperta di nuovo a pensare. Ho cercato di smettere perché mi faceva soltanto male. Non ho potuto.

Quando lo si ha in testa, tutto questo prima o poi ti cambia la vita per forza. Altrimenti si viene distrutti. E io non ho intenzione di lasciarmi distruggere.

12. Lloyd

Mi ci vuole un po' per tornare indietro da Scansasapone City. L'acido, ragazzi, vaffanculo, mai più, o comunque fino alla prossima volta. Quando arrivo, dalla mia scala sbuca la Figa Velenosa. «Dove sei stato?» chiede in tono accusatorio. Cazzo, questa Figa Velenosa sta diventando troppo possessiva nei miei confronti.

«Glasgow», le rispondo.

«A fare?» chiede.

«Una nottata di Slam sul Renfrew Ferry, eh», mento. Non voglio che la Figa Velenosa scopra i miei Piani di Spostamento...

«Com'è andata?»

«Benissimo, sì», faccio.

«Ho ancora un po' di quelle Colombe da darti da piazzare, ma sono a casa mia», dice lei.

Magnifico. Altri E di merda da vendere. Di qui a un po' la mia reputazione sarà talmente cattiva che la gente preferirà comperare la sua chimica dalle Birrerie Scottish and Newcastle. Gli altri li ho lasciati a Glasgow da Stevo, che non mi ha dato molte speranze ma ha detto che vedeva che cosa poteva fare.

«Bene. Vengo su questa sera», le dico. Ho soltanto voglia di andare in casa a farmi una tazza di tè e una canna. Poi mi rendo conto che ho lasciato la roba da tiro a Scansasapone City con quegli E. «Hai per caso un po' di roba da tiro?» Ho bisogno di farmi un tiro, cazzo. Sono esausto, dopo quel trip. Mi sembra di avere la mascella a pezzi. Ho bisogno di calmarmi un po'. Mi andrebbe bene anche qualche anfe. Ho bisogno di qualcosa. Ho bisogno, punto e basta, cazzo.

«Sì. Ne ho di black e di soapbar», dice lei.

«Bene, allora ti accompagno a casa tua.»

Andiamo dalla Figa Velenosa e c'è lì Solo, oltre a certi Monts e Jasco. Quando Solo comincia a parlarmi mi trovo in imbarazzo. Non capisco una parola. Sembra che stia espellendo lentamente le sillabe a forza, per il naso. Quando la Figa Velenosa va in cucina a mettere su il bollitore e a preparare un po' di roba da tiro, Monts si piazza alle spalle di Solo con in faccia un'aria da furbo, spingendo in fuori la guancia con la lingua nel gesto della ciucciacazzi. Lui e Jasco non sono altro che due avvoltoi che svolazzano in tondo sopra un grosso animale ferito. Lo trovo triste e mi spiace per Solo. Mi fa venire in mente un pezzo di un film su Mohammed Alì che ho visto alla tele, con lui impedito di articolare dal Parkinson, probabile effetto dei combattimenti. La Figa Velenosa, quando torna lì, mi fa venire in mente Don King, un effetto speciale che bercia attraverso un sorriso di arida delizia.

«Allora, la porti giù per me quella roba ad Abdab?» si informa.

«Sì», rispondo. Abdab è un mio vecchio amico, di Newcastle. La Figa Velenosa gli fornisce un po' di merda e io provvedo alla consegna. Una commissione che non mi va di fare. Ho accettato soltanto per vedere Abdab e i suoi amici geordie,* e passare una serata da quelle parti. Newcastle mi è sempre piaciuta. I geordie sono semplicemente scozzesi che non possono dare la colpa agli inglesi se l'hanno preso in culo, poveri coglioni.

Jasco comincia a rompere. Normalmente è un tipo come si deve, ma da qualche tempo dà un po' i numeri. Troppo freebase in corpo, il coglione. «Senti, Lloyd, quando ho il mal di testa mi sparo un po' di paracetamol.»

«Eh?» faccio.

«E se ho mal di stomaco prendo un po' di bicarbonato.»

Così di mattino presto sono un po' troppo lento per cogliere la battuta.

* In particolare gli abitanti di Newcastle e in genere di Northumberland, Durham e Tyne and Wear. (*N.d.T.*)

«Chiariscigli un po' il concetto, Jasco», dice Monts.

«Sta' a sentire», continua Jasco, «il fatto si è che l'altra sera non avevo né mal di testa né acidità di stomaco. Nah. Volevo soltanto strafarmi di Ecstasy. E allora perché questo coglione ci ha venduto paracetamol e bicarbonato?» E indica me.

«Che cazzo, Jasco», ribatto sulla difensiva, «non erano E di primissima, certo, e te l'ho detto fin dall'inizio, ma non erano *così* di merda.» Mi tengo leggero perché sembra di un umore da non sapere bene se è serio o in vena di battute.

«Mi hanno mandato tutto in merda, amico», geme lui.

«Centoventi milligrammi di MDMA, mi ha detto il ragazzo che c'erano dentro», dice la Figa Velenosa.

Cazzate. Andava di culo se ce n'erano cinquanta, di milligrammi, in quelle Colombe. Per avere un minimo di effetto bisognava spararsene due per volta.

«Sì, già», dice Jasco.

«Certo, cazzo. Le ha fatte venire Rinty dall'Olanda», insiste la Figa Velenosa. Ed è brava a mettersi di mezzo, perché Jasco smette subito di rompermi.

«In sogno le ha fatte venire, il cazzone. Hanno passato più tempo in Europa le squadre di futbol scozzesi di quelle pasticche che piazzavate voi, scemi», le borbotta.

So che la discussione può andare avanti così tutta notte, per cui faccio la bella appena possibile. Quando esco per strada vedo questi due ragazzi, maschio e figa, che passano insieme, evidentemente tutti presi tra loro, non fatti né niente. Quando è stata l'ultima volta che ero così? penso, con una figa, senza essere strafatto di E? In un'altra vita, cazzo, ecco quando. Tiro un calcio a un sasso, che spara via saltellando e va a sbattere, ma senza romperlo, sul parabrezza di un'auto parcheggiata.

PARTE SECONDA

L'INSOSTENIBILE ESTASI DELL'AMORE

13. Heather

Sta per dire qualcosa. Brian Case. Sul tipo di quelle che dice ogni mattino. Sta per dire qualcosa di viscido. Il *signor* Case. Io che cosa faccio? Sorriderò, come faccio ogni mattino. Come se avessi un cucchiaio ficcato in bocca. Sorridi. Sorridi, mentre ti senti spogliata, esposta, messa in ridicolo. No. Sto esagerando. Devo assumermi la responsabilità di come reagisco. Devo addestrarmi a non reagire fisicamente in quel modo, a non farmi piccola piccola nell'intimo. A *non* farlo. Devo controllare come reagisco.

«Come sta la luce della mia vita, oggi?» La solita domanda di Case.

Mi preparo a borbottare la mia solita risposta: e invece succede qualcosa. «Che cosa le fa pensare che io sia la luce della sua vita?»

Cazzo. Che cosa sto dicendo? Non posso dire una cosa del genere... e perché no? Certo che posso. Posso proprio dire qualsiasi cosa. Se lui fa un'osservazione strana, fuori luogo, io posso chiedergli di ampliare il concetto, di spiegarmi che cosa cazzo intende veramente. Che cosa si nasconde dietro quell'osservazione?

«Be', vederla ogni giorno mi illumina certamente la vita.»

Per quanto cerchi, non riesco a impedire alla Heather cattiva di parlare. Prima si limitava a pensare. Adesso ha cominciato a parlare. Sono schizofrenica, e la Heather cattiva sta prendendo il sopravvento... «È veramente strano, voglio dire, come la situazione è totalmente sbilanciata. Vederla ogni giorno non esercita assolutamente nessun effetto positivo sulla mia vita.»

Il momento cruciale: quando una cosa che non potevo dire diventa una cosa che non posso dire. La mia ribellione si è trasferita dall'interno della mia testa al mio mondo. Sì! No! Sì! Cazzo.

«Oh», dice lui ferito: non fa finta, questa volta, l'infelice è veramente, sinceramente ferito, «è così, eh?»

«Non so bene come *è*», gli rispondo, «però è così che la vedo e la penso.»

«Senta», fa con un'aria di preoccupata confidenzialità, «se c'è qualcosa che non va può parlarmene. Non c'è bisogno che mi morda, sa? Non sono così cattivo», dice sorridendo come uno scemo.

«Quanto lei sia buono o cattivo non mi riguarda. Fatti suoi. Io non ho nessun problema. Anzi, non potrei stare meglio.»

«Be', si sta comportando in un modo un po' strano...»

Mantengo un'aria tranquilla: «Senta, il suo comportamento nei miei confronti era basato sulla supposizione che a me interessi veramente come mi vede lei. Ma non c'entra niente. Lei è il mio direttore qui nell'ente, un ente la cui finalità, più che l'estetica o la sessualità o quel che si voglia, è che il lavoro venga svolto. La cosa non mi interessa e non intendo interessarmene, ma se il mio aspetto le illumina la vita nel modo che suggerisce lei, nei suoi panni mi darei una bella guardata e mi chiederei che vita ho avuto».

«Oh, grazie per avermi messo a posto», si imbroncia. «Cercavo soltanto di essere cordiale.»

«Seh, vabbè, sono io che mi scuso. Lei non c'entra. Adeguandomi al suo comportamento infantile e noioso le ho dato la tacita impressione di approvarlo, e ho sbagliato. Mi spiace, sul serio.»

Annuisce e sembra un po' perplesso, ma poi sorride timidamente e fa: «Vabbè... Allora vado».

Sorride timidamente. Il *signor* Case. Gesù Cristo!

Torno a sedermi al computer e mi sento euforica. All'ora di pranzo entro con passo deciso nell'East Port Bar e mi concedo la ricompensa di un gin tonic. Sono sola, ma non mi sento sola.

Quel pomeriggio sono veramente su di giri e felice e, quando arrivo a casa, Hugh mi ha lasciato un messaggio sulla segreteria: «Tesoro, questa sera farò un po' tardi. Jenny e io stiamo lavorando a un'altra presentazione per il gruppo».

14. Lloyd

Sono stato bene con Abdab giù a Newcastle, ma mi sono fregato. Mi ha dato parecchi grammi di coca per la Figa Velenosa, e sull'autobus del ritorno il pacchetto mi bruciava in tasca. È roba per calmarsi, certo, ma io continuavo a pensare a Nukes e ad aspettarmi quasi che a ogni fermata venisse su la squadra narcotici.

Poi quella sera vado al Tribal con Ally. Avevo solo voglia di andare a ronfare, ma il rompicoglioni ha voluto a tutti costi che andassi anch'io. Mi tocca anche farmi un paio dei miei E, ed è una pessima idea. L'infornata è ancora diversa, tipo Ketamine o roba del genere. Sono completamente fuso, non riesco a ballare. Mi metto a sedere nella zona relax, con Ally che baccaglia.

«Come stai, Lloyd?»

«Fuso», rispondo.

«Dovresti provare un po' di quella meth in cristalli che ho a casa. Dopo averla sniffata non riuscivo neanche a sbattere gli occhi, cazzo. Mi è venuto duro per tre giorni, merda. Volevo abbandonare la ricerca dell'amore, rompere il voto e telefonare ad Amber di venire qui a sedermisi sulla faccia. Però non avevo neanche più voglia di scopare con la sua testa, eh.»

«È qui?»

«Sì, su di sopra. Lei, quella Hazel e Jasco. Jasco si è sbattuto questa Hazel», osserva in tono di seccata mestizia, soffiando aria tra i denti e spingendosi indietro i capelli. «Forse è il caso che io vada su, vecchio.»

Amber non ci mette molto a individuarmi. Dà il cambio ad Ally, concedendogli un giro in pista, di sopra. «Non c'è bisogno che stai qui con me», biascico. «Sto bene. Soltanto un po' fuso...»

«Non c'è problema», risponde d'un fiato, tenendomi la mano fra le sue, prima di aggiungere pensosamente: «Ah, già, ti cercava quella Veronica».

Come al solito mi ci vogliono un paio di secondi per capire che cosa intende, poi il messaggio fa centro. Veronica è il soprannome di cattivo gusto che certa gente affibbia ogni tanto alla Figa Velenosa.

«È qui questa sera?» chiedo con una certa apprensione, dando un'occhiata all'orologio di Amber per vedere se, nel caso la risposta è sì, posso battere in ritirata al Sublime o al Sativa.

«Nah, prima, al City Cafe, eh.»

Grazie al culo. Mi faccio un'altra pasticca e poi con Ally, Amber e questo tale Colin andiamo da me. Cerco di far girare la consolle ma sono troppo fuso per qualsiasi cosa. Tra un po' dovrebbe esserci questo concerto. Dobbiamo abbassare perché questa feccia yuppie qui di fronte, che infesta Leith mentre tanto per cominciare non dovrebbe neanche essere da queste parti, si è lamentata del rumore, e dopo quello che è successo a Nukes non voglio la polizia nei paraggi. È un po' imbarazzante, perché Amber cerca di farsi Ally e questo giovane Colin cerca di farsi lei. Se avessi soltanto un po' più di ambivalenza sessuale ed energia cercherei di farmi il giovanotto, tanto per far sballare ancora di più tutti. Ma finalmente se ne va, e poi se ne va anche Ally, e vorrei che se ne andasse anche Amber, ma invece resta lì e sta sveglia tutta notte a suonare musica. Sono fuso e le dico che ho voglia di farmi una ronfata. Quando mi sveglio il mattino dopo la trovo all'altro capo del letto, che mi mette i piedi in faccia.

«Come va, Lloyd», mi chiede.

Si sta tirando su i calzoni e ha un'aria proprio da bambina, con quel trucco tutto sbiadito, e io mi sento un po' pedofilo, e altroché se lo sei, vecchio stupratore sbattibimbe di merda.

«Bene», faccio.

«A me non sembra. A proposito, hai le fette che puzzano.»

«Molto carina. Ecco i veri amici. Vuoi un caffè?»

«Sì... ottimo. Non incazzarti, dai, Lloyd. A tutti puzzano i piedi dopo una notte a darci dentro in scarpe da ginnastica.»

«Lo so. Prendi i tuoi, per esempio. Sono marci, cazzo», dico, alzandomi per fare il caffè, mentre lei mi scocca una lunga occhiataccia di spregio.

Mi sento veramente a pezzi. Il caffè non mi sta facendo niente. Devo vedere la Figa Velenosa. Non dovrei vedere la Figa Velenosa. Questa situazione mi sta scappando di mano. Ally ha lasciato qui un po' di questa meth in cristalli e mi andrebbe di farmene un po'. Ho bisogno di una botta di qualcosa prima di andare in quel posto. «Vuoi una sniffata di questa roba?» chiedo ad Amber.

«No-o, non la toccherei mai.»

«Molto sensata», dico, preparando un paio di righe.

«Tu sei da ricovero, Lloyd. Perché te la fai?»

«Non so. Nella mia vita manca qualcosa. Ormai sono un vecchio, perlomeno in confronto a te, e non sono mai stato veramente innamorato. È triste, cazzo», le dico, sniffandomi le righe. Sono forti e mi bruciano come fuoco su per il setto nasale.

«Oh, Lloyd», fa Amber... e mi abbraccia, e mi piacerebbe essere innamorato di lei, ma non lo sono, quindi non ha senso andare avanti a fare gli scemi, perché sarebbe una vera cazzata, ne verrebbe fuori soltanto una scopata, e una scopata non vale mai una buona amicizia.

Lei se ne va proprio mentre la testa mi scoppia.

15. Heather

Il medico mi ha dato il Prozac. Hugh è d'accordo che io lo prenda.

«Sei andata un po' giù di nervi, e questo ti aiuterà a rimetterti in sesto», mi ha detto il medico. O è stato Hugh a dirlo? Non riesco a ricordare. Tutti e due.

Rimettermi in sesto come?

«Vedrò», dico a Hugh. «Non mi piace l'idea di assumere farmaci in quel modo, diventarne dipendente. Se ne sentono dire tante.»

Sono in ritardo. Arriverò ancora una volta in ritardo al lavoro. Non riesco a uscire dal letto.

«Ah-ehm-eh... i medici sono professionisti. Sanno quello che fanno», mi dice lui, mentre si fa volare sulla spalla la sacca piena di mazze da golf. Oggi ha una giornata libera per via dell'orario flessibile. «Dio, è meglio che vada. Billy-Boy si starà chiedendo dove sono finito. Oggi siamo sul tee a Pitreavie, soltanto perché la settimana scorsa a Canmore l'ho massacrato. È fatto così, Bill», scrolla le spalle. «Magari poi facciamo un salto da lui e da Molly, eh?» Mi bacia e se ne va. «Ciao, tesoro.»

Telefono alla mia amica Marie. Mi dice di darmi malata in ufficio e di prendere il treno per Haymarket Station a Edimburgo. Si prende un giorno libero anche lei. Rispondere di sì sembra la cosa più facile del mondo.

Alla stazione di Dunfermline mi chiedo perché c'è soltanto un treno all'ora per Edimburgo, mentre a Inverkeithing, più avanti sulla stessa linea, ce ne sono tre o quattro. Grazie a Dio manca soltanto un quarto d'ora al treno, che arriva con soli dieci minuti di ritardo, ed è un bell'andare.

Marie e io facciamo un giro per negozi e poi torniamo da lei e ci mettiamo sedute a bere tè e chiacchierare tutto il pomeriggio. Arrotola un po' di joint e io mi sento di umore ridarello. Non ho voglia di andare a casa. Non ho voglia ma devo mettermi in moto per Haymarket Station.

«Resta qui, questa notte. Usciamo. C'è un bel locale aperto, qui in città. Facciamoci di E e usciamo, tu e io», dice Marie.

«Non posso... devo tornare a casa... Hugh», mi sento belare.

«È abbastanza grande da badare a se stesso per una notte. Dai. Facciamolo. Hai il Prozac, magnifico. Possiamo prenderne un po' dopo le pasticche di E. Prolungano l'effetto dell'Ecstasy distruggendo al tempo stesso le tossine dell'MDMA, che potrebbero provocare qualche danno, più avanti nella vita. Quindi il Prozac rende completamente sicuro l'E.»

«Non so... sono anni che non prendo nessuna droga. Ho sentito un sacco di cose sull'Ecstasy...»

«Il novanta per cento sono cazzate. Ammazza, certo, ma lo fa qualsiasi altra cosa, ogni pezzo di cibo che si ingerisce, ogni alito d'aria che si inspira. Fa molto meno male del bere.»

«Okay... però non voglio avere allucinazioni...»

«Non è come l'acido, Heather. Ci si sente soltanto in pace con se stessi e il resto del mondo per un po'. Non c'è niente di male.»

«D'accordo», dico incerta.

Da vigliacca, lascio un messaggio a Hugh sulla segreteria a casa. Poi usciamo e andiamo prima in un bar e poi nel locale notturno. Con addosso i vestiti che mi ha scelto Marie mi sento un po' stupida. Da studentesse avevamo la stessa misura e ce li scambiavamo sempre. Quando ci vestivamo nello stesso modo. Ma, adesso, quando mi sono guardata nello specchio, nei suoi indumenti mi sono sentita un clown, la gonna corta, la T-shirt stretta. Ma secondo Marie vanno bene, e abbiamo la stessa età. Nel locale notturno pensavo che mi avrebbero guardato tutti, invece se ne fregano. Sulle prime mi annoio un po'. Marie non ha voluto che nei pub bevessimo niente. Rovina l'E, mi ha detto. Muoio dalla voglia di un gin per i miei nervi.

Nel locale prendo la pasticca. Sulle prime ha un effetto forte e sento un po' di nausea allo stomaco. Sto un po' male, ma non quanto lascio intendere a Marie. «Sei tu stessa che provochi la sensazione di malessere cercando di contrastare l'effetto», dice lei sottovoce, sorridendomi. Poi la sento nelle braccia, nel corpo, sulla schiena: una sensazione formicolante, impetuosa. Guardo Marie: è bella. Ho sempre saputo che lo è, ma con il passare degli anni sono arrivata a vedere in lei soprattutto i segni di declino. Cercavo zampe di gallina, chili in più, tracce di grigio. Che li trovassi o meno non aveva importanza. L'importante era che li avevo cercati in Marie e, per traslato, in me stessa, rifiutandomi di vedere ciò che lei e io siamo veramente nell'insieme.

Vado alla toilette per guardarmi allo specchio. Non mi sembra di camminare ma di aleggiare dentro la mia stessa aura mistica. È come se fossi morta e mi stessi muovendo per il cielo. Tutta questa bella gente sorride e sembra stare come sto io. Cioè, non sembrano affatto diversi, ma in loro si vede la gioia. Mi guardo allo specchio. Non vedo una cosa: quella cazzona di moglie di Hugh Thomson. È sparita.

«Ciao tu», mi fa una ragazza: «ti sta funzionando?»

«Sì... è assolutamente incredibile! Non sono mai stata così felice! È la prima volta che mi faccio di E...» ansimo.

Mi abbraccia forte. «Magnifico. Non c'è niente come la prima volta. È sempre bello, ma la prima volta, sai...»

Parliamo un secolo, finché mi ricordo che devo tornare da Marie. Ma mi sembra di conoscerli tutti, questi sconosciuti. Abbiamo in comune una capacità di intenderci e un'intimità che nessuno che non abbia fatto questa cosa in questo ambiente potrebbe mai capire. È come se fossimo tutti insieme in un nostro mondo, un mondo lontanissimo da odio e paura. Ho rinunciato alla paura, ecco che cos'è successo, nient'altro. Ballo, e la musica è meravigliosa. Gente, sconosciuti, che mi abbracciano. Uomini, anche, ma non in modo viscido. Se penso a Hugh mi spiace per lui. Mi spiace che non conoscerà mai tutto questo, che abbia totalmente sprecato la sua vita. Che mi abbia perso, perché ormai è certamente così. Tra noi è finita. Quello stadio della mia vita è passato e superato.

Domani mi prendo un altro giorno di libertà.

16. Lloyd

Ally aveva ragione a proposito di questa roba. È vero: non si sbattono nemmeno gli occhi per qualche giorno. Sono subito un ribollire di energia e pensieri. Non riesco a sbattere gli occhi. Cerco, cerco di costringermi a sbatterli mentre sono seduto sul cesso a farmi una cagata. Poi succede una cosa: non riesco più a smettere di sbatterli. Sto male e credo di svenire. Crollo sul linoleum freddo del pavimento e, con la faccia paonazza che pulsa sul pavimento, mi sento meglio. Lo sbattere d'occhi finisce e sono di nuovo in forma.

Bussano alla porta ed è un tale Seeker. Mi passa davanti ed entra nell'ingresso. Mi alza davanti un sacchettino e lo appende a una minuscola bilancia metallica che ha fatto saltar fuori da chissà dove. «Dieci grammi», fa, «dagli un'assaggiatina.»

Lo faccio, anche se non posso dedurne la purezza della coca, perché di quella roba lì non sono un grande esperto, però sembra meglio di quella di Abdab. Chiedo a Seeker se posso sniffarmene una riga. Lui torce gli occhi impaziente, poi ne prepara una per ciascuno sul piano di lavoro della mia cucina. Sento il piacevole stordimento, ma sono talmente su di meth che una righetta di sniffo non può fare nessuna vera differenza. Non la farebbe neanche tutto quel sacchetto, cazzo. Comunque gli mollo la sua fresca e lui si leva dalle palle. Tipo strano, questo Seeker, mai fisso in nessun posto, ma lo conoscono tutti.

Schiumo via circa un quinto di quella roba, ci aggiungo l'equivalente di talco non profumato e mescolo il tutto. Non c'è una gran differenza.

In casa non riesco a trovare pace. Telefono a tutti quelli che conosco e sparo cazzate. Ho una bolletta del telefono che brucia e mi latita la fresca per pagarla, per cui lo adopero soltanto in situazioni come questa. Continuo a domandarmi come ho fatto a incastrarmi con la Figa Velenosa. È stato un po' di tempo fa, fondamentalmente per motivi di finanza. Faccio qualche consegna per lei e Solo, che è una specie di suo ragazzo o marito o roba del genere. È intronato, Solo, ma mai come da quando ha preso 'sta brutta legnata da quest'altra banda. Da quando è stato piantato lì svenuto, ha un'aria lenta, quasi da cerebroleso. Come ha detto Jasco una volta: «Quegli imbranati dell'ambulanza che lo hanno raschiato via dal marciapiede devono essersene dimenticati lì un pezzetto, povero coglione».

Devo ammettere che la cosa non mi ha particolarmente spezzato il cuore, ma comunque, anche se è un brutto bastardo, con Solo si sa sempre che aria tira. La Figa Velenosa invece è un altro paio di maniche. Dovrei sospettare il peggio, quando la chiamo e lei non vuole venire al telefono. La Vittima dice che «devo andare lì».

Quando arrivo, trovo una folla di gente in soggiorno. In un angolo c'è seduta in silenzio la Vìttima, che guarda fuori dalla finestra, i grandi occhi neri tesi e furtivi, quasi stesse cercando di prevedere da quale direzione piomberà sulla sua vita il nuovo colpo fatale. Poi c'è Bobby, con stampato in faccia un sorriso che gronda truce disdegno. C'è Monts, totalmente distrutto, troppo distrutto persino per rivolgermi la parola, mentre sgamo Paul Somerville, Spud Murphy e un altro tale che riconosco vagamente. Solo è seduto nell'angolo sulla sua carrozzella. Cazzo, una vera e propria casa degli orrori.

«La Figa Velenosa è andata fuori di testa, questa notte», mi informa Bobby. «Coca con freebase. Sta soffrendo un planaggio bestiale. Non ti invidio, Lloyd.»

Cazzo dice? Sono venuto soltanto per fare una piccola consegna. Vado in camera della Figa Velenosa, picchietto prima sulla porta e sento un raschio che potrebbe essere un entra o un vaffanculo, ma entro comunque.

La Figa Velenosa è stesa sul letto con addosso una tuta da ginnastica di un rosso squillante. La televisione è su un tavolo ai piedi del letto. Sta fumando hashish. In faccia non le si vede il minimo colore, ma i suoi capelli neri sembrano ben lavati, persino lustri. La faccia però è screpolata, scabbiosa e disidratata, e il contrasto con lo stato di salute dei capelli la fa sembrare una vecchia con la parrucca. Comunque ha ugualmente la sua più straordinaria caratteristica, che le ho sempre ammirato, quei folti sopraccigli neri che si uniscono al centro e che la fanno sembrare uno di quei tifosi del Celtic che assomigliano tutti a Paul McStay. Sotto quei sopraccigli ha due fessure di occhi verdi permanentemente in ombra e di solito mezzi chiusi. Mi ricordo la volta che ero fatto di E e mi è venuta un'erezione soltanto a vedere le sue ascelle non rasate che venivan fuori da un top di cotone bianco senza maniche. Una volta mi sono fatto una sega pensando di scoparmele, quelle ascelle, non so proprio come mai, ma la sessualità è una strana bestia da capire. Mi ha causato una certa angoscia per un po', un bel due o tre minuti. Una volta in particolare mi è capitato di essere lì che strascicavo i piedi nella bottega di cibi pronti, ai piedi del Walk, incapace di parlare, incapace di spiegare che cosa volevo, incapace di pensare a qualsiasi cosa non fosse le ascelle della Figa Velenosa. È stato Ally a farmele notare. Era fatto di acido, a Glastonbury, e mi dice con una voce tutta impastata: «Guarda queshta Veronica: un gran pacco di pelame, la shbarba»... Dopo di che non sono più stato capace di distogliere lo sguardo dalle ascelle della Figa Velenosa.

La sua faccia si torce nella mia direzione in una brutta espressione di riconoscimento e poi diventa un cartoon di rimprovero, e in quel momento capisco perché dev'essere del tutto impossibile sbavare per lei.

La Figa Velenosa che scopa: che pensiero orrendo.

«Allora?» ringhia.

«Ce l'ho qui», rispondo, porgendole il sacchettino di coca.

Gli si butta sopra come un predatore, frenetica, tossendo e stronfiando, la faccia contorta esattamente come quando l'ho vista frugare in cerca di mozziconi di sigaretta nel contenuto del mio bidone della spazzatura, dopo averlo rovesciato su un giornale, una volta che era rimasta senza fumo. Quella volta l'avevo coperta di insulti sanguinosi, e lei si era fatta tutta timida, rollandosi un'unica cicca di tabacco rancido.

È stata la prima e unica volta che ho visto la Figa Velenosa deferente.

È stato Monts a darle il soprannome. L'aveva scopata una volta e, o non voleva rifarlo o lo aveva fatto senza soddisfarla, e lei aveva chiesto a Solo ancora in versione pre-vegetale di spaccargli il muso. «Quella Figa Velenosa di Veronica», fece incazzato quando andai a trovarlo all'ospedale, con la faccia avvolta nelle bende.

«Come te la passi?» le chiedo. Sto guardando il profilo della sua figura. Vedo l'anello nell'ombelico, dove la giacca della tuta si solleva.

«Merda», sibila, ciucciando la siga.

«Un po' fatta, eh?»

«Seh...» risponde, poi si volta a guardarmi. «Sto di merda. Ho una brutta tensione premestruale. L'unica cosa che può darmi sollievo quando sono così è una bella scopata. Però non voglio farmela con quel cavolfiore del cazzo lì fuori. Non voglio altro. Una bella scopata.»

Mi accorgo che la sto guardando fissa negli occhi, e poi che le sto tirando giù i calzoni della tuta. «Sono qui apposta, cazzo...»

«Lloyd!» ride, aiutandomi a spogliarla.

Le ficco le dita nella passera, e la trovo che sgocciola. Doveva essere lì che se la toccava, o forse è lo sballo, o chissà. Comunque le monto in groppa e le ficco l'erezione nella gnocca. Sono lì che le lecco quella faccia tutta screpolata come un cane impazzito con un vecchio osso scheggiato, e intanto pompo meccanicamente, godendomi i suoi ansiti e gemiti. Mi morde collo e spalle, ma la meth in cristalli mi ha intorpidito il corpo, rendendomelo rigido come un'asse, per cui potrei star lì a pompare tutto il giorno. La Figa Velenosa ha un orgasmo dopo l'altro e io non do segno di venire. L'ultima volta le metto i popper sotto il naso e le infilo il dito su per il culo e lei strilla come una sirena d'allarme, cazzo, tanto che penso che adesso arrivano lì tutti in camera da letto, ma invece non si vede un'anima. Ho il cuore in gola e ho paura di tirare le cuoia perché per un po' mi viene quel velocissimo sbattere d'occhi, ma poi riesco a controllarlo. «Basta... basta così», sento ansimare la Figa Velenosa mentre glielo tiro fuori duro e teso come quando l'ho messo dentro.

Mi siedo sul letto cercando di ripiegare il cazzo duro in una posizione quasi comoda dentro i jeans. È come avere un pezzo di legno o di ferro nei calzoni. Viene solo voglia di spaccarlo e buttarlo via. Rabbrividisco al pensiero di come devo avere alta la pressione.

«Che favola...», ansima la Figa Velenosa stirandosi tutta.

Mi tocca stare lì steso con lei finché non sento gli altri andarsene. Per fortuna cade in un sonno profondo. Resto lì rigido, a guardare il soffitto e pensare a che cosa cazzo sto facendo della mia vita. Rifletto che, vista l'occasione, dovevo scoparmi le ascelle della Figa Velenosa. Quando ti tocca fare una cosa insipida di cui ti pentirai non appena l'hai fatta, se non altro realizzare una fantasia erotica può renderla più accettabile.

Dopo un po' mi trasferisco in soggiorno e vedo che Solo e Jasco stanno ronfando sul divano. Me ne vado a gironzolare un po' per la città, tra gente fatta di E che va e viene sorridente dai locali notturni tenendosi sottobraccio; facce scazzate che barcollano per la strada bofonchiando canzoni e cazzoni shakerati di droghe di ogni genere.

17. Heather

Mentre vagolo giù per Princes Street ho la testa che ronza. Più tardi, in mattinata, Marie ha dovuto trascinarsi al suo lavoro allo Scottish Office, ma io non ci penso nemmeno. Nel suo appartamento ho preso un libro di poesie di Shelley. Non riuscivo a smettere di leggerle, poi Blake e Yeats. È come se la mia mente fosse in overdrive alla ricerca di stimoli, non ne ho mai abbastanza.

In Hannover Street do un'occhiata a un negozio d'arte. Voglio dipingere. Ecco che cosa voglio fare: comperare un set di colori. Poi vedo un negozio di dischi della HMV ed entro. Vorrei comperare tutti i dischi che vedo, per cui ritiro da un bancomat trecento sterline, il massimo permesso dalla mia carta di credito. Non so decidere che cosa comperare, così finisco con qualche cd di compilation di house music che probabilmente non sono un granché, ma dopo i Dire Straits, gli U2 e i Runrig di Hugh andrebbe bene qualsiasi cosa.

Entro da Waterstone's. Mi guardo attorno e compero il libro di Ian MacDonald sui Beatles e la loro musica nel contesto degli anni sessanta. Sul retro di copertina è citato un tale che, dopo averlo letto, è andato a comperare la raccolta completa degli album dei Beatles in cd. L'ho fatto anch'io. A Hugh i Beatles non piacciono. Come possono non piacere?

Vado a farmi un caffè e sfoglio un numero di «NME», che non comperavo da anni, dove leggo un'intervista a un tale che era negli Happy Mondays e ha creato un suo gruppo che si chiama Black Grape. Poi torno alla HMV e compero il loro album, *It's Great When You're Straight... Yeah!* Già, è magnifico essere straight, e lo compero soltanto perché questo tale ha dichiarato di essersi fatto un sacco di droghe.

Compero qualche altro libro e prendo il treno per tornare a casa. Trovo un messaggio sulla segreteria: «Sono Hugh, tesoro. Telefonami in ufficio».

Poi trovo in cucina un biglietto scarabocchiato:

Mi hai fatto spaventare. Penso che tu sia stata un po' egoista. Chiamami quando arrivi a casa.

Hugh

Lo appallottolo. Sul tavolino è posato il cd dei Dire Straits di Hugh, *Brothers in Arms*. Lo suona sempre. La canzone che detesto più di tutte è *Money for Nothing*, che lui canta sempre. Metto su il mio cd dei Black Grape e infilo *Brothers in Arms* nel microonde per dimostrare che quello che si dice circa la indistruttibilità dei cd è un sacco di cazzate. Per esserne doppiamente sicura, comunque, guardo *Love over Gold* annullarsi nello stesso modo.

Quando Hugh arriva, è agitato. A questo punto il mio umore è cambiato. Mi sento giù, depressa. La notte prima mi sono fatta quattro Ecstasy, e Marie lo aveva detto che per la prima volta erano assolutamente troppe. Non volevo smettere, non volevo crollare. E lei mi aveva avvertito del planaggio. Tutto mi sembra senza speranza.

E Hugh è agitato.

«Hai visto il cd *Brothers in Arms*, tesoro? Non lo trovo da nessuna parte... *we got the music n the colour te*... viiii...»

«No.»

«...*munneee for nothin*... senti, perché non andiamo a fare un giro in auto?»

«Sono veramente stanca», rispondo.

«Bevuto troppo da Marie? Che coppia! Però, sul serio, Heather, se hai intenzione di prenderti qualche giornata di libertà dal lavoro, è una cosa che non posso approvare. Sarei un ipocrita, dopo aver fatto notare ai miei impiegati l'importanza di un buon tasso di presenza, se la voce circolasse; e Dunfermline non è grande, Heather: se la gente dovesse dire che mia moglie è una che se ne sbatte e che io chiudo un occhio...»

«Sono stanca. Ho bevuto un pochino troppo... Quasi quasi vado di sopra a stendermi.»

«Un giretto», ripete, alzando le chiavi dell'auto e facendomele dondolare davanti come se fossi un cane e quelle fossero il guinzaglio.

Non posso discutere con lui. Sto male, mi gira la testa, sono stanca e strizzata, come se mi fossi appena fatta un ciclo di centrifuga in lavatrice.

«Pensavo che un giro in macchina potrebbe tirarci un po' su l'umore», sorride, mentre usciamo con l'auto dal garage.

Al suo fianco siede questa donna con i capelli flosci e gli occhi cerchiati. Devo averla già vista da qualche parte.

Mi metto un paio di occhiali da sole presi dal cassetto del cruscotto. Hugh si acciglia in tono di disapprovazione.

«Sono brutta», mi sento dire con una vocina.

«Sei stanca», replica. «Dovresti pensare alla possibilità di metterti a lavorare part-time. È la tensione di essere in un ente che si sta ristrutturando. Lo so, è così anche da noi. E lo si deve avvertire per forza anche al tuo livello. C'è sempre un costo umano, purtroppo. Non si può fare la frittata senza rompere le uova, no? Bob Linklater è via ormai da due settimane. Stress.» Hugh si volta a guardarmi e fa una smorfia. «Comunque, ci credo che per te è un problema. Certa gente non ce la fa assolutamente ad adattarsi all'ambiente di lavoro di oggi. Triste ma vero. Comunque, ce la stiamo cavando benissimo, per cui non c'è nessun bisogno che ti martirizzi in quel posto per dimostrare qualche grande questione di principio, Heather. Lo sai, no, tesorino?»

Mi tolgo gli occhiali e guardo la faccia pallida e malata che mi guarda a sua volta, riflessa nel finestrino. I pori mi si stanno aprendo. Ho un brufolo sotto il labbro.

«...prendi la moglie di Alan Coleman... come si chiama? È un esempio perfetto di questo stato di cose. Dubito che tornerebbe al lavoro anche se la pagassero. Grazie mille: piacerebbe a tutti essere in quella situazione! E Iain Harker: mai abbandonato il campo di golf da quando ha preso il prepensionamento...»

Un uomo di ventisette anni che parla di prepensionamento.

«...bada bene, Alasdair e Jenny hanno girato tutta quella sezione. Ed è un peccato che uno dei due debba rimanere deluso quando finalmente decideranno di assegnare il posto lasciato libero da Iain. In questo momento la favorita è Jenny, anche se sospetto che si rivolgeranno all'esterno e faranno arrivare una faccia nuova per evitare che uno dei due rimanga deluso...»

Mi domandavo proprio quando sarebbe comparsa Jenny nella conversazione.

«Vuoi leccarle la figa?»

«...perché, tutto considerato... sono due professionisti ... ma se uno viene promosso e l'altro no... scusa, tesoro, che cos'hai detto?»

«Credi che sia in vantaggio? Jenny? Una bravissima a mettersi in mostra, montagne di pubbliche relazioni, ricordo che hai detto.» Ho i brividi: brividi paralizzanti mi attraversano il corpo al ritmo digitalmente preciso di uno ogni due secondi.

«Dio, sì, non credo di aver mai lavorato con una persona più sicura di sé, uomo o donna che fosse», sorride Hugh teneramente tra sé.

La stai scopando lo fai da quattro anni lo spero per te perché non scoperesti così male me se non scopassi un'altra... «Ha un ragazzo?» chiedo.

«Vive con Colin Norman», risponde Hugh, cercando senza riuscirci di non far suonare le parole «Colin Norman» come se stesse dicendo «corruttore di bambini» o, peggio, «impiegato con un tasso di malattia sopra la media».

Ma il giro in auto, naturalmente, è tutta una montatura. Lo so dove siamo diretti. Svoltiamo in un vialetto ben noto.

«Bill e Moll hanno detto che sarebbe stato carino se avessimo fatto un salto qui per berne uno», spiega Hugh.

«Io... ehm... io...»

«Bill mi ha parlato dell'ampliamento del suo office. Ho pensato di venire a dare un'occhiata.»

«I miei amici non andiamo *mai* a trovarli!»

«Tesoro... eh-ehm... Bill e Moll *sono* tuoi amici. Ricordatelo!»

«Marie... Karen... erano anche amiche *tue*.»

«Be', amicizie di università, sciocchezze da studenti, tesoro. Il mondo cambia...»

«Non voglio entrare...»

«Che cosa c'è, tesoro?»

«Penso che è meglio se vado via...»

«Andare? Andare dove? Che cosa stai dicendo? Intendi dire che vuoi andare a casa?»

«No», mormoro. «Penso che è meglio se vado via. Via e basta. Per sempre», ma la mia voce si è ridotta a niente.

Via da te, Hugh. Giochi a squash, ma hai ancora un po' di pancia...

«Questo sì che è spirito, tesoro! Eccola, la mia ragazza!» fa lui, uscendo dall'auto come una molla.

Bill è sulla soglia e ci fa entrare in casa con finta sorpresa. «Sono i gemelli Thomson! Come sta la bionda Heather? Splendida, come al solito!»

«Hugh è geloso», dico, tastando distrattamente un bottone della camicia di Bill, «dice che il tuo ampliamento è più grosso del suo. È vero?»

«Ah ah ah», ride nervosamente Bill, mentre Hugh saltella oltre e sbaciucchia Moll, e adesso qualcuno mi sta tirando via il soprabito dalle spalle. Ho un sussulto e ricominciano quei brividi, anche se in casa fa caldo. Sul tavolo del soggiorno c'è una specie di buffet. «Venite a provare un po' della bagna all'aglio di Moll, è mondiale», dice Bill.

Avverto che a questo punto dovrei dire a Moll: NON DOVEVI DISTURBARTI, ma non ci riesco. Sento le parole arrivare, ma sono troppe e mi si inzeppano in bocca: dovrei pescarle letteralmente fuori usando le dita. Comunque, Hugh mi anticipa: «Non dovevi darti tutto questo disturbo», le sorride. Che disturbo. Vedo.

«Assolutamente nessun disturbo», risponde lei.

Mi siedo, ingobbita in avanti, e guardo la patta di Bill. Decido che aprirla e cercare il cazzo sarebbe come aprire un cassonetto chiuso con un fermo e frugare nel contenuto: quel fetore quando si prende in mano la banana molliccia, marcia.

«...allora Tom Mason ha stipulato il contratto con la clausola che ci spetterebbe una penalità di dimensioni catastrofiche in caso di ritardo nella consegna, clausola che, manco a dirlo, ha avuto il desiderato effetto di concentrare la mente del nostro amico Ross in una certa direzione...»

«...a quanto pare il nostro Tom sta coprendo tutte le zone del campo», dice Bill con saggio affetto.

«Certo, il nostro amico Mark Ross era tutt'altro che contento. Si è visto pestare i piedi.»

«Giustissimo!» sorride Bill, e Moll lo imita, facendomi venire voglia di gridarle: di che cosa cazzo sorridi, *tu*, che cosa cazzo c'entri *tu* in tutto questo, quando lui aggiunge: «Ah, a proposito, ho preso gli abbonamenti».

«Magnifico!»

«Gli abbonamenti?» chiedo. Frankie Valli... e i Quattro...

«Ho un paio di abbonamenti per me e per il tuo dolce fedelissimo maritino all'Ibrox, nella vecchia tribuna.»

«Che cosa?»

«Il football. Glasgow Rangers FC.»

«Eh?»

«Una bella giornata all'aperto», dice timidamente Hugh.

«Ma tu tieni per il Dunfermline. Hai sempre tenuto per il Dunfermline!» Non so perché, è una cosa che mi fa incazzare. «Mi portavi sempre a East End Park... quando eravamo...»

Non riesco a finire la frase.

«Certo, tesoro... ma il Dunfermline... cioè, non è che *tenessi* poi così tanto per quella squadra; era la squadra locale, e basta. Ma adesso è cambiato tutto, le squadre locali non esistono più. Bisogna puntare alla Scozia in Europa, a un vero successo scozzese. Inoltre ho moltissimo rispetto per David Murray, e all'Ibrox sanno come si mette insieme un bel pacchetto di ospitalità organizzata. I Pars... be', è un altro mondo... e poi nell'intimo...»

«*Tu* tenevi al Dunfermline. Andavamo insieme. Mi ricordo quando hanno perso quella finale di coppa con l'Hibernian, a Hampden. Avevi il cuore spezzato. Piangevi come un bambino!»

Moll sorride del mio sfogo e Hugh ha un'aria seccata. «Tesoro, non credo veramente che Bill e Moll abbiano voglia di sentirci discutere di calcio... oltre a tutto, non te ne sei mai interessata sul serio... che cos'è questa storia?»

Che cos'è questa storia?

«Oh, niente...» concedo stancamente.

È stata l'ultima goccia. Un uomo che cambia donna lo si può perdonare, ma uno che cambia squadra... dimostra mancanza di carattere. È uno che ha perso ogni senso di che cos'è importante nella vita. Non potrei mai stare con uno così.

«E Moll ha imbandito un gran cena. Quella squisita bagna all'aglio!»

«Nessun disturbo», dice Moll.

«Mi spiace davvero, Moll, ma non ho proprio appetito», dico, mangiucchiando un pezzetto di pastafrolla. Vado quasi in tilt quando Bill mi vola addosso e mi ficca un piatto sopra le tette.

«Oops! Squadra antibriciole!» dice, costringendo al sorriso una faccia angustiata.

«Tappeto nuovo», spiega Moll in tono di scusa.

«Sì, è un vero problema», sento che dico.

«Diamo un'occhiata a quell'office, Bill», dice Hugh, che non sta in sé per l'agitazione.

È ora di andare.

Dopo una serata in cui sono morta di mille morti, Bill dice: «Hugh, credo che Heather non stia tanto bene. Sta sudando e tremando».

«Hai una punta di influenza, Heather?» chiede Moll.

«Sì, tesoro, credo sia meglio portarti via», annuisce Hugh.

Quando arriviamo a casa mi metto a fare le valigie. Hugh non se ne accorge nemmeno. Andiamo a letto e gli dico che ho il mal di testa.

«Oh», dice, e scivola nel sonno.

Quando è pronto ad andare al lavoro io sono ancora sveglia. Si è messo il suo completo, è chino su di me, completamente suonata, e sta dicendo: «Devi prepararti per andare al lavoro,

Heather. Farai tardi. Forza, tesoro, datti una mossa. Conto su di te!»

E se ne va.

E anch'io.

Gli lascio un biglietto:

Caro Hugh,
è un po' che fra noi le cose non vanno bene. È colpa mia, mi sono adeguata ai cambiamenti che nel corso degli anni sono avvenuti in te e nella nostra vita. Sono avvenuti a poco a poco, quindi mi trovo a essere un po' come la «arancia spremuta» di cui parli nei tuoi seminari di management. Le cose cambiano così gradualmente che ci si adegua senza rendersi conto che la situazione ormai ci è sfuggita di mano.
Non accuso, non recrimino: è finita e basta. Tieniti tutti i soldi, la casa, i beni eccetera. Non voglio restare in contatto con te perché non abbiamo niente in comune, e una cosa del genere sarebbe solo falsa e orribile, comunque, nessun rancore da parte mia.

Heather

Sento improvvisamente un liberatorio soprassalto di rabbia e scrivo: PS. Ogni volta che abbiamo scopato, in questi ultimi quattro anni, per me è stato come uno stupro; poi guardo il foglio e strappo via una strisciolina di carta. Non voglio impegolarmi in questo argomento. Voglio soltanto che sia finita.

Prendo un taxi per la stazione e un treno per Haymarket e un altro taxi per andare da Marie a Gorgie. Penso a dischi, libri, locali notturni, droghe e pittura fresca su tela. A ragazzi, anche, immagino. Ragazzi. Non uomini. Ne ho avuto abbastanza. Sono i più ragazzi di tutti.

18. Lloyd

Ally non è affatto contento, e il motivo della sua irritazione è Woodsy. «Quel testa di cazzo, ragazzi, crede che può venire qui come Graeme Souness prima dell'infarto strafatto di coca e mettersi a blaterare a vanvera di quello che c'è scritto su 'Mixmag' come facevamo noi con 'NME' quando eravamo più giovani, e tutti devono dire: 'Wow, Woodsy, vecchio, come hai ragione, wow', e mettersi in coda per ciucciargli quella sua cappelletta formaggiosa. Sa-rà. Giu-stis-si-mo.»

«È già un rompicoglioni adesso, ma aspetta di vederlo quando si sarà fatto una figa», ghigna Monts.

«Grazie a Dio, ragazzi, non ci sono molte probabilità che capiti», sorride Ally, «ma è proprio questo il punto: la sua arroganza. È provocatorio e basta. Sono secoli che non ha una figa. È una cosa che distruggerebbe l'autostima di chiunque. È proiezione dell'ego, ragazzi, il suo modo di affrontare la realtà. Una volta che si sarà fatto la sua figa si calmerà. Lui e tutta la sua merda religiosa.»

«Be', spero che gli capiti. Oppure spero che diventi così arrogante da non rivolgere neanche più la parola a quelli come noi. Dopo di che il problema sarebbe risolto», decide Monts.

«Farei una colletta, ragazzi, e pagherei una troia per fargli il lavoretto, se servisse a mettergli a posto la testa», dice Ally.

«Woodsy è okay», ribatto io. Domani devo fare un concerto con lui, per cui sono obbligato a prendere le sue parti. «Cioè, a me non me ne frega niente di questo continuo citare dj e locali. Mi va di lusso: sentire il cazzone che li snocciola mi risparmia di comperare 'Mixmag' e 'Dj'. È la merda religiosa che non capisco proprio. Ma vi dirò: è una cosa per cui lo rispetto.»

«Vaffanculo, Lloyd», dice Ally, con il tono di non tenermi neanche in considerazione.

«Pensavo che era una cazzata passeggera. Poi ho letto il libro di quel tale che scrive di E e che dice di sapere di monaci e rabbini che lo prendono per mettersi in contatto con la loro spiritualità.»

«Altolà, due punti lineetta», ghigna Ally, «quindi, vecchio, vorresti dirmi che ha parlato davvero con Dio al Rezurrection?»

«Nah, sto soltanto dicendo che il coglione è convinto di averlo fatto, e lo pensa in buona fede. Quindi per lui è come se fosse successo sul serio. Personalmente credo soltanto che fosse strafatto, è entrato in quel buon vecchio cesso e ha avuto un'allucinazione, ma lui è convinto che sia stato qualcosa di più. Nessuno di noi due può dimostrare che l'altro ha torto, quindi devo prendere per buono il fatto che, quello che dice, *per lui* è vero.»

«Merda. Con questa logica del cazzo, un qualsiasi demente da camicia di forza potrebbe raccontarti di essere convinto che è Hitler o Napoleone. E tu ci crederesti?»

«Nah...» rispondo, «non è questione di *credere* alla realtà di uno come la vede lui, è questione di *rispettarla* come la vede lui. Certo, sempre se non fa male a nessuno.»

«L'argomento è di grandissimo interesse, Lloyd. Però di' la verità, ti metti dalla parte di quello scemo soltanto per via del concerto che devi fare per lui. Al Rectangle. A Pilton. Un martedì pomeriggio! Sarà un flop!» ride Ally.

«Sì, ha proprio un'aria un po' dubbia, Lloyd», ride Monts.

Stronzate che mi stanno riempiendo di nervosismo e agitazione per questo cazzo di concerto.

19. Heather

Ci incontriamo nella tea-room del Carlton Hotel. Mia madre ha stampata in faccia la tipica espressione sei-stata-una-grossa-delusione-per-noi-tutti. È strano come un tempo accettassi che questa espressione mi rimettesse subito in riga. Mi provoca ancora una strana sensazione di disagio al petto e allo stomaco: quella faccia ossuta, segnata dalle rughe, con quegli occhi tesi, vagamente terrorizzati. Abbastanza per rimettermi al mio posto, di norma, ma non adesso. Sono consapevole del suo disagio. Una consapevolezza che è già il settanta per cento della soluzione.

«Hugh è venuto a trovarci ieri sera», dice in tono accusatorio, facendo seguire un lungo silenzio.

Sto quasi per replicare. Ma, no. Ricordati: non lasciarti manipolare dall'uso altrui del silenzio. Resisti alla tentazione di riempire le pause. Scegli le parole. Sii sicura di te stessa.

«Aveva il cuore spezzato», riprende mia madre. «Si lavora duro, ha detto. Gli si dà tutto. Che cosa vogliono? Che cosa vogliono? Io sia dannata se lo so, Hugh, gli ho risposto. Ha avuto tutto, gli ho detto. Ed è proprio questo il tuo problema: hai avuto tutto su un piatto d'argento, giovane signora. Forse è colpa nostra. Volevamo soltanto che avessi tutto ciò che noi non abbiamo mai avuto...»

La voce di mia madre si è fatta bassa e piatta. Sorprendente, l'effetto calmante e trascendentale che ha. Mi sento volare via, in tutti i posti dove sarei voluta andare, verso tutte le cose che avrei voluto vedere... forse ci sarà qualcosa per me... momenti piacevoli... amore...

«...perché siamo sempre stati convinti che nessun sacrificio fosse eccessivo. Quando avrai figli tuoi lo capirai, Heather... Heather, non mi stai nemmeno ascoltando!»

«È tutta roba che ho già sentito.»
«Prego?»
«Tutto questo l'ho già sentito. Da una vita. Non significa niente. Non è che un malinconico tentativo di autogiustificazione. Non c'è bisogno che giustifichiate la vostra vita con me, sono fatti vostri. Io non sono felice. Hugh, la vita che facciamo insieme, non è quello che voglio. Non è colpa vostra... e neanche sua...»
«Credo che tu sia veramente egoista...»
«Sì, forse sì, se significa che sto pensando alle mie esigenze per la prima volta in vita mia...»
«Ma noi le abbiamo sempre messe in primo piano!»
«Come le vedevate voi, e ve ne ringrazio e vi voglio bene. Ma adesso voglio poter camminare con le mie gambe, senza che tu o il papà o Hugh facciate tutto per me. Non è colpa vostra, è mia. Ho accettato ogni cosa per troppo tempo. Lo so che ho fatto male a tutti e mi dispiace.»
«Come sei diventata dura, Heather... Non so che cosa ti sia successo. Se sapessi com'è sconvolto tuo padre...»
Poco dopo se ne va e io torno all'appartamento e piango. Poi succede una cosa che cambia tutto. Mi telefona mio padre.
«Senti», dico, «se mi telefoni per lamentarti...»
«No, neanche per idea», risponde. «Sono d'accordo con quello che stai facendo e ti ammiro per il tuo coraggio. Se non sei felice, non ha senso tirare avanti così. Sei ancora abbastanza giovane da fare quello che vuoi senza lasciarti mettere i lacci. C'è così tanta gente che continua a tirare avanti alla bell'e meglio, anche quando è in un vicolo cieco. Si ha una vita sola, quindi va' avanti e vivila come vuoi tu. Avrai sempre il nostro amore e il nostro sostegno, spero che tu lo sappia. La tua mamma è sconvolta, ma ne verrà fuori. Hugh è abbastanza grande da badare a se stesso...»
«Papà... non sai che cosa significa per me...»
«Non dire sciocchezze. Occupati della tua vita. Se hai bisogno di qualcosa... se sei a corto di soldi...»
«No... sono a posto...»
«Bene, se hai bisogno di qualcosa, sai dove siamo. Ti chiedo soltanto di mantenerti in contatto con noi.»

«Oh, lo farò di sicuro... e grazie, papà...»

«Okay, tesoro. Bada a te stessa.»

Mi metto a piangere ancora di più, perché capisco che è tutta colpa mia. Dal mondo mi aspettavo una reazione che non assomiglia affatto a quella reale. Non vuole condannare. Non gliene frega un cazzo.

Quella sera sono a letto da sola e penso al sesso.

Quasi ventisette anni.

Quattro amanti, prima; prima di Hugh, voglio dire, ma adesso viene prima anche lui, per cui gli amanti sono cinque prima di questo mio attuale stato di interregno tra uno e l'altro.

N. 1 Johnny Bishop

Duro, scorbutico, sedici anni. Uno dei tanti ragazzi di bell'aspetto che giocavano a fare James Dean. Ricordo di avere pensato che in lui c'era una tenerezza nascosta che non riuscivo a far venire fuori. Stupida testolina di cazzo maschilista: non faceva altro che venire troppo in fretta e senza nessuna fantasia, tirandolo fuori e piantandomi lì come se fossi il luogo di un delitto. Mi faceva come si faceva le botteghe dei dintorni: dentro in fretta, dare nell'occhio il meno possibile e poi via dal luogo del delitto più in fretta che poteva.

N. 2 Alan Raeburn

Timido, affidabile, tonto. L'antitesi di Johnny. Cazzo talmente grosso da far male, troppo signore per non fare in modo che facesse ancora un po' più male. Lasciato quando sono andata alla St Andrew's University.

N. 3 Mark Duncan

Studente segaiolo. Secondo anno, con la mania delle matricole. Scopava di merda, ma forse ero troppo scazzata per capire la differenza.

N. 4 Brian Liddell

Magnifico. Il meglio del meglio. Dal punto di vista erotico. Io ero ancora un po' problematizzata circa il godere veramente il sesso, l'apparire così pronta a farsi sbattere, per cui non mi sono lasciata fare per un bel po'. Quando finalmente ci è arrivato, non è più riuscito a togliersi di dosso le mie mani. Ma qualsiasi ragazzo scopi così bene a quell'età non lo fa di sicuro con una sola, e infatti lui non lo faceva con una sola e io avevo il mio orgoglio.

Poi Hugh. Hugh Thomson. Il mio Numero Cinque. Lo amavo? Sì. Mi sembra di vederlo al bar degli studenti, che distrugge argomenti reazionari insieme a pinte di birra chiara. Tutto sempre fatto con certezza assoluta. Mi faceva sentire al sicuro, con le sue certezze, finché non sono diventate altre certezze. Dopo di che non mi sono più sentita al sicuro con le certezze. Mi sentivo soltanto incastrata dalle cazzate.

E adesso questo.

Niente.

Blocco immagine.

A questo punto, nel giro di quattro settimane ho fatto diverse cose che hanno cambiato radicalmente la mia vita. La prima è che ho lasciato Hugh e mi sono trasferita da Marie: in una camera nel suo appartamento di Gorgie. Un cliché, ma per trovare me stessa bisognava che abbandonassi la tesi per l'antitesi.

La seconda cosa che ho fatto è stata lasciare l'impiego e fare domanda per un corso di preparazione all'insegnamento. Mi sono resa conto che ho seimilacinquecento sterline nell'impresa di costruzioni... non di Hugh, mie: la mia piccola roccaforte di indipendenza durante il nostro matrimonio. Non avevo niente per cui spendere soldi, visto che Hugh provvedeva a tutto. Stavo quasi per iscrivermi nelle liste di disoccupazione, ma Marie mi ha spiegato che ha poco senso, visto che scoprirebbero che me ne sono andata di mia iniziativa e quindi non beccherei comunque nessun sussidio. Sono stata accettata a un corso a Moray House; non voglio diventare insegnante ma fare *qualcosa*, e non mi è venuto in mente altro.

L'altra cosa che ho fatto e che mi ha cambiato la vita è stata andare in quel locale e prendere quell'Ecstasy. Lo farei di nuovo, ma prima devo mettere in ordine un sacco di cose nella mia testa.

Marie e io siamo andate a Ibiza per due settimane. Mentre eravamo lì, lei si è scopata quattro tizi. Io me ne sono scopati un sacco e ho preso tonnellate di Ecstasy... macché, non è vero. Rimanevo in albergo a consumarmi gli occhi dal piangere. Ero depressa di merda e terrorizzata. Per me non esisteva liberazione. Marie sbernardava per locali e bar di San Antonio come se fosse la padrona del posto, ogni giorno con un maschio diverso. Viveva di notte, tornando nella nostra camera d'albergo il mattino tardi, con un'aria veramente strana: non ubriaca, ma stanca, lucida, eccitata e positiva. Mi ascoltava moltissimo, mi lasciava parlare di Hugh, di come lo avevo amato, di tutte le nostre speranze e i nostri sogni, e dei dolori che ho dentro. L'ho lasciata lì e un mattino di buon'ora ho preso un aereo e me ne sono andata via. Avrebbe voluto tornare anche lei, ma le ho detto di non farlo, che avevo probabilmente bisogno di un po' di tempo per riflettere da sola. Avevo già mandato abbastanza in merda la sua vacanza.

«Non preoccuparti», mi ha detto all'aeroporto. «Ti sei trovata davanti un po' troppe cose un po' troppo in fretta. La prossima volta ti divertirai.»

Sono tornata a casa, nell'appartamento di Gorgie. Porto avanti le mie letture. Di giorno vado da Thin's and Waterstone's e leggo altre cose. Vado in questo o quel caffè. Spero che l'estate finisca: qualsiasi cosa pur di arrivare a quel corso, pur di fare qualcosa che mi distolga la mente da Hugh. Comunque lo sapevo che avrei dovuto superare questo momento. Lo sapevo che non avevo la possibilità di tornare indietro. Questo dolore, questo blocco, quasi fosse un fatto fisico, non vuole uscirmi dal petto. Ma non può esserci un ritorno. Non è un'alternativa possibile.

Non so come abbia fatto a procurarsi il mio indirizzo, ma mi ha trovato. Fa lo stesso. Succede un mattino alle sei. Quando vedo che alla porta c'è lui, tremo. È strano, non ha mai usato la violenza fisica nei miei confronti, ma in rapporto a me non avverto che le sue dimensioni e la sua forza. Più la rabbia che ha negli occhi. Smetto di tremare soltanto quando comincia a parlare. Grazie a Dio comincia a parlare. Non ha imparato niente, malinconica testa di cazzo. Non appena apre bocca lo sento rimpicciolire, mentre io cresco.

«Ho pensato che magari a questo punto ti eri stufata di questo giochetto imbecille, Heather. Poi ho cominciato a pensare che potresti essere preoccupata per il male che hai provocato a tutti e ti vergogni troppo per tornare a casa. Be', i problemi li abbiamo sempre risolti parlandone. Riconosco che per il momento ci sono un sacco di cose che non capisco assolutamente, ma tu hai detto quello che volevi dire, quindi adesso dovresti essere contenta. Secondo me è meglio se torni a casa. Che cosa ne dici, tesoro?»

Pensa tu. È serio. In vita mia non sono mai stata grata a nessuno come lo sono a lui in questo momento. Mi mostra esattamente com'ero stupida a sentirmi come mi ero sentita. La cosa che avvertivo in petto è svanita. Mi sento in forma: su di giri e leggera. Scoppio a ridere, a ridergli forte in quella sua faccia stupida, ridicola. «Hugh... ah ah ah... senti... ah ah ah ah ah ah... credo sia meglio che vai a casa prima di... ah ah ah... prima di fare ancora di più la figura del coglione... ah ah ah... che segaiolo, cazzo...»

«Ti sei fatta di qualcosa?» chiede. Si guarda attorno per l'appartamento come in cerca di una conferma.

«Ah ah ah ah... Se mi sono fatta di qualcosa! Se mi sono fatta di qualcosa! Sono tornata la settimana scorsa in aereo da quel cazzo di Ibiza ed ero un rottame. Altroché se dovrei essere fatta di qualcosa. Dovrei essere strafatta di E con Marie, lì a sbattermi il primo su cui metto gli occhi! A farmi scopare come si deve!»

«Me ne vado!» urla, e se ne va sul serio. Dalle scale mi grida stridulo: «Sei fuori di testa! Tu e la tua amica drogata. Quella troia di Marie! Vabbè, è finita. È finita!».

«FUORI DAI COGLIONI E IN FRETTA, TESTA DI CAZZO! FATTI UNA VITA PER CONTO TUO! E IMPARA A SCOPARE COME SI DEVE!»

«SEI UNA FRIGIDA DI MERDA! ECCO IL TUO PROBLEMA!» mi grida di rimando.

«NO, È UN PROBLEMA TUO, CAZZO! NON HAI LE DITA! NON HAI LA LINGUA! NON HAI L'ANIMA! NON HAI INTERESSE PER NIENTE CHE NON SIA LA TUA STUPIDA SOCIETÀ DI COSTRUZIONI, PRESUNTUOSA TESTOLINA DI CAZZO. PRELIMINARI! GUARDA IN QUEL CAZZO DI UN DIZIONARIO! PRE-LI-MI-NA-RI!»

«LESBICA DI MERDA! ATTACCATI A MARIE, SCHIFOSA LESBICONA!»

«FATTELO SBATTERE IN CULO DA QUELL'ALTRA NOIOSA TESTA DI CAZZO, DA BILL! NON VOLETE ALTRO!»

Compare la signora Cormack, che abita qui di fronte. «Scusi... ho sentito del rumore. Gridare.»

«Un piccolo litigio di innamorati», le rispondo.

«Ah, be', la via del vero amore, eh, stella?» fa, poi mi dice sottovoce: «Meglio farne a meno, di quelli lì».

Le mostro i pollici su e rientro, già in attesa del ritorno di Marie. Ho intenzione di prendere tutte le droghe note al genere umano e di scoparmi tutto ciò che si muove.

È strano uscire di giorno e sentirsi libera, veramente single. Mi becco qualche fischio dagli operai che stanno asfaltando Dalry Road ma, invece di imbarazzarmi come avrei fatto qualche anno fa, o di incazzarmi, come avrei fatto qualche giorno fa, mi comporto come mi ha suggerito una povera scema con una vocina da mezza morta e rispondo per le rime, a urlacci. Dopo di che mi sento un po' irritata con me stessa, perché non era il caso di dare soddisfazione a quelle malinconiche teste di cazzo, ma l'ho fatto per me stessa, perché sono felice.

Mi trovo in Cockburn Street, non precisamente per battere maschi ma più o meno per valutarli. Compro circa quattrocento teste di vestiti e cosmetici. Gli abiti vecchi li butto quasi tutti nei cassonetti o li porto al Centro per la ricerca sul cancro.

Marie capisce subito che in me è avvenuto un grosso cambiamento. Quando torna a casa, la povera ragazza è totalmente fusa. «Adesso voglio soltanto rimanere distesa per un po'», geme, «e non voglio più vedere una sola pasticca o un solo cazzo finché campo.»

«Neanche per idea», ribatto. «Questa sera c'è il Tribal Funktion.»

«Mi sa che mi piacevi di più come massaia», sorride.

20. Lloyd

Soltanto parlare di Woodsy mi mette in agitazione. Più ci penso, più mi sembra una cazzata. Woodsy ha organizzato un rave al Rectangle Club di Pilton (o Reck-Tangle,* come ha scritto sui manifesti) un martedì pomeriggio. Idea già in sé abbastanza del cazzo. Io cerco di far venire tutti, ma Ally dice che non se ne parla nemmeno, soltanto per come la pensa su Woodsy.

Amber e Nukes invece ci stanno, e Drewsy ci porta giù con il furgone. Quando arriviamo non c'è nessuno tranne il custode della sala. Woodsy ha già montato consolle, mixer, amplificatori e altoparlanti. La sua attrezzatura è meglio di quella di Shaun, e voglio provarla prima di cominciare.

Lui arriva un po' in ritardo con questo coglione di prete. «Vi presento il reverendo Brian McCarthy della chiesa parrocchiale di East Pilton. Appoggia il concerto», mi dice. Il manico di scopa in collarino rigido mi spara un ghigno. Mi chiedo se è fatto di E.

Non devo aspettare troppo per scoprirlo, perché Woodsy fa: «Cazzo, ho qui dell'ottimo E», e, porgendo una pasticca al rev, lo sollecita: «Se ne spari uno, Bri».

«Temo di non poter prendere... *droghe*...» fa il povero stronzo, con un'aria inorridita.

«Se lo spari, vecchio, se lo spari e scopra il Signore», insiste Woodsy.

«Signor Woods, non posso approvare l'uso di droghe nella mia parrocchia...»

«Sì, vabbè, e allora dove sarebbero tutti i suoi parrocchiani,

* «Groviglio di pasticci», più o meno. (*N.d.T.*)

eh?» ringhia Woodsy. «Quando sono venuto qui, domenica scorsa, la sua parrocchia non era precisamente strapiena. La mia invece sì!»

Intanto nella sala stanno entrando alcuni ragazzini, qualche madre e un po' di bimbetti. «Quand'è che comincia questo rave?» chiede una.

«Eh, fra un minutino», le fa Amber.

«È molto bello che facciano una cosa così per i bambini», dice un'altra madre.

Quel coglione del prete se la batte, con Woodsy che gli grida dietro: «Ipocrita di merda! Non hai spiritualità! Non dire di no, cazzo! Stronzo satanico in abito talare! Non esiste chiesa all'infuori di quella dell'io! Non esiste mediazione tra l'uomo e Dio all'infuori dell'MDMA! Truffatore!»

«Piantala, Woodsy», faccio, «dai, cominciamo.» Intanto una folla sta sgamando il prete che se la fila imbarazzato.

Arrivano un sacco di giovani. «Dovrebbero essere tutti a scuola», fa Amber.

Entrando ho notato che due bastardi con un'aria da duri hanno tirato fuori un tavolo da ping pong e stanno giocando in mezzo alla pista da ballo. Quando li vede, Woodsy va in tilt. «Ohé! Questo posto l'abbiamo prenotato», sbotta.

«Vuoi che ti spacchiamo fuori tutti i denti, coglione? Tu non sei di qui», gli ringhia uno dei due testa di rapa.

«Il ragazzo ha ragione, Woodsy», intervengo io, «questo qui non è il tuo club privato. E c'è un sacco di posto. Non vi dispiace se facciamo un po' di musica e balliamo un po', eh, ragazzi?» Lo dico al duro con l'aria più del duro.

«Eh, fate un po' quello che volete», risponde il probabile durissimo.

Salgo in predella e comincio a mettere su le canzoni. Sulle prime non mixo veramente, suono soltanto un po' di musica, ma poi comincio a darci dentro sul serio, provando un paio di cosette. È merda, ma ci sono talmente dentro che tutti cominciano a buttarcisi. Madri e bimbetti che saltano, ragazzini che rave-ballano tra loro, persino i due duri la piantano lì di giocare a p. p. e ci danno dentro. Gli E di Woodsy spariscono tutti, e

Amber riesce persino a farsi un po' delle mie Colombe. Me ne sparo un paio anch'io, più una bustina di quella meth in cristalli. Nel giro di un'ora il posto è pieno fino all'orlo. Non vedo subito il poliziotto che entra, ma quello ci stacca la spina e manda a monte tutto prima che il povero Woodsy abbia la possibilità di fare alcunché.

Allora vado giù in città in questo locale aperto e la vedo.

21. Heather

Sono lì nel locale con Denise e Jane, due amiche di Marie che sono diventate anche amiche mie nel tempo che ci vuole perché il primo Ecstasy scorra in corpo e si balli con loro, le si abbracci e ci si sieda a piangere su come si è mandato tutto in merda negli ultimi anni. La cosa che si impara quando la gente si apre in questo modo è che, di base, siamo tutti uguali e che possiamo tenerci su soltanto tra noi. La politica britannica degli ultimi vent'anni è stata quella dei bugiardi. Il problema è che siamo governati da gente debole e di mente ristretta, troppo stupida persino per sapere che è debole e di mente ristretta.

Sono dunque lì seduta in quel modo nella zona relax, a parlare con Jane, e l'E ha appena cominciato a farci effetto. So che sto andando in orbita, ma sto di nuovo imparando tante cose, ho tante sensazioni. Arriva questo tipo e si siede vicino a noi. Vede Jane e le chiede se quel posto lì è occupato. Lei risponde di no.

Lui si siede, le sorride e dice: «Totalmente andato», facendosi girare il dito sulla tempia.

«Seh, anch'io», dice lei.

«Mi chiamo Lloyd», fa lui e le stringe la mano.

«Jane.»

Lui sorride e le dà una gran stretta sulle spalle. Poi si volta a guardare me. Non dice niente. I suoi occhi sono due immense pozze nere. E c'è qualcosa che va diritto da loro al mio intimo, molto a fondo. È come se mi vedessi riflessa. Finalmente mi schiarisco la voce e dico: «Heather».

Jane sembra avvertire che sta succedendo qualcosa e va di sopra a ballare. Lloyd e io restiamo lì seduti a parlare e scherzare. Cianciamo di tutto: la vita, il mondo, tutto. Finché dopo un po' lui fa: «Senti, Heather, potrei abbracciarti, eh? Mi piacerebbe tenerti stretta per un po'».

«Okay», rispondo. Qualcosa. È successo. È successo qualcosa.

Ci teniamo stretti per un bel pezzo. Quando chiudo gli occhi mi perdo nel suo calore e nei suoi odori. Poi mi sembra che ci stiamo muovendo, che voliamo via insieme. Sento la sua stretta aumentare e ricambio. Sentiamo insieme. Finché lui propone di andarcene. Cammina tenendomi stretta con un braccio, attirandomi a sé, allontanandomi di quando in quando i capelli dalla faccia per potermi vedere gli occhi.

Saliamo ad Arthur's Seat e guardiamo la città dall'alto. Si sta facendo freddo e io ho addosso soltanto un top leggero, per cui si toglie il suo maglione con la lampo, bello caldo, e me lo avvolge attorno con cura. Parliamo ancora un po' e guardiamo il sole sorgere. Poi camminiamo fino a casa attraversando la città e io gli chiedo di entrare. Rimaniamo lì seduti in camera mia ad ascoltare nastri e bere tè. Finché tornano Marie e Jane.

Parliamo tutti insieme. Non credo di essere mai stata così felice.

Dopo un po' Lloyd si prepara per andarsene. Vorrei che rimanesse. Alla porta mi accarezza le braccia, dicendomi: «È stato qualcosa di più di una bella notte. Ti faccio uno squillo. C'è un sacco di cose di cui voglio parlare con te, perché la chiacchierata di questa notte me la sono proprio goduta. Mi ha dato un sacco di cose da pensare, in tutti i sensi».

«Anche a me.»

«Be', ti telefono.»

Mi bacia sulla bocca, poi si fa indietro. «Cazzo...» ansima, scuotendo la testa. «Ciao, Heather», dice, scendendo per le scale.

Ho il polso che va a mille. Voglio scappare. Corro in camera mia e mi avvolgo nel piumino.

«Uaahh!» dice Marie. Non mi sono neanche accorta che era ancora lì seduta.

«A che cazzo di gioco sto giocando?» rido.

Conto il tempo tutto il giorno finché suona il telefono.

22. Lloyd

Se si capisce che sta cuocendo qualcosa nella stratosfera emozionale, al di là dei brusii dell'EU-FO-RIA da droghe, è quando comincia a cambiare il tuo comportamento. Da quando l'ho conosciuta la settimana scorsa ho cominciato a fare la doccia una volta al giorno e a lavarmi i denti due. Mi sono anche messo a cambiare tutti i giorni mutande e calze, che è un massacro di lavanderia automatica. Di solito un paio di Y bastavano una settimana, e l'altro paio per andare in giro per locali. La questione fondamentale, poi, è che mi faccio un meticoloso lavoro di striglia sotto la cappella. Persino l'appartamento ha un'altra aria. Non precisamente pulito e ordinato, ma meglio.

Arriva Nukes per un colpo di vita. È strano che sia un tipo così pacifico, uno che non penserebbe mai di mettersi nei casini tranne che per il futbol. Ma di sabato è tutta un'altra storia: salta fuori un Nukes completamente diverso. Adesso però no. Da quando lo ha sgamato la polizia, si è dato una regolata su tutto. Sono un po' intronato. Di questioni di cuore preferisco parlare con Ally, ma non è male neanche Nukes.

«Sai, Nukes, non sono abituato a questo tipo di gioco, eh, no. Cioè, non sono mai stato veramente innamorato, prima, per cui non so se è vero amore, una questione di chimica o una forma di infatuazione. Però mi pare che c'è qualcosa, vecchio, qualcosa di profondo, di spirituale...»

«Già trombata?» chiede lui.

«Nah, nah, cerca di ascoltarmi... il sesso non c'entra. Stiamo parlando di amore. Elettricità, chimica eccetera... ma ancora più in là, perché quella roba lì è sesso, sballo e nient'altro. Ma non so cosa sia l'amore, vecchio, cioè: *essere innamorato.*»

«Sei stato sposato, no?»

«Sì, caterve di anni fa, ma a quei tempi non capivo niente. Avevo soltanto diciassette anni. Volevo soltanto avere il mio buco tutte le sere, mi sono sposato solamente per quello.»

«Motivo abbastanza valido. Eh, c'è mica niente di male ad avere il tuo buco tutte le sere.»

«Sì, vabbè, però ci ho messo poco a scoprire che, sicuro, lo volevo tutte le sere, ma non dalla stessa ragazza. E lì sono cominciati i casini.»

«Be', Lloyd, forse sei arrivato al punto. Forse hai appena trovato la definizione di vero amore. Amore è quando uno vuole il suo buco tutte le sere, ma dalla stessa ragazza. Eccoti al punto. Ma da questa te lo sei fatto mollare o no, il buco?»

«Senti, Nukes, ci sono quelle da cui ci si fa mollare il buco e altre con cui si vuole fare l'amore. Mi sono spiegato?»

«Lo so, lo so. Io faccio l'amore con tutte, stronzo: uso l'espressione 'farsi mollare il buco' perché è più semplice e un po' meno da froci, eh. Allora, dove l'hai conosciuta questa tipa.»

«Al Pure. Era la prima volta che ci veniva.»

«Non è una stupratina, eh? Che è il tuo stile normale, stronzo!»

«Col cazzo, vecchio: ha ventisei anni o roba del genere. Era sposata con questo manico di scopa, si è appena rotta il culo e ha fatto la bella. Era fuori con la sua amica, più o meno la seconda volta che si faceva di E, e basta.»

Nukes si nasconde la faccia dietro le mani. «Uah... rallenta un po', coglione... cosa cazzo mi staresti raccontando? Conosci questa tipa che è uscita per la prima volta dopo avere mollato il suo manico di scopa, lei si è presa la prima pasticca della sua vita, tu sei fatto di E, e vieni a parlarmi di amore? Mi sembra un po' un amore chimico. Niente di male, ma aspetta di vedere se resiste al planaggio, prima di pensare a chiese, limousine e ricevimenti.»

«Be', vedremo», gli dico, notando come sono diversi i suoi profili. Una parte della faccia è bella da sballare, l'altra fa veramente schifo. Il Nukes da tele americana notturna e quello da tele americana diurna. Cerco di visualizzare Heather nella sua totalità. Riesco soltanto a pensare agli occhi e alla faccia. Mi viene in mente che non so neanche come sono tette e culo: misura, configurazione, forma eccetera. Mi sorprende: è sempre la prima cosa che sgamo. Quando siamo insieme, la mia faccia sembra piazzarsi sempre a poche decine di centimetri dalla sua. Questa è una cosa totalmente nuova, ma, cazzo, sarebbe orribile crepare proprio adesso, tirare la calzetta senza avere mai avuto il senso totale di com'è fatta.

«Sta' attento, Lloyd, ti dico solo questo», fa Nukes, voltandosi e mostrandomi il lato buono. «Lo sai com'è facile trovare fantastica una persona quando si è sotto E. Mi viene in mente quella volta che alcuni di noi sono andati a uno Slam sul Renfrew Ferry. La pasticca stava giusto cominciando a farmi effetto quando arriva di volata Henzo che fa: qui c'è da fare una strage, cazzo, c'è pieno di ultras del Motherwell. Allora mi guardo attorno ed è proprio così: tutta la banda del servizio del sabato, caporioni eccetera, strafatti alla grande. Allora guardo Henzo e gli faccio: datti una rinfrescata, coglione. Questa sera siamo tutti pieni di amore. Quei ragazzi sono a posto. Sono esattamente come noi: lo sballo vanno a cercarlo dove possono trovarlo. Non importa se è lo sballo domestico da E o quello da stadio da adrenalina, non cambia niente. Così vado da questo bestione che ho riconosciuto e ci puntiamo a vicenda e ridiamo per un po', dopo di che è un gran abbracciarsi dappertutto. Lui mi presenta al resto della banda e ci buttiamo nel party tutti insieme. Mi fa: questa febbre non è bella come quella delle botte allo stadio, ma dopo qualche notte hai bisogno di dormire. Con quella della partita, invece, sto sveglio per dei giorni, non riesco a dormire né niente. Per adesso amiconi, ma aspetta che siamo dalle parti di Fir Park. Senza quartiere, né da una parte né dall'altra, eh.»

«Cosa vuoi dire?»

«È come essere a un rave dove si è creato un certo tipo di ambiente: e non è soltanto l'E – anche se è soprattutto quello –, a favorire quel tipo di sensazione. È il complesso delle sensazioni. Ma è una cosa che non si trasferisce bene al di fuori. Lì, quei cazzoni hanno creato un ambiente diverso, ed è un tipo di ambiente che tende più alla febbre dello stadio.»

«Sta di fatto, però, che nell'ambiente dei locali notturni si può ancora trovare l'amore, il vero amore. Aiuta la gente a stare insieme, ad aprirsi di più e a perdere le inibizioni. Non c'è niente di male.»

«Sì, ma sta' a sentire. Certe volte la situazione gioca qualche brutto scherzo. Quando si è sotto E, qualsiasi tipa sembra una bambola. Bisogna fare la prova dell'acido: esci con lei a strip-parti, il giorno dopo. E vedi come ti sembra allora! Mi ricordo una sera allo Yip Yap, quando ho impasticcato questo fighino. Tutta in ordine eccetera, ti assicuro, vecchio. Quindi le emozioni ribollono e, siccome sono del tipo romantico, le propongo una passeggiatina su ad Arthur's Seat per vedere il sole che sorge, no?»

«Sotto E fino ai capelli, vuoi dire?»

«Esattamente dove volevo arrivare! Se ero in condizioni di intendere e volere dicevo semplicemente: ti va di venire da me, eh? Ma in quel momento, essendo sotto E, mi sono comportato in un modo diverso dal solito. Bada bene, il problema è che adesso sono sempre sotto E, per cui, cazzo, è diventato il mio comportamento normale! Ma, comunque, cosa stavo dicendo?»

«La tipa, Arthur's Seat», gli ricordo.

«Ah, sì... Be', siccome è sotto E anche lei, pensa tra sé: questo è un tipo romantico. Quindi eccoci su ad Arthur's Seat, e io la guardo negli occhi e le dico: adesso mi piacerebbe proprio fare l'amore con te. Lei ci sta, quindi via quei cazzo di vestiti e ci diamo dentro, trombando come grilli, con lì sotto il panorama della città, una cosa grandiosa. Sta di fatto che dopo una decina di minuti che ci sbattiamo comincio a sentirmi di merda. Mi riempio di brividi, sono teso, sto male: è il planaggio che arriva alla grande. Strano modo di venire giù, devo dire. Comunque, ho voglia soltanto di sparare la mia sborra e togliermi dalle palle. E così faccio, eh be'. La tipa non è per niente contenta, ma così è, volere o volare. Quindi bisogna stare molto attenti prima di dire amore. È soltanto una delle tante forme di intrattenimento. Aspetta di vedere se quello che provi si trasferisce alla vita di ogni giorno, e allora chiamalo amore. Non è roba soltanto da weekend.»

«Sta di fatto, Nukes, che mi cambio le mutande tutti i giorni e mi pulisco sotto la cappella.»

Lui inarca i sopraccigli e sorride. «Allora deve proprio essere amore», fa, e poi aggiunge: «Da parte tua, se non altro. Ma dalle parti di lei che cosa succede, amico?»

23. Heather

«Lloyd. Chi pensava che un giorno sarei uscita con uno che si chiama così», dico a Marie.

Ha un'aria stanca. Odia il suo lavoro ed è martedì. È in fase di planaggio e completamente spenta. Dice che desidera una vita al di là del weekend, ma non riesce a resistere alle sue tentazioni. E poi quel che ti offrono i giorni feriali tra le nove e le cinque non è neanche da tenere in conto. «Sì, è buffo come vanno le cose», geme distrattamente.

«Il problema di Lloyd», continuo, sapendo benissimo che la sto annoiando, esasperando, forse persino scazzando furiosamente, «è che sembra che non voglia niente.»

«Vogliono tutti qualcosa. Vuole te?» chiede Marie, imponendosi di concentrare l'attenzione su di me. È un tesorino.

«Credo», sorrido. Questo appartamento è in uno stato da far schifo. E a Marie, nella sua fase di planaggio, deve sembrare ancora più orribile. Più tardi gli darò una pulitina.

«Quando te lo sbatti?» mi chiede, e poi: «È quasi ora che qualcuno ti scopi come si deve».

«Non so. Con lui mi sento piuttosto strana. Molto inesperta e nervosa.»

«Be', è precisamente quello che sei», replica.

«Sono sposata da cinque anni», ribatto.

«Esattamente! Quando una è stata per cinque anni con lo stesso individuo, che non l'ha mai scopata in maniera soddisfacente, è come se fosse del tutto priva di esperienza. Se il sesso non è che un rito senza senso, se non significa niente e non fa provare niente, allora non è niente ed è come non averlo mai fatto. Un sacco di uomini sono segaioli perché il sesso fatto male non li disturba, mentre, per una donna, il sesso fatto male è molto peggio dell'assenza totale di sesso.»

«Che cosa ne sai del sesso fatto male, signora Artista della Tromba? Pensavo che cercassi sempre il meglio.»

«Ne so molto di più di quanto pensi. Ti ricordi quando, da ragazze, ci piaceva scherzare sulla banda acchiappa-e-scappa? Be', esistono sempre. Qualche settimana fa ho conosciuto questo tipo veramente carino, un vero fusto; sui venticinque, ventisei. Siamo entrambi fatti delle nostre pasticche, e allo Yip Yap c'è una splendida vibrazione amorosa. Insomma, ci casco dentro alla grande e finisco su ad Arthur's Seat con lui. Ci avvinghiamo l'uno all'altra, ma lui comincia a farsi tutto teso e strano, dopo di che mi viene dentro e se la batte il più in fretta che può. Non mi aspetta neanche. Mi pianta lì in cima a quel cazzo di collina. Mentre singhiozzo lacrime di sangue, non mi passa vicino un bastardo di merda in giacchetta senza maniche che sta facendo fare un giro al cane? Se è passione chimica, attenta a quel tipo. Vacci piano. Sta' in guardia.»

«Sai, l'altro giorno Lloyd mi ha messo su questo disco di Marvin Gaye, uno dei suoi pezzi meno conosciuti. È intitolato *Piece of Clay*. Dice più o meno: ciascuno vuole che qualcuno sia *his piece of clay*, il suo pezzo di argilla, per modellarlo, sai. Lloyd non sembra così. Mentre con Hugh è stato come se mi modellasse fin dall'inizio. Tutto quello che dicevo, pensavo o facevo era circoscritto e controllato dalle sue opinioni, ossessioni o ideologie, dal socialismo rivoluzionario al carrierismo manageriale. C'era sempre una forma di lotta, naturalmente decisa da lui, tesa a improntare quel cazzo della nostra vita. Non avevamo tempo di agire semplicemente da esseri umani. Lloyd, invece, si interessa a me. Mi ascolta. Non ride, non sfotte, non interrompe, non zittisce, non ribatte a quello che dico, oppure, se lo fa, perlomeno so che mi ha ascoltato. Quando mi mette alla prova, non mi sento ridicolizzata o sminuita o trattata con sufficienza.»

«Vabbè, Lloyd non è Hugh. Sei libera, provi attrazione per questo tipo che sembra un po' un disastro. Niente lavoro, spaccia droghe, nessuna ambizione di fare nient'altro, amici balordi. Deve apparirti un mondo molto allettante, dopo quello in cui sei vissuta, Heather, ma io non mi lascerei trascinare troppo. Con il passare del tempo non ti sembrerà più così straordinario. Goditelo come un trip. Non concedere così tanto. Il tuo problema è proprio quello. Concedi troppo. Tieni qualcosa per te, Heather. Altrimenti scoprirai che quelli continuano a prendere e basta. Prendono tutto, ragazza. Una cosa è conquistare la libertà, un'altra mantenerla.»

«Che bestiaccia cinica, sei, cazzo.»

«Cerco di essere realistica.»

«E, hai ragione. Il grosso problema è proprio questo, cazzo. Hai ragione.»

24. Lloyd

È stato bellissimo, al di là di qualsiasi cosa potessi immaginarmi. Amore, non sesso. Il sesso è stato soltanto il motorino di avvio: per il resto è stato un puro atto d'amore. Ho provato l'essenza, lo so. E so che l'ha provata anche lei, so che è venuta come non le era mai capitato in vita sua, perché piangeva e nascondeva la faccia. Sentiva di non essere mai stata così esposta in vita sua. Ho cercato di stringerla a me con un braccio, ma si è ritratta. Secondo me, dopo i problemi sessuali che ha avuto con il tipo con cui era sposata, è stato un grosso travaglio emotivo, e aveva bisogno di stare un po' sola. Lo capisco, questo: grazie al cazzo sono una persona sensibile. Okay, le ho detto sottovoce, okay, ti lascio un po' di tempo per stare sola. Un po' una frase del cazzo, ma non mi è venuto in mente di dire altro. Sono andato in soggiorno e ho acceso Scotsport: Hibernian-Aberdeen.

Dopo, lei era un po' distaccata e sostenuta, ed è tornata a casa sua. Secondo me ha soltanto bisogno di un po' di tempo per chiarirsi le idee. Ho inciso un nastro di Bobby Womack dalla raccolta di Shaun e l'ho portato su alla mamma e al papà.

25. Heather

È stato un incubo. La prima volta che scopavamo, ed è stato un incubo. La cosa più orribile è che ero vicinissima a venire. Con Hugh non ci arrivavo mai, per cui la cosa non mi preoccupava un granché. Ci sono arrivata vicina, ma sapevo che non ce l'avrei fatta, per cui mi sono messa a piangere di frustrazione, ma quel bastardo egoista di Lloyd si è limitato a sparare il suo carico, cazzo, e si è girato; dopo di che si è messo ad andare in giro tutto il giorno con un sorriso cretino sulle labbra, dicendo cazzate hippy e guardando il calcio alla tele.

Me ne sono dovuta andare.

26. Lloyd

Questa volta è stato anche meglio della prima, per me *e anche* per lei. Non me n'ero reso conto, ma la prima volta avevo mandato tutto in merda alla grande. Mi ha spiegato che cos'ha provato. È stato un po' uno shock. Secondo me dipende dal fatto che vorresti sempre aver superato la prima volta, quando sei con una persona cui vuoi veramente bene; sono a rischio troppe cose. La prima scopata è lì appiccicata a un rapporto fuggevole come un grosso punto di domanda, quando si tratta di una persona che interessa davvero, che si ama sul serio. Poi, una volta che l'hai tolta di mezzo puoi dedicarti a fare l'amore. Cose come i preliminari è più facile che vengano per conto loro. È strano come non si provi nessun imbarazzo a infilare il cazzo in una ragazza sconosciuta, mentre, la prima volta, attività come leccare e accarezzare sono un po' complicate. Eh, la prima volta che ho fatto l'amore con Heather avrei dovuto farmi di E. Con le sconosciute funziona alla grande, le barriere crollano, con il risultato che l'amore con una sconosciuta, sotto E, diventa fantastico. Con una che si ama, invece, le barriere dovrebbero già essere cadute comunque, per cui la chimica non dovrebbe fare nessuna differenza. No? È una cosa che voglio discutere con Nukes, quando capita qui.

Faccio un po' di tè, preparo una canna e metto su il video di The Orb. Devo tenermi psicoattivo, ci sono questioni di natura sessuale su cui voglio confidarmi con Nukes. La canna sembra di soapbar locale, ed ecco qui Nukes alla mia porta come se mi avesse sentito. Ho messo su il mio nastro d'amore: Marvin, Al Green, The Tops, Bobby Womack, The Isleys, Smokey, The Temptations, Otis, Aretha, Dionne e Dusty. Cazzo, ragazzi, mi fa squagliare il cuore. Lo metti su, lo applichi alla tua vita e bisognerebbe essere un morto in piedi per non provare un'emozione del cazzo. Ottimo.

«In forma, socio» sorride Nukes.

«Sono contento che sei venuto, c'è una cosa di cui voglio parlare con te.»

«Ah sì?»

«Volevo soltanto sapere se ti va di venire su a McDiarmid Park per la BP Youth Cup, domani sera. Ally porta la macchina.»

«No, non posso. Torneo di boccette giù al club, eh... a proposito, te la sei finalmente impallinata quella tipa, Lloyd?»

Mi piace, Nukes, me lo berrei tutto, ma, visto oggi? Oggi preferirei che fossero stati Ally o Amber a capitare qui.

27. Heather

Quando arrivo a casa riesco a stento a nascondere il sorriso.

«Allora, com'è andata?» chiede Marie, ciucciando una canna.

Do un'occhiata tutt'intorno all'appartamento. È una catastrofe totale. Portacenere pieni, tendine ancora tirate, cassette e dischi fuori da contenitori e buste. Dev'esserci stata una nottatina, qui. «Lasciami prima togliere il cappotto!» sorrido.

«Fottitene del cappotto, com'è andata?» insiste.

«Quel ragazzo è la scopata totale», rispondo.

«La signorina Ghigno Gigante in persona», sorride.

«Be', stella, se avessi succhiato un cazzo gigante avresti un ghigno gigante anche tu», ribatto.

«Dai, allora, voglio i particolari.»

«Be', con i lavori di dita e lingua è formidabile, quando si è finalmente messo calmo e l'ha piantata di cercare di accontentarmi, di essere così...»

«Efficientista?»

«Sì, proprio l'espressione che stavo cercando.»

«Non ti avrà dato di lingua...»

Sorrido e annuisco, risucchiando le labbra in preda a un tremito per lo squisito ricordo.

«Heather! Al secondo incontro!»

«Non era il secondo ma il sesto. Era la seconda scopata, ricordi?»

«Continua.»

«Sono venuta a secchiate, ho svegliato tutta Leith. Meraviglioso, cazzo. Talmente bello che l'ho rifatto. Me lo sentivo piantato dentro fino allo stomaco. Una cosa strana, ho pensato che l'avesse più grosso di Hugh, ma sembrano più o meno della stessa misura. Finché ho capito che dipendeva dal fatto che

Hugh mi scopava soltanto con mezzo cazzo, povero bastardo. Con lui ero talmente tesa che non mi aprivo mai come si deve. Lloyd, invece mi apre in due come un'arancia, cazzo. Che sfondata mi sono presa... ci si potrebbe far passare un convoglio di camion.»

«Che porca fortunata... no, te lo meriti, tesoro, davvero. Sono gelosa e basta. Questa notte mi sono scopata uno fatto di coca. Buon per lui e merda per me. Che gelo, cazzo», scuote mestamente la testa.

Mi avvicino e la stringo a me. «Non c'è problema... succede...»

Lei mi accarezza il polso. «Seh, la prossima volta...»

28. Lloyd

Sono qui con Ally e gli sto dicendo: «Non ho mai avuto tanta paura in vita mia, Ally. Forse è meglio se gli do una raffreddatina, a questo rapporto. Sta diventando troppo pesante».

Lui mi guarda e scuote la testa. «Se questa volta te la batti, Lloyd, cerca di essere sicuro che è per i motivi giusti. Ti vedo quando sei con lei. Vedo come sei. Non negarlo!»

«Sì, però...»

«Sì, però, niente. Sì, però non metterti a fare il coglione, a meno che non c'è sotto qualcosa che non so. È l'unico sì però del cazzo a cui devi dare retta. Non avere paura dell'amore, vecchio, è proprio quello che vogliono quelli là. Il sistema che usano per dividere. Non avere mai paura dell'amore.»

«Forse hai ragione», rispondo. «Ti andrebbe di fare un po' di uova?»

29. Heather

Il problema di Lloyd, però, è che durante la settimana non è mai in circolazione. Comincia a darmi ai nervi. Durante i weekend è fantastico, ci diamo dentro con l'E e facciamo l'amore un sacco. Ma durante la settimana evita di vedermi. Un giorno gli chiedo spiegazioni. Vado da lui senza prima telefonare.

Quando arrivo, l'appartamento è un casino. Peggio di quello di Marie al suo peggio. «È che durante la settimana frequento un altro giro, Heather. Mi conosco. Non sono una buona compagnia», mi dice. Ha un'aria tremenda: sfinito, teso, cerchi neri attorno agli occhi.

«Capisco», rispondo. «Tiri fuori tutte quelle cazzate su quanto mi ami, però vuoi stare con me soltanto quando sei su di giri durante il weekend. Fantastico.»

«Non è così.»

«Invece sì», sento la mia voce che si alza. «Di giorno te ne stai qui tutto depresso e annoiato. Facciamo l'amore soltanto nel weekend, quando sei sotto E. Sei una patacca, Lloyd, una patacca, emotivamente e sessualmente parlando. Non tocchi ciò che non puoi permetterti dal punto di vista emotivo. Non accampi diritti sulle emozioni che non sai provare senza droghe!»

Mi sento in colpa a fargli questa scenata, perché ha l'aria di essere veramente in pena, ma sono incazzata. Non posso farne a meno. Voglio che la situazione si evolva. Voglio stare di più con lui. Ne ho bisogno.

«Non è una patacca, cazzo. Quando sono sotto E, è come voglio essere. Non come se mi si fosse stato aggiunto qualcosa, ma casomai come se mi fosse stato tolto qualcosa, tutta la merda del mondo che ci ficcano in testa. Quando sono sotto E sono il mio vero io.»

«E allora adesso che cosa sei?»

«Un disastro emozionale, cazzo, il cascame di un mondo di merda messo su a nostre spese da una massa di stronzi a loro uso e consumo, e la cosa più triste è che non sono neanche capaci di goderselo.»

«E tu invece te lo godi?»

«Forse non adesso, ma se non altro ho i miei momenti, diversamente da quegli stronzi...»

«Seh, il weekend.»

«Sì, proprio! Lo voglio! Voglio proprio questo. Perché cazzo non dovrei poterlo avere?»

«Devi poterlo avere. Voglio dartelo io! E ho bisogno che tu lo dia a me! Senti, per un po' non telefonarmi e basta. Tu non puoi fare a meno delle droghe, Lloyd. Se vuoi vedermi, fanne a meno.»

Ha un'aria totalmente distrutta, ma non può esserlo quanto lo sono io quando la rabbia cessa e arrivo a casa. Aspetto che il telefono suoni, andando in tilt ogni volta che lo sento.

Ma non chiama, e io non riesco a decidermi a chiamarlo. Né allora né più tardi, dopo avere sentito quello che dicono al party.

Marie, Jane e io siamo a un party, e il sangue mi si gela, in cucina, quando sento alcuni tipi che parlano di un certo Lloyd di Leith, e di che cosa sembra abbia fatto e con chi.

Non posso telefonargli.

Epilogo

Sto dandoci dentro col dance al Pure, sbattendomi come una matta perché è arrivato da Londra Weatherall, che passa senza soluzione di continuità dall'ambient alla techno dance-beat estrema, e i laser hanno cominciato e tutti stanno dando fuori di testa, e in mezzo a tutto questo casino lo vedo, che si sbatte e torce sotto gi stroboscopi, e mi vede anche lui e arriva lì. Ha su quel maglione. Quello che aveva quando ci siamo conosciuti. Quello che mi ha messo addosso quella sera. «Cosa vuoi», gli ruggisco, senza perdere il ritmo.

«Voglio te», risponde. «Sono innamorato di te», mi urla nell'orecchio.

Facile dirlo, cazzo, quando sei sotto E. Ma il messaggio mi ha colpito e cerco di non lasciar vedere che sono commossa, né che lui mi fa colpo. Sono passate tre settimane. «Seh, vabbè, dimmelo lunedì mattina», sorrido. Non è stato facile, perché sono parecchio sotto E anch'io e sto provando un casino di emozioni. Però non mi lascerei mai prendere per il culo un'altra volta da un uomo. Mai. Il rumore mi sta dando alla testa. È stato bellissimo, ma Lloyd ha trasformato tutto in una graticola, con la merda che le sue semplici parole mi hanno impiantato in testa.

«Capiterò lì», grida, sorridendo.

«Ci crederò quando lo vedrò», rispondo. Chi cazzo crede di essere?

«Credici», insiste.

Oh Batman, mio Cavaliere Nero del cazzo, non ci credo. «Vabbè, vado a cercare Jane», gli dico. Devo allontanarmi da lui. Sono nel mio trip, nel mio scenario. E lui è un mostro di merda, un mostro triste, cazzo. Dovevo saperlo. Dovevo essere capace di dirgli: Lloyd. Vattene. Mi sposto sul davanti del locale. Cerco di rientrare nella musica, di sbattermi, di dimenticarlo, di togliermelo dalla testa a furia di dance, di tornare dov'ero prima che comparisse. La folla sta impazzendo. Ecco questo demente lì davanti a Weatherall, che dà fuori di matto e si tira indietro e applaude, e lui risponde, rendendo ancora più incandescente l'atmosfera. Sto bollendo, sono senza fiato e devo fermarmi un momento. Mi muovo tra la folla schizzata e filo al bar per farmi un po' d'acqua. Vedo Ally, l'amico di Lloyd. «Di che cosa è fatto, Lloyd, questa sera?» gli chiedo. Non avrei dovuto farlo. Lloyd non mi interessa.

«Di niente», risponde Ally. Sta sudando come se ci avesse dato dentro da fabbro, «si è fatto soltanto un paio di bicchieri. Eh, no, una pasticca non l'ha voluta. Dice che vuole prendersi sei mesi di pausa e cazzate del genere. Non vuole fregarsi il futuro, dice, il drittone. Senti, Heather, vecchia mia», continua in tono confidenziale, «spero che non avrai intenzione di trasformarlo in un Manico di scopa, eh?»

Lloyd non è sotto E. Mille pensieri mi schizzano per la testa insieme all'MDMA. Weatherall ha rallentato, e comincia a girarmi un po' la testa.

«Senti, Ally, voglio chiederti una cosa», dico, toccandolo lievemente sul braccio. «A proposito di Lloyd.» E gli racconto quello che ho sentito dire a quel party. Lui scoppia semplicemente a sghignazzare e si molla grandi pacche sulle gambe, finché finalmente si ricompone e mi racconta come stanno veramente le cose.

Dopo, mi sento un po' fusa. Faccio girare tra le dita la seconda pasticca, che ho tirato fuori dal reggiseno e infilato nel taschino dell'orologio nei jeans. Sarebbe ora. Invece no. Vedo Lloyd che chiacchiera con questo tale e queste ragazze. Gli faccio segno con la testa e arriva. «Stavi parlando con qualcuno di particolare?» gli chiedo, sentendomi raggrinzire dentro per la mia voce: da gatta, gelosa, sarcastica.

Si limita a un sorriso dolce e tiene gli occhi fissi sui miei. «Lo sto facendo adesso», risponde.

«Vuoi che andiamo via?» chiedo.

Sento il suo braccio circondarmi la vita e le sue labbra umide accostarmisi al collo. Mi stringe e io ricambio l'abbraccio, mettendomi in punta di piedi, sentendo le tette che gli si schiacciano sul torace. Dopo un po' si scosta e mi allontana i capelli dalla faccia. «Battiamocela», sorride.

Voltiamo la schiena al caos e ci avviamo a scendere di sotto.

LA FORTUNA STA SEMPRE NASCOSTA*

A Kenny Macmillan

* In questo titolo Welsh riprende quello della testata di «Fortune's always hiding», popolarissima fanzine dei tifosi del West Ham United, che a sua volta è ripreso dal loro inno, I'M FOREVER BLOWIN' BUBBLES, come si vedrà più avanti. (*N.d.T.*)

Prologo

Stoldorf è un paesino molto bello, una cartolina della Baviera. Si trova a un'ottantina di miglia a nord est di Monaco, annidato ai margini del Bayrischer Wald, la lussureggiante foresta bavarese. Quella attuale è in realtà la seconda Stoldorf: le rovine medievali della prima sono oltre un miglio più a valle, lungo la strada, nel punto dove molto tempo fa il Danubio in piena ha rotto gli argini, spazzando via parte dell'insediamento originario. Per evitare il rischio di altre inondazioni, il villaggio è stato arretrato rispetto al grande fiume e trasferito più in alto, alle pendici della montagnosa foresta che si leva per torreggianti strati verso il confine ceco.

Gunther Emmerich, che aveva legami famigliari in zona, aveva scelto di fare di questo idilliaco e intatto villaggetto la sua residenza. Si era resa disponibile la farmacia del posto, e da sei anni l'aveva presa in gestione, rinunciando alla carriera nell'industria con le connesse preoccupazioni.

Era stata una buona mossa. Gunther Emmerich era un uomo soddisfatto, convinto di avere tutto, compresa l'amara soddisfazione di sapere qual era l'idea che gli altri avevano di lui: un vecchio con una moglie giovane, un bel bambino, salute e benessere. In quanto farmacista di Stoldorf, Emmerich aveva inoltre uno status sociale, e i suoi legami famigliari gli avevano consentito di inserirsi nella comunità del villaggio più in fretta di chiunque altro. Era di natura troppo riservata per aprirsi con gli altri e di conseguenza non suscitava gelosie. Sulla sua vita aziendale pesava una macchia: persone di minor talento avevano fatto più carriera di lui unicamente grazie alla loro capacità di mettersi in mostra. La sua timidezza lì a Stoldorf, invece, si trasformava in un preciso vantaggio. I locali rispettavano quell'uomo quieto, cortese e diligente, apprezzavano la sua bella, giovane moglie e il loro bambino. Tuttavia, se da un lato Gunther Emmerich aveva motivo di essere soddisfatto, dall'altro era sempre oppresso da una sensazione vagamente fatalistica di disagio: sentiva che ciò che possedeva avrebbe potuto essergli tolto, prima o poi. Se esisteva una cosa di cui era consapevole, era la fragilità della vita.

Brigitte Emmerich era se possibile ancor più del marito in armonia con il mondo. Dopo un'adolescenza costellata di droga e problemi di personalità, era convinta che la cosa migliore che avesse mai fatto fosse stata sposare il vecchio farmacista. Pensava ai tempi del quartiere di Neuperlach, a Monaco, passati a consumare e spacciare anfetamine. Che buffo avere sposato un farmacista! Non si trattava, lo sapeva, di un rapporto basato sull'amore, ma erano legati da un forte affetto che nei quattro anni vissuti insieme era andato crescendo e che con la nascita del bambino si era ulteriormente cementato.

L'aria da cartolina del villaggio di Stoldorf, però, sebbene molto persuasiva, era in fondo superficiale: come quasi tutti i posti, aveva anch'esso più di una sfaccettatura. Stoldorf era situata in una zona rimasta fino a poco tempo prima una delle più inaccessibili d'Europa, a ridosso della vecchia divisione est-ovest rappresentata dalla Cortina di ferro. Nel buio della notte, la foresta che dominava il villaggio emanava un'aura di minaccia che dava sostanza ai secolari miti di Superbelve nascoste nei suoi recessi. Gunther Emmerich era religioso, ma era anche un uomo di scienza. Non credeva affatto che nella foresta, appena fuori del loro campo visivo, fosse appostata una Superbelva impegnata a tenere d'occhio gli abitanti del villaggio, ma a volte aveva la sensazione di essere *lui* la persona osservata, spiata, controllata. Ne sapeva molto di più degli altri, sul male di cui sono capaci gli uomini, piuttosto che i mostri. La Baviera era stata la zona chiave per la formazione e lo sviluppo del nazismo. Molti anziani di Stoldorf avevano i loro segreti, per cui non facevano mai molte domande sul passato. Caratteristica locale che a Gunther Emmerich piaceva. Dei segreti sapeva tutto.

*

Un freddo mattino di fine dicembre Brigitte aveva portato il loro figlioletto, Dieter, a Monaco per fare un po' di acquisti natalizi. Come cristiano, Gunther Emmerich era contrario alla commercializzazione del Natale, ma gli piacevano la festività e lo scambio di regali. Siccome il bambino era nato alla fine dell'anno precedente, quello sarebbe stato il loro primo vero Natale in famiglia. Nell'anno appena trascorso avevano avuto qualche problema. In seguito alla nascita del figlio, Brigitte aveva cominciato a soffrire di depressione. Gunther le era stato vicino, sollecitandola alla preghiera. Fatto che costituiva un punto fermo nelle loro vite: si erano conosciuti in una missione cristiana di Monaco dove lavoravano entrambi come volontari. Brigitte era poi guarita completamente e ora si godeva il periodo festivo.

Pochi minuti cambiarono tutto.

Nell'affollata Fußgängerzone di Monaco lasciò soltanto qualche minuto il bambino fuori di un negozio di articoli da regalo, per fare un salto dentro a comprare per Gunther un fermacravatte su cui aveva messo gli occhi. Quando uscì, bambino e carrozzina erano scomparsi: al loro posto un vuoto da far star male. Si sentì esplodere al fondo della spina dorsale una lacerante sensazione di gelo che risalì di vertebra in vertebra, schiantandole a una a una. Tremante di terrore, si era guardata attorno disperata: niente, soltanto frotte di persone impegnate negli acquisti natalizi. Carrozzine ce n'erano, ma non la *sua*, non il *suo* bambino. Come se la corrosiva scia di paura avesse intaccato la struttura stessa che la teneva in piedi, Brigitte Emmerich non riuscì che a lasciarsi sfuggire un forte gemito, piegandosi in due e crollando contro la vetrina del negozio.

«Was ist los? Bist du krank?» le chiese un'anziana signora.

Ma lei continuò semplicemente a urlare, facendo voltare tutti i compratori.

La polizia trovò poco su cui basarsi. Una giovane coppia era stata vista spingere via dalla zona del negozio una carrozzina con un bambino proprio quando quello di Brigitte era scomparso. Nessuno ricordava precisamente come fossero. Nessuno aveva notato niente di particolare: una delle tante coppie con un bambino piccolo. Anche se i testimoni avevano l'impressione che i due giovani avessero effettivamente *qualcosa*. Qualcosa di difficile da definire con precisione. Forse nel modo in cui si muovevano.

Otto giorni più tardi gli affranti Emmerich ricevettero un pacchetto anonimo da Berlino. Conteneva, avvolti in politene, due braccini blu, gonfi, paffuti. Capirono entrambi di che cosa si trattava e che cosa significava: ma soltanto Gunther Emmerich sapeva perché.

I medici legali dissero che non c'era alcuna possibilità che il bambino fosse sopravvissuto a una simile amputazione, eseguita con uno strumento rozzo, tipo una sega. Da certi segni appena sopra le giunture dei gomiti si capiva che le braccia erano state chiuse in una morsa. Se non lo aveva ucciso lo shock, Dieter Emmerich era sicuramente morto nel giro di pochi minuti.

Gunther Emmerich sapeva che il suo passato si era abbattuto su di lui con una vendetta. Andò in garage e si sparò via la faccia con un fucile da caccia che sua moglie non sapeva nemmeno avesse. Brigitte fu trovata dai vicini drogata e in una pozza di sangue, colato dai polsi che si era tagliata. Fu portata in una clinica per malattie mentali alla periferia di Monaco, dove ha trascorso gli ultimi sei anni in stato catatonico.

Casino

Se devo dire la verità, avrei proprio preferito evitare questo casino, visto il lavoretto che avevamo progettato per questa sera. Vabbè, comunque è andata così. Non si arriva qui in massa in questa maniera. Non nel nostro feudo, cazzo, no e no.

«Siamo venuti qui per chiarire un po' la faccenda, no?» fa questo galletto di Ilford.

Guardo Bal, e poi di nuovo questo sfigato di Ilford che chiacchiera. «Sì, va bene, allora chiariamola. Fuori di qui, però.»

Capisco subito che questo gli ha sgonfiato le vele, perché il coglione tutto bocca e il suo amico, che prima aveva un'aria così furba, a questo punto ce l'hanno veramente di merda, l'aria, ma proprio al cubo, cazzo.

Les, anche lui di Ilford, un tipo non male, fa: «Sentite, ragazzi, non facciamo casino». E a me: «Dai, David», dice.

Nah, nah, non si viene qui a baccagliare. Va mica bene. Ignoro il truzzo. Faccio segno a Bal e ci avviamo verso la porta.

«Voi», fa Bal, indicando questo balordo di Hypo e il suo socio, il truzzo che chiacchiera, «fuori voi due, stronzi.»

Ci seguono, ma secondo me non hanno il fegato. Qualche altro sfigato di Ilford fa per seguirli, ma Riggsie dice: «Giù seduti, cazzo, e bevetevi quella birra di merda. Sistemano tutto tra loro».

Così io e Bal siamo subito addosso ai due cazzoni di Ilford che non hanno via di scampo, due agnellini pronti per il macello. Però poi vedo che uno è armato: tira fuori una lama e si mette di fronte a Bal. La cosa manda su di giri l'altro tipo, che credevo se ne stava lì a beccarsi un paio di sberle e stop, invece arriva come un treno, il truzzo. Mi tira un paio di lecche veramente ben date eccetera, ma non capisce che io sono un peso massimo mentre lui è un leggero, sicché non mi frega niente di prenderne un paio mentre gli salto addosso – come faccio – e la storia finisce in quattro e quattr'otto. Gli do una botta alla mascella e un paio di calci ed eccolo steso sull'asfalto del parcheggio del locale. «Abbiamo qui Rembrandt Kid, cazzo. Sempre al tappeto!» urlo allo sfigato tutto rannicchiato per terra, senza più tanta voglia di fare il galletto. Gli sbatto lo stivaletto sulla gola e gli scappa uno strillo strozzato. Gli mollo un paio di calci. Una vera delusione, lo sfigato; non ne ha più, per cui mi butto a dare una mano a Bal.

Oh, sulle prime sembra sparito, poi ricompare, occhi tutti vitrei e mano che sgocciola sangue. Ha l'aria di essere conciato proprio male. Il truzzo gli ha dato di taglio e poi ha fatto la bella, stronzo fasullo di una pezza da piedi.

«Mi ha beccato la mano, lo sfigato di merda! Era armato, brutto stronzo. Un testa a testa normale, doveva essere. Sei fatto, sfigato! Fatto!» urla Bal, poi gli si illumina lo sguardo quando vede il coglione a cui le ho appena pestate, lì per terra, che si lamenta. «STRONZI. MERDOSI COGLIONI DI ILFORD!» E via che si mette a tirare calci a questo sfigato di Ilford, che si è chiuso a palla per cercare di proteggere quella merda di faccia. «Aspetta, Bal, te lo apro bene io il truzzo», faccio, e via pedate alla base della spina dorsale, con il risultato che lui si inarca, scoprendo la ghigna ai colpi di Bal. «VE LO INSEGNO IO A TIRARE FUORI IL COLTELLO DURANTE UN TESTA A TESTA, STRONZI!»

La sega di Ilford la lasciamo lì per terra. E poteva anche andare peggio se non era uno dei nostri, cioè, non proprio di Mile End, ma comunque della Ditta. Cioè, gente che dice di essere della Ditta anche se propriamente non lo è. Non ci piove. Fantaccini, manovalanza. I cervelli sono di un'altra sfera, cazzo.

Comunque, piantiamo lì il truzzo nel parcheggio ed entriamo al Grapes per finire il nostro bicchiere. Bal si toglie la T-shirt e ci si avvolge la mano. Sembra Tarzan, cazzo. Ma è conciata parecchio male, la mano, ha bisogno di un po' di punti e piuttosto in fretta, anche, al pronto soccorso del London Hospital che è poco lontano. Però deve aspettare, adesso è il momento di fare scena, spandere.

È stato grandioso entrare nel bar: un ghigno da una guancia all'altra, cazzo. Grandi acclamazioni dei nostri, qualche truzzo di Ilford infila quatto quatto la porta. Invece Les, del loro giro, viene lì.

«Be', avete avuto quello che volevate, adesso siete pari, ragazzi», dice. Tipo niente male, questo Les: uno come si deve, per dire.

Però Bal non è per niente contento. E c'è poco da meravigliarsi, con la zampa tutta tagliuzzata. «Pari un cazzo, coglione. Uno sfigato ha passato un coltello a quell'Hypo.»

Les si limita a scrollare le spalle, come dire che non ne sa niente. E forse è vero. Niente male, Les. «Non ne so niente, Bal. Dove sono quei due, Greenie e Hypo?»

«Sarebbe lo sfigato tutto bocca, Greenie? L'ultima volta che l'ho visto era uno spezzatino, cazzo, fuori nel parcheggio. Quello stronzo di Hypo pedalava verso la metropolitana. Probabilmente è andato dall'altra parte del fiume con la linea di East London. Cazzo, la prossima stagione tifa per il Millwall!»

«Dai, Bal, siamo tutti del West Ham. Cazzo, su questo non ci sono dubbi», fa Les. È un tipo okay, Les, ma ha anche qualcosa che me le fa girare. Butto indietro la testa e gli tiro un'incornata sul naso. Sento il crac e lo vedo barcollare all'indietro, cercando di fermare il sangue con la mano.

«'fanculo, Thorny... siamo tutti dalla stessa parte, cazzo... non dobbiamo litigare tra noi...» fa, tutto sfiatato, mentre il sangue scroscia sul pavimento. Viene fuori che è una bellezza. Bella incornata. Quel sangue, però... Dovrebbe tenere la testa indietro, lo scemo. Chi è che gli dà un fazzoletto?

«E voialtri di Ilford non dimenticatelo mai più», grida Bal, facendomi segno con la testa. Poi guarda Shorthand e Riggsie. «Forza ragazzi, portate qui da bere per Les e agli altri, lì. Siamo tutti della Ditta, in definitiva!»

«Ohé, truzzi», grido agli Ilford, «uno di voi porti un fazzoletto al vecchio Les, o un asciugamano del cagatoio, o qualcosa. Cazzo, volete che muoia dissanguato?»

Zompano come razzi, i cazzoni.

Do una sgamata a Chris, il padrone dell'ambiente, che sta lavando un po' di bicchieri. Ha l'aria che gli girano. «Scusa, Chris», gli grido, «è stato tanto per chiarire un paio di cosette con uno sfigato. Di non rompere eccetera.» Lui fa di sì con la testa. Tipo veramente come si deve, Chris.

I truzzi di Ilford rimangono lì a berne un paio, ma non hanno tanta voglia ed eccoli lì in fila per chiedere licenza e battersela. A Bal gli tocca stare lì finché non se n'è andato l'ultimo, con una faccia da duro per via della mano. Non è proprio il caso che quello sfigato di Hypo si metta a spandere merda perché ha fatto un brutto taglio a Barry Leitch.

Quando se ne sono andati, Riggsie mi fa: «Un po' esagerato, Thorny, incornare in quel modo Les. È un tipo okay. Cazzo, siamo tutti dalla stessa parte».

Seh, e lui è strafatto di Ecstasy, il coglione. Non mi va di farmela con lui.

«Cazzate», dice Bal. «Thorny aveva ragione. Qui non ti capisco, Dave. Sì, abbiamo bisogno di quegli sfigati, ma non come sono convinti loro.»

«Qualcosa nel modo di fare di quel coglione me le ha fatte girare», dico. «Poco rispetto, non so se mi spiego.»

Riggsie scuote la testa, tutto ingrugnato eccetera, dopo di che non resta lì ancora molto, e va bene così perché, dopo avere portato Bal al pronto soccorso per farlo cucire, io, lui e Shorthand torniamo di volata a casa sua per preparare il lavoretto di questa notte, che era poi il vero ordine del giorno prima che arrivassero queste seghe di Ilford a buttare per aria tutto.

Comunque quando arriviamo da lui siamo tutti piuttosto contenti di noi stessi, cazzo; cioè, Bal è un po' imbufalito, per via della mano, penso. Mi guardo nello specchio a figura intera che ha in casa: sono un gran duro, cazzo. Ho martellato un bel po' con i vecchi pesi, in palestra. Ho parecchie cose da regolare.

Guardo i miei soci: possono anche essere teste di cazzo, certe volte, ma sono il meglio che si può avere.

Bal è più basso di me di tutta la testa, ma è un peso massimo eccetera. Shorthand è un po' una mezza sega, ma è il mattacchione del gruppo, è. Certe volte fa girare i coglioni, ma è okay. Riggsie da un po' di tempo non se la fa più tanto con noi. Eravamo sempre noi quattro, adesso siamo soltanto in tre. Non è con noi, ma è comunque sempre con noi, non so se mi spiego.

«Riggsie», ghigna Bal. «Un po' mister pace e amore, da qualche tempo, no, cazzo?»

E noi giù a sganasciarci, coglione.

Londra 1961

Bruce Sturgess, com'era sua abitudine, arrivò nella sala del consiglio con cinque minuti di anticipo sull'inizio della riunione. Fece scorrere le sue diapositive, verificando da ogni sedile del muffoso ambiente a pannelli incisione e nitidezza dell'immagine che il proiettore inviava allo schermo. Soddisfatto, andò alla finestra a guardare il nuovo complesso di uffici in costruzione lì di fronte. Sembravano essersi fermati per l'eternità alle fondamenta ma poi, un volta completate, la struttura si era levata rapida verso il cielo, destinata a cambiare il panorama cittadino nel ricordo di almeno un paio di generazioni. Sturgess invidiò gli architetti, i pianificatori. Avevano i loro monumenti, considerò.

I suoi pensieri furono interrotti dall'arrivo degli altri. Per primo arrivò Mike Horton, seguito dall'esuberante Barney Drysdale, con cui, il giorno prima, al bar del ristorante The White Horse, a quattro passi da Trafalgar Square, si era goduto una robusta serata di bevute e intrighi. Nel piccolo e affollato locale, frequentato soprattutto dai funzionari della vicina ambasciata del Sudafrica, avevano passato un sacco di tempo a discutere di questa riunione. Barney gli scoccò una strizzata di occhi, rivolgendosi poi con espressioni cameratesche agli altri dirigenti che stavano arrivando e riempiendo le poltroncine attorno al grande tavolo lucido di quercia.

Come al solito, l'ultimo ad arrivare fu Sir Alfred Woodcock, che prese mollemente posto nella poltroncina a capo tavola. E Bruce Sturgess pensò ciò che pensava sempre quando lo vedeva sedersi: VOGLIO ARRIVARE IO NEL POSTO DOVE SEI TU ADESSO.

Il brusio delle chiacchiere cessò immediatamente, anche se la voce tonante di Barney continuò a farsi sentire ancora per un po'. «Oh... mi scusi, Sir Alfred», disse finalmente in brillante tono di scusa.

Il sorriso di Sir Alfred era venato di impazienza ma anche di quella liberatoria nota di paternalismo indulgente che soltanto Barney sembrava capace di evocare. «Buongiorno, signori... Oggi siamo qui essenzialmente per parlare della Tenazadrine, destinata a diventare probabilmente il nostro nuovo prodotto di punta... o meglio, direi, Bruce ci spiegherà i motivi per i quali dovrebbe diventare il nostro nuovo prodotto di punta. Bruce, prego», concluse, accennando al suo collaboratore.

Sturgess si alzò, sentendosi crescere dentro un senso di forza. Con un gesto sicuro e deciso, provocato dal cipiglio gelido di Mike Horton, mise in funzione il proiettore. Quel rompicoglioni di Horton, che spingeva per far approvare un medicamento per le ulcerazioni della bocca che non curava un cazzo. Macché: la Tenazadrine avrebbe spazzato via tutto ciò. Bruce Sturgess credeva in questo prodotto ma, ancora di più, credeva in se stesso. «Grazie, Sir Alfred. Signori, adesso vi spiegherò i motivi per cui, se non puntiamo su questo prodotto, la nostra azienda perderà un'occasione di quelle che, nell'industria farmaceutica, possono presentarsi sì e no due o tre volte nel corso di un'intera vita.»

E fu esattamente ciò che fece presentando la Tenazadrine. Horton sentì sciogliersi il freddo riserbo dei presenti. Notò i calorosi cenni di assenso e poi un senso di crescente eccitazione. Si sentì diventare secca la bocca e in breve si trovò a desiderare un sorso del suo medicamento per le ulcerazioni della medesima: un prodotto che, capì, ci sarebbe voluto tanto ma tanto tempo perché venisse realizzato.

Periferie

’sto cazzo di passamontagna fa un caldo della madonna: vabbè, sono fatti così, è il loro problema. Lasciamo perdere. Comunque il movimento è stato una vera cagata. Il posto lo avevamo sgamato come si deve, conoscevamo gli orari di spostamento di tutta la famiglia. A Shorthand questo glielo devo riconoscere: i sopralluoghi li fa bene. Intendiamoci, questa gente di periferia non è che può complicare la vita. Persone abitudinarie, non c’è da sbagliarsi. E può continuare così un pezzo, perché così gli affari vanno meglio; e, come ha detto una volta Maggie Thatcher in persona, quello che fa bene agli affari fa bene all’Inghilterra, più o meno.

L’unico difetto di tutto il movimento è stato che ad aprire la porta arriva la moglie, cazzo. Vabbè, lo sfondatore sono io, per cui le tiro una lecca sulla bocca e la risbatto in casa con il culo per terra, giù come un sacco di patate, e poi resta lì a sbattersi sul pavimento come se le fosse venuta una crisi. Non fa neanche bah, tipo gridare o niente. Entro e chiudo la porta. Il modo com’è lì stesa per terra, tutta tremante, cazzo, me le fa girare, no? Bal si china e le punta una lama alla gola. Quando sgama quello che sta succedendo, gli occhi le scoppiano dalla testa, cazzo. Poi si stringe la gonna sulle cosce. E questo mi fa veramente girare i sacramenti: cosa pensa che vogliamo da lei, sfigata di merda, cosa crede, che siamo pervertiti o roba del genere?

Bal le parla piano con la sua voce finta da negrone, tipo Indie Occidentali: «Stare zitta e resti viva. Fare casino e tuo culo bianco non se ne parla più, donna».

Un vero professionista, il nostro Bal, bisogna ammetterlo. Si è persino annerito occhi e bocca sotto il passamontagna. La donna lo guarda e basta, con due pupille enormi, come se qualcuno le avesse ficcato in corpo un Ecstasy.

Poi arriva 'sto coglione del marito. «Jackie... per amor di Dio...»

«CHIUDI QUELLA BOCCA DI MERDA, SFIGATO!» gli grido con il mio accento scozzese. «SE VUOI CHE LA TUA DONNA RESTI INTERA, TIENI CHIUSA QUELLA FOGNA! CHIARO!» Lui annuisce tutto timido e fa: «Prego, prendete qualsiasi cosa, ma non...»

Io mi avvicino e gli sbatto la testa contro il muro. Tre volte, gliela sbatto: una perché sono un professionista, due per divertirmi – gli sfigati così li odio – e tre per scaramanzia. Poi gli caccio il ginocchio nelle palle. Lui si accartoccia giù lungo il muro con un gemito. «Ti ho detto di tenere chiusa quella fogna! Di tenerla chiusa, cazzo, e di fare quello che diciamo noi, così a nessuno succede niente, va bene?» Lui fa di sì con la testa, tutto chiuso a riccio, schiacciato contro quella parete di merda, povera sega. «Se appena fai bah, ragazzo, la tua signora qui te la ritrovi neanche più buona per donare gli organi. Chiaro?»

Lui mi fa di sì, cagandosi addosso.

Che strano: quando ero piccolo, la gente – gente come questa specie di merda gelatinosa – continuava a dire al mio vecchio – che è scoto – che l'accento scozzese non lo capiva. E invece, guarda un po', quando faccio questi lavoretti capiscono bene e chiaro, non c'è da sbagliarsi.

«Ecco, così ci piace vederti», dice Shorthand, che fa l'irlandese. «Adesso, però, ti sarò grato se tiri fuori tutti i soldi e i gioielli che hai in casa. Forza. Li infili in questa sacca, chiaro? Se fai il bravo e stai zitto, non ci tocca neanche svegliare i poveri marmocchi su di sopra, eh? Forza.»

Gli accenti sono una grande trovata: una tecnica per fare polverone. Io quello scozzese lo faccio bene per via della mamma e del mio vecchio. L'irlandese di Shorthand è ottimo, anche se certe volte un po' sopra le righe, ma, come Indie Occidentali, Bal viene che è una cannonata.

Quel truzzo del marito ha i calzoni pieni di merda e corre in giro per la casa con Shorthand, mentre Bal tiene ferma la madama puntandole il coltello alla gola; troppo ferma, a dire la verità, povera sfigata. Io preparo una bella tazza di tè per tutti, che non è affatto facile, cazzo, con i guanti eccetera.

«Hai qualche biscotto, stella?» le chiedo, ma la povera cazzona non riesce neanche a parlare. Indica un armadietto sopra il piano di lavoro. «Cazzo, un pacchetto di Kit Kat.» Veramente fantastico, tra parentesi.

Dio, se è caldo questo cazzo di passamontagna.

«Siediti su quel divano, stella», le dico. Lei non si muove. «Mettila a sedere sul culo, Bobby», faccio a Bal. Lui la porta sul divano, tenendola stretta con un braccio in un modo che sembra il suo maschio o roba del genere.

Le metto davanti il tè. «Non farti venire in testa di gettarlo in faccia a qualcuno, stella», le dico, «se no, hai in mente i marmocchi di sopra? Diventano buoni per i vermi!»

«Io non...», balbetta. Povera donna. Seduta in casa a guardare la tv, e guarda cosa le capita. Proprio meglio lasciar perdere.

Bal non è per niente contento. «Bevi quel cazzo di tè, donna. Mio amico Hursty, qui, ti fatto un buon tè. Bevi tè che ti fatto. Tu pensi che siamo tuoi schiavi? Troia bianca!»

«Dai, su, lascia perdere. La ragazza il tè non lo vuole, non è obbligata a bere nessunissimo tè», dico a Bal, cioè a Bobby, come lo chiamo.

Quando facciamo lavori così, ci chiamiamo sempre Hursty, Bobby e Martin. Da Bobby Moore, Geoff Hurst e Martin Peters, i Martelli che ci hanno vinto il Mondiale nel '66. Barry è Bobby, il capitano, io sono Hursty, lo sfondatore. Shorthand... be', lui si vede nei panni di Martin Peters, il regista: dieci anni in anticipo sugli altri e cazzate del genere.

Naturalmente, come fresca non ce n'è in giro un granché: becchiamo soltanto un paio di centinaia di sterline. In questi posti di merda non c'è mai un centesimo. Lo facciamo soltanto perché è facile e ci dà un po' di fuoco al culo. E poi tiene in forma nella programmazione eccetera. Non si può lasciarsi arrugginire. Per questo siamo la prima ditta del paese: è la programmazione. Di andare a bagno è capace qualsiasi coglione; a tirare fuori dalla massa i veri professionisti sono programmazione e organizzazione, cazzo. Comunque, Shorthand si fa dare il codice della carta di credito da quello stronzo del marito, fa il giro di qualche macchinetta e torna indietro con seicento carte. Macchine di merda, con i loro limiti bastardi. L'ideale è aspettare la mezzanotte e poi, verso le 11.56 o così, ne ritiri altri duecento, e altri duecento all'una. Ma sono soltanto le 11.25, e bisognerebbe restare da queste parti troppo tempo. Sempre calcolare un po' di tempo in più, in caso che fanno resistenza. Ma questa è stata troppo facile, cazzo.

Li leghiamo come salami e Bal taglia i fili del telefono. Shorthand mette la mano sulla spalla dello stronzo. «Forza. Adesso a voialtri non deve venirvi in mente di andare in giro a parlare di questa faccenda con la polìs, capito? Su di sopra avete due bei marmocchietti che si chiamano Andy e Jessica, mi pare, vero?»

Gli fanno di sì con la testa, stralunati.

«Non volete che torniamo qui a cercarli, vero? Forza.»

Lo fissano terrorizzati, quei truzzi cacasotto. «Sappiamo a che scuola vanno», gli faccio, «gli scout, i lupetti eccetera, sappiamo tutto. Ma voi vi dimenticate di noi e noi ci dimentichiamo di voi, chiaro? Avete culo!»

«Quindi niente tirare in ballo la polìs», fa Bal sottovoce, toccando la faccia della ragazza con la parte smussata del coltello.

Si è bella gonfiata, la guancia della poveretta. E mi fa sentire strano. Non mi va di pestare le donne, non sono fatto come il mio vecchio. Anche se adesso la mia mamma non la picchia più, da quando gli ho detto che è meglio che la lasci stare. Se c'è una cosa che non farei mai è pestare una donna. Stasera, vabbè, non conta perché era lavoro, c'è poco da fare. Se uno gioca nel ruolo di sfondatore non può tirarsi da parte. Il primo truzzo che apre la porta se le becca, donna o non donna, cazzo, e più forte che riesci a suonargliele. E io so suonarle durissime. Cioè, tutta la faccenda dipende da lì, non si può tirarsi indietro. Bisogna essere professionisti. Ripeto, sono affari, e quello che fa bene agli affari fa bene all'Inghilterra, e a me piace fare la mia parte per la vecchia bandiera. Tutte le questioni personali, amicizie e antipatie, vanno messe da parte, non c'entrano. Ma cartonare una donna non mi va: cioè, in un modo personale. Non dico che è proprio sbagliato, perché conosco certe donne che una bella sberla se la meritano eccome, cazzo, dico solo che non c'è dentro nessuna soddisfazione.

«Lavorare con gente così a posto è un vero piacere», fa Shorthand, e portiamo via il culo lasciando 'sti poveri cristi in pace, mentre la vecchia buona adrenalina ci brucia in culo. Se c'è una cosa che sono contento è che non abbiamo dovuto svegliare nessuno di quei bambini. Ne ho uno di mio, e il pensiero che un coglione gli faccia una cosa del genere... ma va', cazzo, quale coglione si azzarderebbe mai a farlo? Però il pensiero mi fa ingrugnare, mi fa venire in mente di andare a dargli un'occhiata. Magari faccio un giro da quelle parti, domani mattina.

Wolverhampton, 1963

Spike rise e alzò il bicchiere di Bank's amara, fermandosi a un paio di centimetri dalle labbra. «Salute, Bob», ghignò, con gli occhi incavati che sparivano in una sottile fessura simile a una bocca, «possano i tuoi problemi essere tutti piccoli.»

Bob strizzò l'occhio e bevve un sorso dalla sua pinta. Quindi sorrise ai colleghi seduti attorno al tavolo. Gli piacevano tutti, anche Spike. Non era poi male, Spike. Se non voleva spostarsi da lì, cazzi suoi. Gli andava bene di restare lì infognato allo Scotlands per tutta la vita, non aveva altra ambizione che consumare la sua grossa paga in qualche bicchiere in più e qualche altro cavallo senza speranza. Da quando aveva tagliato da lì aveva sentito formarsi tra loro un fosso, qualcosa di più del suo trasloco materiale alla Ford Houses Estate. Gli venne in mente quello che aveva detto Spike: «Non è proprio il caso di traslocare da quelle parti, spendere tutto quel grano per una casa di merda quando si può averne una a buon mercato dal comune. Bisogna godersi la vita».

E quello era il suo modo di godersela, ingozzarsi di Bank's a garganella. Al North Bank di Molyneux, il sabato, dopo le puntate. Era la sua vita, ma rimaneva incastrato lì. Mentre lui, Bob, era operaio e orgoglioso di esserlo, ma era anche accorto. Per i figli voleva il meglio.

I figli? Il primo era in arrivo. Il pensiero lo riscaldò, insieme al rum che aveva preso con la birra.

«Un altra, Bob?» lo stuzzicò Spike.

«Non saprei. Ho l'ospedale, stasera. Potrebbe succedere in qualsiasi momento, hanno detto.»

«Cazzaaate! Il primo figlio arriva sempre in ritardo, lo sanno tutti», ruggì Spike, mentre Tony e Clem mitragliavano una tamburellata di incoraggiamento con i bicchieri vuoti sul tavolo.

Ma Bob si alzò e se ne andò. Sapeva che avrebbero parlato di lui e che cosa avrebbero detto: che si era rammollito, che aveva buttato via una scusa buona per ubriacarsi, ma non gli importava. Voleva soltanto vedere Mary.

Fuori pioveva, una lenta pioggerella opaca. Era ancora pomeriggio ma stava cominciando a cadere il buio invernale, per cui alzò il colletto per proteggersi dalle frustate del vento. Comparve un bus della Midland Red, gli fu addosso e filò via come un razzo davanti alla sua mano tesa. Era mezzo vuoto, lui era alla fermata, ma non si era fermato. La stupida ingiustizia del fatto lo lasciò pensoso e incazzato.

«Bastardo di merda di un Midland Red», gridò al didietro del bus che spariva ancheggiando come se volesse prenderlo in giro. Tirò avanti a piedi.

Arrivato all'ospedale avvertì che c'era qualcosa che non andava. Soltanto un lampo, la labile sensazione che qualcosa fosse andato di traverso. Deve provarla ogni padre in attesa, pensò tra sé. Poi la sentì di nuovo.

Qualcosa era andato storto. Ma che cosa? Era il ventesimo secolo. Ormai non andava più storto niente. Era l'Inghilterra.

Si sentì quasi mozzare il fiato quando vide sua moglie a letto, che urlava pur sotto l'evidente effetto del sedativo. Aveva un'aria tremenda. «Bob...», gemette.

«Mary... cos'è successo... l'hai avuto?... tutto bene?... dov'è il bambino?»

«Lei ha una bellissima bambina», disse un'infermiera, senza entusiasmo né convinzione.

«Non vogliono farmela vedere, Bob, non vogliono lasciarmi tenere in braccio la mia bambina», nitrì Mary.

«Che cosa sta succedendo qui dentro?» gridò Bob.

Alle sue spalle era comparsa un'altra infermiera. Aveva una faccia lunga, torturata. E l'aria di aver visto qualcosa di terrificante e al tempo stesso incomprensibile. Si portava addosso l'atteggiamento professionale come un barbone può indossare uno smoking nuovo. «C'è qualcosa di irregolare...» disse lentamente.

Un vizio da sfigata

La serratura non l'ha ancora cambiata, quella là; lo sa che cosa le capita se prova a farlo. Quando me ne sono andato ho tenuto il mio mazzo di chiavi di questo cesso. Le ho detto che avevo bisogno di un buco tutto mio. Che era meglio da ogni punto di vista. Sì, però la chiave di questa casa l'ho tenuta, in modo che posso venire qui a vedere il bambino: è naturale che abbia voglia di farlo. Lei sente girare la chiave nella serratura e quando entro mi guarda tutta strana. Il piccolino comunque c'è: compare dietro la madre.

Lei fuma davanti a lui eccetera. Quaranta al giorno ne fuma, cazzo. Un vizio da sfigata. Mi dà un fastidio tremendo vedere una donna che fuma. Se lo fa un coglione è una cosa diversa, ma ormai tra le donne è normale, specialmente quelle giovani. Cioè, non sto parlando della mia vecchia. Cazzo, ha già piuttosto poco da divertirsi in questa vita, non le negherei mai il suo tabacco. Nelle giovani, invece, è una roba troppo puttanesca. Per non considerare l'aspetto salute. È quello che le ho detto l'ultima volta che sono venuto qui. Le ho detto chiaro e tondo di non fumare davanti al bambino. Bisogna considerare l'aspetto salute, le ho detto, cazzo. Lasciamo perdere.

«Ha bisogno di scarpe nuove, Dave», mi fa lei.

«Sì? Vabbè, gliene prenderò un paio», rispondo. Grano non gliene do più, cazzo. Finirebbe nel paio di scarpe più a buon mercato, e il resto speso in tabacco per la sfigata. Non sono così rincoglionito.

Il piccolo mi sta guardando.

«Allora, come sta il mio ragazzo, eh?»

«Bene», risponde.

«Bene?» faccio io. «Come sarebbe, 'bene'? Che cosa ne

diresti di un bacio al vecchio paparino, eh?» Lui viene lì e mi pianta un bel bacione umido sulla guancia. «Ecco qua il mio ragazzo», dico, arruffandogli i capelli. Però devo smetterla con questo numero del bacio: ormai sta diventando troppo grande per quella roba lì. Potrebbe farmelo diventare un mollacchiotto, quella chiacchierona lì; peggio ancora, uno di quei froci fighetta che si vedono in giro. Non è mica naturale. Torno a lei. «Ehi, quel balordo di culo non continuerà a girare attorno alla scuola, vero?»

«Nah, non ne ho più sentito parlare.»

«Be', se ti capita fammelo sapere subito. Nessun depravato deve avvicinarsi al mio ragazzo, vero, figliolo? Ricordi che cosa ti ho detto, se qualcuno ti gira intorno in quella scuola?»

«Di tirargli un calcio nelle palle!» risponde. Io rido e gli faccio un paio di finte di boxe. Mani pesanti per un bambino così piccolo, diventa una scheggia della vecchia quercia, quello lì, se la Sfigata lo tira su bene, cioè.

La Sfigata. Oggi però ha un'aria piuttosto sugosa, tutta in tiro. «Ti vedi con qualcuno, ragazza?» le chiedo.

«Al momento no», fa, tutta come un po' ingrugnata.

«Giù le mutande, allora, cazzo.»

«Dave! Non parlare in quel modo. Davanti a Gary», fa, indicando il piccolino.

«Seh, giusto. Ascolta, Gal, prendi questo grano e va' a prenderti qualche dolce. Ecco le chiavi della macchina; questa apre la portiera. Aspettami dentro, va bene? Soltanto qualche minuto. Ho un po' di cose da dire alla tua mamma, roba da grandi.»

Il pistolino parte sulle sue gambette con il grano, e lei comincia a metterla giù dura.

«Non voglio», fa.

«Non me ne importa un cazzo del cazzo che vuoi tu, chiaro?» le ribatto. Niente rispetto, cazzo, è sempre stato il problema della Sfigata, una specie di difetto della personalità. Tira fuori una faccia di merda, ma sa bene quello che l'aspetta, per cui ecco che si toglie l'arredo e si avvia verso la camera. La sbatto sul letto e comincio a baciarla, infilo la lingua in quella tremenda bocca portacenere. Le allargo le gambe e le monto dentro abbastanza facile, laggiù in basso la brutta sfigata è fradicia come una spugna, sgocciola, e mi metto a sbatterla come si deve. Voglio soltanto scaricare la mia cartuccia e portare via le palle da qui, saltare su quel cazzo di macchina. Il problema è che tutte le volte che le entro in corpo non riesco a venire... e sta capitando anche adesso, dovevo essere più furbo. Lei intanto è lì che diventa matta, lei, che non voleva sentirne parlare eccetera, dà fuori di matto, e io non riesco a venire, cazzo.

LA ODIO LA STRONZA LA VACCA SCHIFOSA E NON RIESCO A VENIRE, CAZZO.

Voglio sfondarle quella figa fetente, cazzo, farle male sul serio, brutta troia, ma più ci do dentro e più lei se lo prende tutto, se lo gode minuto per minuto, la schifosa brutta sfigata scopona... e non dovrebbe andare così. Continuo a vedere lui, Lyonsy, del Millwall, continuo a vedermelo in testa. Cerco di fottermi lui invece di lei. La rissa che ci siamo fatti giù al Rotherhithe Tunnel, quando ho attaccato per primo e l'ho beccato con tre lecche, il gran cazzone, ma lui è rimasto lì come se niente fosse a beccarsele tutte, guardandomi con quegli occhi di merda come se fossi un giocattolino.

Finché mi ha tirato una lecca lui.

DAAAAAVEEE! DAAAAAVEEE! sta facendosi scoppiare la testa a sbraitare, la scema. RESTA QUI, RESTA SEMPRE QUI, POSSIAMO RICOMINCIARE, OH DAVE!... OH DAAAAAVEEE! Si sbatte come uno stallone, cazzo, sento tutta la sua forza sotto di me e come me lo stringe eccetera, ma dentro di lei sono morto, finché finalmente si calma e io lo tiro fuori ancora duro come un mattone e bisogna che la pianto qui, la brutta sfigata, perché sennò non sono responsabile delle mie azioni.

Mi vesto e lei ha un sorrisone in faccia e la mena su come nessuno riuscirà mai a cambiarmi; quando lo diceva, una volta, mi faceva sentir speciale, ma adesso mi fa sentire uno stupido limone di merda a cui tutto il mondo sta ridendo dietro le spalle.

«Seh», le faccio, portando via le palle e andando verso la macchina, ma non sono dell'umore giusto per sopportare quel ragazzino del cazzo. Non adesso, dopo che la stronza sfigata ha rovinato tutto. Lo scarico da mia sorella, dove è più contento, gioca con i cuginetti. Io non sono tanto portato per i bambini, a dire la verità.

Torno a casa mia e tiro fuori una copia di «Playboy», quella con su quella figazza di Opal Ronson. Ho tirato via i punti metallici, per cui lo attacco sul frigo con le calamite. Di solito non sono uno che compera riviste porno, soltanto se c'è su una star che si toglie l'arredo. È bello vederle a pelo nudo, queste star di merda, un po' come vedere una che si conosce. Elimina tutto quel cazzo di mistica, le fa sembrare, come dire, più disponibili. Nel frigo ho un melone fresco e ci ho già scavato tre buchi della lunghezza e misura del mio cazzo duro, due a un'estremità e uno dall'altra, al posto di figa, buco del culo e bocca di Opal. Metto un po' di rossetto su quello che fa da bocca. Poi strizzo un po' di crema Pond's per le mani negli altri due e via che scopiamo che è una bellezza... dove cazzo lo vuoi, ragazza: bocca, culo o figa... E intanto mi concentro sulla figura di Opal piegata in due, la schiena tutta inarcata, ma non riesco a capire che cosa mi sta dicendo, se lo vuole su per la figa o per il buco del culo, finché qualcosa di quegli occhi bruni mi dice che forse Opal non è la tipa da beccarselo nel secondo canale al primo incontro, la penso in *Seductive Affairs*... naah... ma poi anche in *Paranoid*, e penso: vaffanculo, cazzo, magari questa troia ha bisogno di una lezione, e via che fila dentro di lusso... Fuah, questo ti spacca in due, vecchia mia... fuah... KUUOOUUU!

Ho la testa che gira, cazzo, mentre la sborra continua a sprizzare senza fine nel melone. Pochi secondi immaginari nel tubo della merda di Opal e via che sono fatto. Dio ti benedica, ragazza mia.

Faccio un sonnellino sul divano e quando mi sveglio cerco di guardare la tv, ma non c'è cazzo che mi concentro. Lavoro un po' con i manubri e mi do una guardata ai pettorali. La definizione sta venendo fuori, ma sono ancora un po' flosci, come quelle checche tutte agitate, in palestra. È carne che ci vuole, per la potenza del cartone. Dopo un po' vado giù al Blind

Beggar. Non c'è nessuno degli altri, per cui provo al Grave Maurice. Sono tutti lì, Bal, Riggsie, Shorthand, Roj, John eccetera. Prendo una pinta di scura amara e vado da loro. È un bel numero e sto cominciando a rilassarmi e ad andare in pista quando sento un casino al bar.

«EEEIIIIHHHH!»

Mi volto e lo vedo. Quel penoso vecchio bastardo, il mio vecchio. Guardatelo: sceso dall'albero, cazzo, e in giro a dar fastidio alla gente. Penoso, cazzo, ecco cos'è e cos'è sempre stato. Ma il rompicoglioni ci ha sgamato e sta arrivando. Bal, Riggsie & Shorthand, brutte teste di cazzo, si stanno godendo minuto per minuto tutto il mio imbarazzo.

«Bene, ragazzo mio. Adesso offri un bel bicchiere al tuo vecchio, eh? Eh?» dice. È fatto come un biglia, il coglione.

«Cazzo, sto cercando di fare quattro chiacchiere in pace», gli dico.

Lui inarca i sopraccigli e mi guarda come se fossi un buco del culo. Poi si mette le mani sui fianchi. «Ah, quattro chiacchiere, certo...»

«Non si preoccupi, signor T., sto proprio andando a prendergliela io, sto» fa Bal e fila al banco. Torna con una pinta e un grosso scotch per il vecchio coglione.

«Quello lì sì che è un uomo», fa lui indicando Bal. «Il giovane Barry, lì... Barry Leitch... un *vero* uomo, cazzo!» sorride, alzando il bicchiere a Bal, che ricambia con il suo. Poi vede che lo sto guardando. «Ohé, cosa ti è successo in faccia?»

Vecchio coglione, mi sta facendo incazzare di brutto.

«Cos'è succeeesso...»

Brutta facciazza scozzese gonfia di birra, stupida voce sfiatata da Jock;* non la smette mai neanche un minuto, cazzo. Vorrei proprio farla tacere, quella stupida voce.

«Niente», ringhio. Allora il vecchio coglione mi schiaffa un braccio sulle spalle e si rivolge a Bal e Riggsie. Adesso gli tiro uno swing, quanto è vero Cristo...

* *Jock* sta per «scozzese». (*N.d.T.*)

«Ecco qui il mio ragazzo. Una gran testa di cazzo. UNA TESTA DI CAAAAAAAZZZZO! Ma è sempre mio figlio», fa. E poi: «Ciao, figliolo, mi sovvenzioni? Sto aspettando un grosso assegno dall'assicurazione, sai. Mi hanno detto che ormai doveva arrivare, così ieri sera sono andato alle corse dei cani, convinto che stamattina ero pieno di fresca... Capita l'antifona, eh, David, figliolo?»

Tiro fuori un paio di deca. Qualsiasi cosa, qualsiasi cosa pur di togliermelo dai coglioni, il vecchio cazzone.

«Sei un bravo ragazzo, figliolo. Un bravo ragazzo PROOOTSTANTE!»

Poi si guarda attorno e si arrotola la manica. «Il mio sangue», fa. «Sangue proootstante.»

«Sicuro, garantito al cento per cento, signor T.», fa Riggsie, e Bal, Shorthand, Roj, Johnny eccetera giù a sganasciarsi, e anch'io eccetera, ma la battuta di Riggsie non mi è piaciuta. Coglione o no, è pur sempre del mio vecchio che si parla. Ci vuole un po' di rispetto, cazzo.

«Proprio così, figliolo. Proootstante al cento per cento», fa il vecchio pagliaccio. Poi, grazie a Dio, si guarda intorno e vede un altro sbronzone che entra nel bar tutto strambato. «Adesso devo lisciarvi e lasciarvi, ragazzi. Lì al bar c'è un mio carissimo amico, e devo, sapete... vabbè, riguardatevi, ragazzi. Niente cazzate con il futbol. Conto che mettete tutti a posto. Bisogna avere il temperamento da grande match... InterDittadelcazzocity...* merda! I Billy Boys, i tifosi dei Rangers ...noi sì che potevamo farvi vedere un paio di cosette... quelli sì che erano *veri* duri... i Billy Boys Spaccatutto, quelli originali, voglio dire! Ricordate ragazzi, attaccare per primi e non fare prigionieri. Ci vuole il temperamento da grande match!»

«Così si fa, signor T.», dice Bal.

Il vecchio coglione si alza e stramba da quest'altro malinconico vecchio pistola, al bar.

* «Intercity Firm» era la denominazione di una famigerata banda di hooligan tifosi del West Ham, che andando in trasferta sugli intercity distruggevano le carrozze. (*N.d.T.*)

«IL TEMPERAMENTO DA GRANDE MATCH!», si volta a sbraitare.

Le ho veramente piene, cazzo. E quando si sta così c'è solo un posto dove andare. Mi giro verso Bal. «Sai cosa mi andrebbe? Un giretto dall'altra parte del fiume. Un bus fino al London Bridge e una bella passeggiata per Tooley Street, giù per Jamaica Road e poi indietro in metro da Rotherhithe. Noi sei e basta.»

Bal sorride. «Ci sto. A spisciazzare addosso a quei bastardi.»

Riggsie fa spallucce, e anche Shorthand e gli altri. Vengono anche loro, ma non hanno tutto il fegato che ci vuole.

Io invece sì. Spazzo via la pinta smollando il gargarozzo, mandandola giù in un sorso solo e sentendo il rutto gassoso che mi riempie la gola. È ora di darsi una mossa.

Toronto, 1967

Bob guardò il piccolo tra le braccia della moglie. Pensò per un attimo a un altro paese, un'altra moglie e un'altra figlia... no. Scacciò il pensiero, accarezzando la calda guancia rossa del neonato. Altri tempi, un altro posto. Quello era il Bob Worthington di Wolverhampton. Mentre questo Bob Worthington si era fatto una nuova vita a Toronto.

Rimase all'ospedale qualche ora e poi, esausto ma euforico dopo essere stato lì sveglio tutta la notte, fece il lungo viaggio in auto verso casa, nei sobborghi. In quella via le case erano tutte diverse, non come i casermoni popolari di mattoni rossi, costruiti in blocco, da cui veniva lui, eppure il quartiere era ugualmente pervaso da una strana aria di uniformità. Parcheggiò l'auto nell'angusto vicolo fuori del garage.

Guardò l'anello da basket sospeso i regolamentari dieci piedi sopra la porta del garage e immaginò il figlio che cresceva... lo vide già giovanotto, che saltava nell'aria come un salmone per spedire la palla a canestro. Questo bambino avrebbe avuto le occasioni che al padre erano state negate. Ci avrebbe pensato lui. L'indomani doveva tornare al lavoro: così bisogna fare quando si è in proprio. Adesso però era a pezzi. Andando a letto invocò un sonno profondo, con dei sogni che riflettessero i meravigliosi eventi della giornata. Sperava che non arrivassero i demoni.

Era quello che sperava più di ogni altra cosa.

Una donna come si deve

Eccoci qui seduti in questo cazzo di parcheggio, nel retro del furgone. Nessuno vuole la nostra roba di merda: è stato tutto un cazzo di perdita di tempo. Be', penso che fra un po,' se la situazione qui in giro non cambia, mi faccio un buon E e mi butto nel movimento. Bal è con certi coglioni nell'altra macchina, non ha voglia di entrare. Vabbè, faccia un po' come gli va, io non ho intenzione di restare qui a fare flanella: c'è un gran movimento di gonne, lì dentro.

«Una scazzottata di prima, l'altra settimana, in quel pub», fa Shorthand.

«Seh, dopo che ti ho tolto di dosso quei coglioni», gli dico. Altrimenti lo sfigato era fatto. «Ultimo capitolo e amen, cazzo.»

«Seh, per un po' ho proprio pensato di essere fregato. Però, quando ho preso quei bicchieri, fuah... Li stavo mettendo giù tutti, quei truzzi. Sinistra, destra e centro, cazzo.»

«Quel bastardo di panzone dietro il banco», dice Johnny. «Tipo piuttosto gustoso, cazzo.»

«Seh», faccio, «finché non l'ho cartonato con quello sgabello di metallo. Un colpo da maestro. Me lo ricordo benissimo: è stato fantastico come gli si è aperto in due il sopracciglio.»

Vedo Shorthand che fruga nel sacchetto di plastica in cerca di una birra. «Ohé, Shorthand! Dammene una lattina, pezzo di merda», gli grido. Lui mi passa una bionda. McEwan.

«Piscia scozzese», fa lui, e poi: «scusa, vecchio, mi ero dimenticato».

«Non preoccuparti.»

«Cioè, non è che sei proprio scozzese doc eccetera. È un po' come col mio vecchio che è irlandese. E la mia vecchia che è polacca. Divento mica polacco doc per questo, no?»

Gli rispondo con una scrollata di spalle, che cazzo. «Siamo tutti bastardi marci, vecchio.»
«Seh», fa lui, «però siamo tutti bianchi, no? Purezza di razza eccetera.»
«Su questo non posso darti torto», dico.
«Cioè, insomma, non dico che Hitler avesse necessariamente ragione. Non era colpa sua se non era inglese.»
«Seh, era una gran sega», ribatto. «Due guerre mondiali e una Coppa del Mondo. Tutte vinte da noi *claret n blue...*»
Shorthand si mette a cantare. Quando attacca una vecchia canzone di battaglia di West Ham non c'è niente da fare. «Niente tonfi per i *claret n blue*, solo trionfi per i *claret n blue...*»
Riggsie salta su nel furgone. Dietro di lui arriva Bal, con quel coglione di Rodger. «Venite, scemi!» fa Riggsie. «È una cannonata, lì dentro. Una musica da far rizzare i capelli in testa, cazzo, ve lo dico io!»
«Te lo dico io che cosa mi fa rizzare i capelli in testa», faccio.
«Le cornamuse», dice Shorthand.
«Nah. È che c'è un giro di truzzi che spaccia, lì dentro, gente che non c'entra un cazzo con la Ditta», dico a Riggsie.
E Bal: «Seh, cazzo, giustissimo, Thorny. Lì dentro ci sono un po' di facce di merda».
Così Riggsie l'abbiamo messo a posto. È un mollacchione, il coglione. Quei babbi tutti viscidi, quelle balorde mezze seghe con i loro enormi sacchetti pieni di pasticche, lo mettono in tiro. C'è poco da meravigliarsi se non riusciamo a piazzare i nostri paracetamol e bicarbonato.
«No, non c'entra», attacca Riggsie. «Il problema è che quei coglioni sembra che si sono riforniti tutti prima di venire qui, questa sera.» E passa a Bal una pasticca. «To', prendi una di queste.»
«Vaffanculo», sbuffa Bal. Non è ancora in vena. Be', cazzo, lo mando giù io un E, e punto sul locale insieme a Riggsie. Shorthand ne ingoia uno e lo abbiamo subito a ruota.
Una volta dentro, sgamo questo giro di femmine in piedi vicino al muro. Una non riesco a smettere di guardarla. Mi

sento un po' goffo, tipo uno che ha bisogno di fare una gran cagata, ma poi capisco che dipende dal fatto che sto schizzando diritto in orbita tra quella roba schifosa e questa musica di merda.

«Cosa cazzo guardi?» viene lì e mi fa, sparata. A dire il vero io le femmine non le guardo in quel modo. Cioè, come la penso io, dipende dall'educazione. Shorthand, cazzo, le donne le spaventa. Le guarda fisso, e loro pensano che magari stanno per essere stuprate o chissà che cosa. Non fissare le tipe in quel modo, cazzo, gli dico sempre. Se proprio ci tieni, va' giù in Old Kent Road e provaci con qualche balorda di Millwall. Le ragazze bisogna trattarle con rispetto, gli ho detto. Ti piacerebbe se un punk o un metallico fissasse tua sorella in quel modo?

Invece poi eccomi qui che fisso questa ragazza. E non dipende soltanto dal fatto che è carina, cazzo, perché è carina, anzi strabellissima. Dipende che mi sono appena fatto questo Ecstasy e sto fissando una ragazza che non ha neanche un po' di braccia.

«Non eri tu quella in tv?» È tutto quello che riesco a dire.

«No, mai stata in tv, cazzo, e neanche in uno spettacolo da baraccone.»

«Non ho mai...»

«Bene, allora fuori dai coglioni», mi ringhia, voltandosi. La sua amica le mette un braccio sulle spalle. Resto lì di merda, come una rapa. Cioè, una sfigata con una lingua così non piace a nessuno, elementare, ma che cosa si può dire a una ragazza che non ha le braccia?

«Ehi, Dave, non avrai intenzione di lasciarti trattare così da un fenomeno da baraccone come quella, eh?» fa Shorthand, tutto un sorriso di denti marci.

Denti che sarebbe così facile spaccare.

«Chiudi quella bocca di merda, sega, se no te la chiudo io.» C'è poco da dire: con quello scemo sono piuttosto incazzato; una tipa così carina ma senza braccia, cazzo, è una vera vergogna da manuale, da piangere, ecco cos'è. La sua amica viene lì da me, è un'altra che guarda fisso, tutta pupille, strafatta di E.

«Mi spiace per come si è comportata. Acido andato a male.»

«E le braccia, allora, eh?» Questo non dovevo proprio dirlo, ma certe volte le cose vengono fuori da sole. Comunque, secondo me, sempre meglio dire quello che si ha in testa.

«Tenazadrine, sai.»

Shorthand deve ficcare il becco per forza e dire la sua cagata. «È la bettola più piccola del mondo, no? La Bella Tenazadrine.»

«Sta' zitto, non dire cazzate, stronzo!», gli ringhio. Il sega capisce al volo che cosa significa il mio sguardo e sparisce. Amico o non amico, lo sfigato è in rotta di collisione con una bella fila di sberle. «Di' alla tua amica che non avevo intenzione di metterla in crisi», dico all'altra.

Lei mi sorride. «Vieni a dirglielo tu.»

E questo mi spiazza un po', perché davanti a una tipa che mi piace sul serio divento come un po' tutto timido. Non stiamo parlando di sfigate, che vengono via a dieci per un penny; con una ragazza come quella è tutta un'altra solfa. Però l'Ecstasy mi dà una mano. Ci vado.

«Ehi, ehm, scusa se ti fissavo eccetera, sai...»

«Sono abituata», fa.

«Di solito non fisso la gente...»

«Soltanto quelli senza braccia.»

«Non c'entrano le braccia... è che l'E mi stava facendo un effetto di primissima e stavo da dio... e tu... e tu, cazzo, sei bellissima», sparo tutto di un fiato. «A proposito, mi chiamo Dave.»

«Samantha. Però non chiamarmi mai Sam. Mai. Mi chiamo Samantha», fa, quasi sorridendo.

Un quasi che per me è più che abbastanza. «Samantha», ripeto. «Be', e tu non chiamarmi mai David. Mi chiamo Dave.»

Allora lei sorride, e a me succede qualcosa dentro. Cazzo, questa qui sembra una colomba bianca più imbottita di MDMA di quanto me ne sono fatto in tutta la vita.

Londra, 1979

Era seduta in un fast food di Oxford Street, con il suo frappé al cioccolato, e succhiava il liquido zuccheroso attraverso la cannuccia. Aveva deciso di prendere il metro per il centro perché si era rotta, giù a Hammersmith. Non ce la faceva più a rimanere nell'appartamento occupato dove abitava; da qualche tempo era arrivata una banda di giovani scozzesi che passavano quasi tutto il giorno a fare flanella, bevendo bottiglie di sidro e discutendo con dogmatismo insensato dei loro gruppi preferiti. In quella giornata bollente il West End le era sembrato una prospettiva migliore, ma aveva in testa un vuoto brodoso, un festino di oppio in cui si imbucava di quando in quando senza invito qualche pensiero poco gradito. Pensò a un altro concerto, a un altro gruppo, a un'altra faccia, a un'altra scopata; meccanica, senza amore, ancora una volta. Tese i muscoli della vagina e lasciò che un brivido le scuotesse il corpo. Avvertendo il sopravvenire di un'ondata di orrore per se stessa, si impose di invertire la brutta corrente dei pensieri contemplando la gente che entrava nel fast food ridicolmente affollato.

Fu allora che si sentì addosso il suo sguardo.

Non sapeva da quanto tempo lui la stesse guardando. La prima cosa che notò fu il sorriso, ma era fermamente decisa a non prenderne atto. Un altro testa di cazzo. Quelli che volevano parlare con lei della sua menomazione erano sempre i peggiori. Tipo il vecchio coglione che le aveva detto di essere un sacerdote della Chiesa d'Inghilterra. In quel momento aveva bisogno di tutto tranne che di quella merda.

Quando venne a sederlesi accanto avvertì un famigliare brivido di riconoscimento. Un punk come un altro. Capelli rosa e giacchetta di cuoio tenuta insieme con spille da balia, senza il minimo di fantasia. Un'aria che aveva qualcosa di sterile: troppo primitiva, troppo finta. Un fasullo totale. «Ti spiace se mi metto qui con te?» chiese. Accento straniero, forse tedesco. Lei lo notò, e notò il vestito. Con la giacca così buttata sulle spalle, le ci volle un po' per capire che era più simile a lei di quanto avesse colto a prima vista.

«Sono Andreas. Mi piacerebbe stringerti la mano», rise, «ma non mi pare che sia il caso.» E, scossa via la giacca, mise in mostra due manine che, come le sue, sporgevano direttamente dalle spalle. «Possiamo magari baciarci, invece?» sorrise.

Samantha si sentì tendere aggressivamente la mascella, ma capì che questa reazione si contrapponeva a un'altra: una nauseante, nervosa, squilibrante ondata di attrazione imbarazzata. «Non voglio affatto baciarti, cazzo», ringhiò, secondo un cliché punk. Fasullo come l'abbigliamento di Andreas.

«Questo mi spiace», replicò Andreas, con un'aria davvero triste. «Sento che sei una persona molto arrabbiata, eh?»

«Eh?» chiese lei, veramente seccata di questa continua ingerenza, eppure coinvolta.

«Come pensavo. Bene. La rabbia fa bene. Ma se dura troppo a lungo può diventare un male, eh? Un male dentro. So tutto, in materia. Ma, come si dice: chi si incazza poi deve scendere dal cazzo. La sapevi?»

«Seh.»

Samantha aveva già incontrato altri figli della Tenazadrine. Ed era sempre stato imbarazzante. Era un argomento di conversazione, la loro deformità, che stava lì a guardarli in faccia. Come ignorarla? Come non ignorarla? Aleggiava sulla più casuale delle conversazioni come una nuvola nera. Di più: una parte di lei li odiava. Le ricordavano com'era fatta, com'era vista dal resto del mondo. Una persona con una carenza: una carenza di braccia. E una volta che ti ha appiccicato addosso l'etichetta della carenza, la gente tende a farne un fatto universale, relativo a tutti gli ambiti, intelletto, fortuna, speranza. Però Andreas non ispirava affatto quel senso di goffaggine o di orrore. Nonostante l'aspetto fisico, non emanava nessun senso di carenza. Irradiava caso mai una sconcertante impressione di eccesso: lo sentiva grondare sicurezza. Mentre lei aveva imparato a dissimulare le proprie paure dietro le espressioni da dura, in quel ragazzo vedeva una persona decisa a trattare il mondo esattamente nei termini che voleva lui.

«Vai al Vortex, stasera?»

«Può darsi», si scoprì a rispondere. Il Vortex non le piaceva, odiava quella folla. Non sapeva neanche chi c'era.

«Ci sono i 999. Piuttosto scassati, come band, ma quando si è su di giri tra anfe e birra un gruppo vale l'altro, eh?»

«Seh, è vero.»

«Mi chiamo Andreas.»

«Seh», replicò lei seccamente, e poi, cedendo all'espressione dei suoi sopraccigli inarcati, che gli davano un'aria vagamente bizzarra: «Sam. Non Samantha, chiaro? Sam».

«Samantha è meglio. Sam è un nome da uomo, non da bella ragazza. Non lasciarti accorciare, Samantha. Non lasciarglielo più fare.»

Lei si sentì montare nell'intimo un piccolo accesso di furia. Chi credeva di essere? Stava per reagire, quando lui riprese: «Samantha... sei molto bella. Senti, ci vediamo a quel pub, allo Ship, in Wardour Street, alle otto. Eh?»

«Seh, vabbè, magari», rispose lei, sapendo che ci sarebbe andata. Lo guardò negli occhi, e ci vide qualcosa di forte e caldo. Erano di un azzurro ridicolo, sotto quei capelli rosa.

«Hai scassinato lo zoo di Londra o roba del genere? Che cosa ci fai con quel cazzo di flamingo ficcato sulla testa?»

Andreas la guardò con aria perplessa. Le sembrò di vedergli aleggiare sul viso una brevissima ombra di rabbia crudele, prima che l'espressione tornasse a una calma così completa da farle pensare che doveva essersela immaginata. «Un flamingo... capisco. Samantha ha detto una battuta, vero?»

«Non hai senso dello humour, o che cosa?»

«Tu sei molto giovane, Samantha, molto giovane», osservò Andreas.

«Che cosa dici? Ho la tua stessa età. Dobbiamo essere nati a poche settimane di distanza.»

«Anch'io sono molto giovane. Il problema, però, è la sostanza.»

Lei stava per cedere di nuovo a un accesso di rabbia, ma Andreas si stava alzando dalla seggiola. «Adesso vado. Però prima mi dai quel bacio, eh?»

Samantha non si mosse, mentre lui si chinava a baciarla sulla bocca. Un bacio tenero. Lui lo prolungò per qualche istante e lei sentì che corrispondeva in modo incerto a quel bacio. Finché lui si scostò. «Alle otto va bene, eh?»

Vabbè, pensò Samantha, se non altro non può essere uno che punta ai soldi del mio risarcimento.

Poco dopo se ne andò anche lei, inoltrandosi senza meta per Charing Cross Road e poi tagliando per Soho Square e mettendosi stesa al sole con gli impiegati degli uffici. Poi girò per le strade di Soho e fece due volte Carnaby Street avanti e indietro, finché l'esasperazione prevalse e prese la metro per tornare all'appartamento occupato di Shepherd's Bush che divideva con un gruppo di altri giovani punk la cui composizione cambiava spesso.

In cucina, Mark, un giovane punk scozzese di una magrezza penosa e pieno di brufoli, stava mangiando bacon, uova e piselli direttamente dalla padella. «Andiamo bene, Samantha?» sorrise. «Hai per caso un po' di anfe?»

«No», rispose lei seccamente.

«Matty e Spud sono in città. Io invece questa mattina non riuscivo a muovermi. Sono andato di schifo, ieri sera. Sto facendo il breakfast soltanto adesso. Hai fame?» chiese, indicando con la testa il cibo immerso nel grasso freddo.

«No... no, grazie, Mark», rispose, costringendosi a un sorriso. Soltanto a stare nei paraggi di quella padella si sentiva crescere in faccia i brufoli *lei*. Pur essendo soltanto sedici, gli occupanti scozzesi erano pestiferi: sporchi, rumorosi e di gusti musicali ingenui. Abbastanza cordiali, comunque; anzi, il problema era che lo erano fin troppo: le ansavano dietro come una figliata di cuccioli entusiasti. Andò nella camera che divideva con altre due ragazze, Julie e Linda, accese la tv in bianco e nero, continuando a controllare l'orologio finché fu ora di uscire di nuovo.

Arrivò allo Ship con dieci minuti di ritardo. Lui era lì, seduto in un angolo. Andò al bar a prendersi una pinta di sidro. Poi si sedette con lui. Per raggiungere quella sedia le era sembrato di camminare un pezzo, e si era sentita addosso tutti gli sguardi. Invece, quando ebbe ricambiato il sorriso di Andreas e si fu guardata attorno nervosamente, si accorse con sorpresa che nessuno sembrava averli notati. Bevvero forte e mandarono giù un po' di anfe che lei aveva, anche se a Mark lo scoto aveva detto di no.

Quella sera al club il gruppo eseguì la sua scaletta mentre loro due sballonzolavano inconsapevolmente. Samantha avvertiva un senso di libertà e un'assenza di inibizioni diversi da tutto ciò che aveva provato prima. Una cosa al di là di droga e alcol, legata ad Andreas e al suo liberatorio, contagioso senso di sicurezza ed entusiasmo.

Sapeva che sarebbe andata a casa con lui. Non voleva che il concerto finisse e poi invece lo volle, di punto in bianco.

Ma mentre si avviavano per strada sentì il suo paradiso perdersi quando si trovarono di fronte un trio di skinhead ubriachi e fischianti.

«Cazzo, che spettacolo da baraccone!» gridò uno dei tre.

«Lasciali perdere», replicò un altro. «Vergognati, cazzo. Non ti piacerebbe per niente.»

«Però lei ha un bel paio di tette! Fatti dare una palpata, tesoro!» E il primo giovane skin le si avvicinò.

«Vaffanculo», gridò lei. Poi si trovò davanti Andreas, che bloccava il passo allo skin.

Sul viso del giovane si dipinse per un attimo un'espressione incerta e perplessa, e per qualche istante di terribile intensità sembrò spaventosamente consapevole della capacità degli eventi di trascendere al tempo stesso le sue pretese e la sua volontà. «Togliti dalle palle, sgorbio di merda!» sibilò ad Andreas.

«Togliti», gli fece eco Samantha. «Non ho bisogno che sia un altro a battersi per me.»

Ma Andreas non si mosse. Guardò fisso negli occhi il suo aggressore. Mosse le mascelle in un movimento circolare, lentamente, mollemente. Sembrava che si stesse quasi godendo il diversivo; a quanto pareva, era perfettamente all'altezza della situazione. Non aveva nessuna fretta di ribattere ma, quando lo fece, fu con voce monotona, lenta, uniforme. «Se non ci lasci in pace, ti mordo via quella faccia di merda. Chiaro? Resti senza faccia.»

E tenne lo sguardo fisso. Gli occhi del giovane testa rapata cominciarono a inumidirsi e poi furono presi da un tremito. Cominciò a gridare ma, a quel che sembrava, era soltanto in parte consapevole del fatto che intanto si stava allontanando.

«Dai, Tony, mandalo in culo quello sgorbio di kraut, togliamoci dalle palle prima che capiti qui la polìs», disse il suo amico.

Berciarono ancora qualche insulto, andandosene, ma nel modo isterico, di disperata sfida di chi si sente umiliato e sconfitto.

Samantha era impressionata. Le dava molto fastidio esserlo, ma questo tedesco la stava impressionando sempre più. «Hai fegato.»

Andreas piegò la testa di lato. Con un dito del moncherino che aveva per mano si picchiettò sulla tempia. «Non posso combattere. Mi manca l'allungo», sorrise, «ed è per questo che bisogna usare la testa. È così che vinco e perdo le mie battaglie. Certe volte funziona, altre... non va tanto bene, sai.» E scosse la testa con un sorriso del tipo *c'est la vie.*

«Seh, però quei bastardi li hai fatti schizzare», replicò lei. Ma capì che gli skinhead non erano i soli a essere schizzati.

Capì di essere innamorata di Andreas.

Boccacce di merda

Parliamo per un'eternità, parliamo e basta, cazzo. Non sono mai stato così in campana in vita mia, o, comunque, non davanti a una donna. Anche se, a dire il vero, non è che sia imbarazzato. Non è come parlare con una donna, o comunque non una donna nel comune senso del termine, come lo userei di solito per dire donna. Parlo di me, di Bal e del nostro giro; della mia mamma e del vecchio segaiolo; della Sfigata e del ragazzino; ma soprattutto della Ditta, delle scazzottate già fatte e di quelle che stiamo preparando, e del fatto che ho in mente di cucinarmi quel balordo di Lyonsy, del Millwall. Servirlo una volta per tutte, il coglione.

Ma non riesco a smettere di guardarla in faccia. Parlo persino come un frocio. «Ti spiace se ti tocco la faccia?» le chiedo.

«No», fa lei.

E io non riesco a smettere di toccargliela. Non ho nessuna voglia di fare altro, cioè, se non magari di stringerla un po' tra le braccia. Niente roba tipo sbattere o simili, no, soltanto stare insieme. Veri e propri pensieri da frocetto marcio. Non è, cioè, è... è amore, più o meno.

Quando la musica finisce le chiedo di venire in città con me. E il bello è che la cosa le interessa: *io* le interesso. Anche quando parlo di tutto quel casino eccetera, sembra veramente interessata, cazzo.

Mi faccio prestare la macchina da uno dei buttafuori che conosco, andiamo a Bournemouth e passiamo la giornata insieme. Non mi sono mai sentito così. Mi sembra di essere un altro. Diverso.

Poi eccoci lì in questo locale, a chiacchierare che è un piacere, ma quando usciamo ci troviamo davanti questi tre coglioni, che fissano Samantha e ghignano. La mia Samantha.

«Cazzo c'è da guardare?» faccio. Uno dei coglioni si caga.

«Niente.»

«Dai, Dave», dice Samantha, «non facevano niente.»

«Ohé, quale sarebbe il problema, eh?» fa quest'altro sfigato, la boccaccia di merda. Col cazzo che gliela lascio passare liscia.

In momenti del genere torno sempre ai vecchi film di Bruce Lee. Tutto quel Kung fu è una massa di vecchie cazzate, ma c'era quella cosa che diceva Bruce Lee, il consiglio che dava, che mi ha sempre portato bene. Un fesso non lo si pesta e basta, diceva: lo si pesta *attraverso*. Il boccaccia di merda, non vedo altro che il muro di mattoni arancione dietro la sua faccia. È quello che punto, che voglio demolire.

Poi so soltanto che sono lì in piedi che guardo l'altro coglione e gli chiedo: «A chi tocca, adesso?»

Sono lì paralizzati, gli occhi fissi sul testa di cazzo al tappeto, con un'aria piuttosto conciata. Però qualche ficcanaso del parcheggio vorrebbe dire la sua, e allora decido che è meglio tornare a Londra, visto che Samantha sta su a Islington, vicinissimo a me, roba da andare in orbita. Il piccolo incidente, però, ci rovina proprio la giornata.

«Perché lo hai fatto?» mi chiede lei in macchina, mentre imbocchiamo la superstrada.

Però non sembra molto seccata, piuttosto curiosa, per dire. È talmente bella, cazzo, che è meglio lasciar perdere. Faccio fatica a tenere gli occhi su quella strada di merda. Ogni volta che non la guardo in faccia mi sembra di sprecare tempo.

«I furbi, cazzo, non ti mostravano rispetto come si deve.»

«Di', per te è importante che la gente non mi dia fastidio, che non mi faccia del male?»

«Più importante di ogni cosa al mondo», le rispondo. «È una cosa che non ho mai provato.»

Lei mi guarda un po' pensosa, ma non dice niente. Mentre io ho detto troppo, cazzo. È la chimica, lo so che cos'è, ma riguarda soltanto quello che ho dentro, e me ne batto il culo.

Torniamo a casa sua. Quando siamo lì mi sento un po'

strano, perché c'è una foto di lei con questo coglione. Quando erano più giovani. Cioè: uno uguale a lei, senza braccia, cazzo.

«È il tuo ragazzo?» le chiedo. Non posso farne a meno.

Lei si mette a ridere. «Soltanto perché è senza braccia, dev'essere il mio ragazzo?»

«No, non intendevo quello...»

«È un tedesco che conosco», fa.

Un kraut di merda. Due guerre mondiali e una Coppa del mondo, stronzi. «Allora, sì o no? È il tuo ragazzo?»

«No, non è il mio ragazzo. Soltanto un buon amico, nient'altro.»

Sento una vampa di calore al petto e il kraut di merda comincia persino a piacermi. Voglio dire, povero stronzo, cazzo, non dev'essere tanto divertente per lui.

Dopo di che chiacchieriamo ancora un po' e Samantha mi dice alcune cose. Roba del suo passato. Roba che mi fa bollire il sangue, cazzo.

New York 1982

Per uno sistemato esattamente dove voleva essere, cioè in un ufficio ben arredato di un palazzo nel centro di Manhattan, Bruce Sturgess era perseguitato da una serie di pensieri imbarazzanti, insistenti. Guardava, fuori della finestra a nord, la splendida vista che comprendeva Central Park. I magnifici grattacieli Chrysler ed Empire State torreggiavano su tutto, dominando sprezzantemente il suo piano alto come due buttafuori di nightclub ingrugnati. C'è sempre qualcuno che ci domina dall'alto, pensò con un sorriso mesto, per quanto si possa salire. Erano straordinari, quei palazzi, in particolare l'art deco Chrysler. Pensò a Frank Sinatra e Gene Kelly, che in *Un giorno a New York* trasformano la città in una formidabile serie di immagini promozionali. La libertà, ecco che cosa incarnava New York. Un cliché, per di più prevedibile, pensò, ma nondimeno la verità. Il panorama non riusciva però a cancellare le tremolanti immagini di deformità che gli bruciavano senza tregua nella mente. E in quel momento era peggio che mai. Tanto da indurlo a comporre il numero di Barney Drysdale, a Londra. Nella sua voce, nella sua sicurezza impassibile e brusca, c'era qualcosa che lo calmava sempre, quando era così inquieto.

Barney Drysdale, tutto preso a fare i bagagli nel suo appartamento di Holland Park, non fu affatto contento di sentir suonare il telefono. «È adesso che c'è?» gemette, irritato. Si stava preparando a partire per la sua villetta nel Galles per un weekend lungo, in attesa del grosso trasloco semi-permanente di tutta la famiglia in quella località, il mese dopo.

«Pronto...»

«Vecchio mio!» esclamò Bruce quasi con il tono di prenderlo in giro.

«Bruce!» rise Barney, sentendosi migliorare l'umore al suono della voce dell'amico. «Vecchio demonio! Come te la passi nella terra degli yankee?»

Sturgess rispose con qualche blanda banalità. Sì, era bello sentire la voce di Barney. Nella propria avvertì soltanto una punta di gelo quando il suo vecchio amico nominò Philippa e i ragazzi. Lui e lei non andavano più d'accordo. I ragazzi si erano sistemati bene, su a casa loro, a Long Island, ma lei detestava l'America. I suoi trip di acquisti da Bloomingdale's e da Macy's non bastavano a placare il divampare della sua scontentezza. Invece lui amava New York. Amava l'anonimato di cui godeva, non avendo ancora stabilito tutti i contatti che di lì a poco avrebbe avuto. Gli piacevano i locali. Pensò al ragazzo che aveva scopato nei cessi la sera prima, in quell'ambiente deliziosamente lercio dell'East Village...

«Mi hai beccato in un momento piuttosto brutto, vecchio», spiegò Barney. «Questo weekend vado in campagna.»

Anch'io, caro ragazzo, rifletté pensosamente Sturgess, strofinandosi l'inguine mentre guardava, fuori della finestra del suo ufficio, il torreggiante profilo di New York, anch'io.

«Splendido», commentò.

Splendido, pensò. Ma aveva la mente turbata. Le deformità e la mania dei ragazzini: doveva controllarsi. Poteva con estrema facilità buttare via tutto ciò per cui aveva lavorato. Era bello parlare con Barney. Da ringraziare Dio che esistesse.

Ingiustizia

Mi vedo sempre più spesso con Samantha. Però non abbiamo fatto niente. Mi piacerebbe sapere a che punto siamo precisamente, con lei, cazzo. Pare quasi che mi crei un problema il fatto che non ha le braccia. Quando siamo insieme non facciamo altro che parlare, ma se devo essere sincero non mi piace per niente la piega che hanno preso le nostre chiacchiere. Lei continua a menarla con le sue braccia e con i coglioni che vendevano la roba che l'ha ridotta così. Io non voglio saperne niente: mi piace soltanto guardarla.

Però non posso fare altro che accettare la situazione, perché se devo dire il vero non mi interessa nient'altro che stare con lei.

«Mi guardi, e vorresti venire a letto con me. Vuoi scoparmi», dice. Così, di punto in bianco, dice cose come questa.

«Be', e allora? Non è proibito dalla legge, no? Non c'è nessuna legge che vieta che una ti piaccia», le ribatto. Dopo di che mi viene una crisetta di panico, perché questa volta siamo da me e sono sicuro che lei ha aperto il frigo. Speriamo che non abbia visto quel melone di merda, e la crema. Per fortuna il poster di Opal l'ho eliminato, cazzo.

«Tu non sai com'è per me. Un mostro, una donna incompleta. Mi hanno portato via qualcosa. Non sono completa e voglio fargliela pagare. Non qualche testone in banca: voglio giustizia. Voglio Bruce Sturgess, il bastardo che ha messo sul mercato quella medicina, che ci ha massacrato.»

«Vuoi che ti aiuti a fare un servizio a questo stronzo di Sturgess? Bene, lo farò.»

«Non capisci! Non voglio che tu gli dia una scazzottata. Non è un segaiolo qualsiasi che va alla partita e si fa un bicchiere nel pub dell'angolo. Non voglio fargli prendere uno spavento e basta, al bastardo! Voglio le sue braccia. Voglio che gli vengano staccati gli arti. Voglio che sappia com'è!»

«Non puoi farlo... ti metteranno dentro...»

«Cosa succede, uomo della Ditta? Ti è sparito il fegato?» mi schernisce, cambiando espressione, con un'aria diversa, non da lei.

«No, non è che...»

«Lo avrò, quel bastardo di merda, con il tuo aiuto o senza. Voglio che lo stronzo sappia cosa vuol dire essere ridotti a un mostro. Lui ha cambiato il modo come sono, e io voglio cambiare lui. Capisci? Non voglio i loro soldi di merda. Voglio portargli via quello che hanno portato via a me e fargli vedere quanto sono utili i loro schifosi soldi. Voglio che sappiano cosa significa quando una persona che non conosci ti provoca un danno, quando ti trasformano... quando ti negano il tuo posto nel mondo. Bastardi come lui lo fanno di continuo: portano via lavoro, casa, vita, con le loro decisioni, ma i disastri che provocano non li vedono mai, non vengono mai chiamati a renderne conto. Voglio che lo capisca, ma voglio anche che lo provi di persona. Voglio che sappia com'è essere un mostro.»

«Ma tu non sei un mostro. Sei bella! Io ti amo!»

La sua faccia a questo punto si apre in un modo che non ho mai visto, come se provasse quello che provo anch'io. «Ti hanno mai fatto una sega con i piedi?» mi chiede.

Pembrokeshire, 1982

Quando tirava il collo alla vecchia Land-Rover sull'erto sentiero che portava al suo cottage, Barney Drysdale provava sempre quell'intensa ondata di piacere. Smontando dalla vettura guardò la vecchia dimora di pietra, quindi inspirò una boccata di quell'aria fresca e fece scorrere lo sguardo sul panorama che circondava la sua casa. Alture, ruscelli, un paio di piccole fattorie e pecore, niente di più. Gli bastava.

L'indomani avrebbe avuto compagnia, sarebbero arrivate da Londra Beth e Gillian. Rientrava nel loro rituale di famiglia che andasse sempre un po' prima al cottage per «accendere il fuoco», come diceva lui. Si divertiva a dare un'occhiata al posto in solitudine, verificando a che punto era arrivato con il restauro. In realtà erano stati gli operai ad arrivarci, trasformando un derelitto mucchio di sassi in una casa da sogno. Lui veniva lì, fingeva di dare una mano, ansando e cercando di mettersi al loro livello, senza però mai riuscire a guadagnarsi fino in fondo la fiducia dei sospettosi operai, anche quando arrivava con un po' di birre o esigeva che staccassero in anticipo per andare a farsi una bevuta tutti insieme al pub del villaggio. Secondo lui erano soltanto villici un po' timidi, imbarazzati. Non capiva che a imbarazzarli era lui. Al pub si scusavano e se ne andavano, uno dopo l'altro. Dopo di che telefonavano per chiedere se se n'era andato e tornavano lì a continuare a bere senza di lui.

Il cottage era invaso da un gelo umido, per cui si accinse ad accendere il fuoco di carbone. Nel poco tempo passato a fare il giro d'ispezione della casa, era caduta la sera. Andò a prendere un po' di carbone dal capanno esterno, immerso in un buio quasi totale, fuori dal raggio di illuminazione delle luci della casa. Muovendosi al buio si sentiva bene, si godeva il freddo della sera sulla pelle.

Mentre i suoi passi incerti facevano scricchiolare il sentiero, gli sembrò di sentire un rumore, come un colpo di tosse. Gli esplose in petto un brivido di paura, che però passò subito, facendolo ridere della sua inquietudine. Tornò in casa con il carbone e i ciocchi di legno.

Con costernazione si accorse però che per la prima volta era rimasto senza esche per il fuoco. E ormai la bottega del villaggio doveva essere chiusa.

«Sciocchezze», disse.

Ammucchiò alcuni torciglioni di carta di giornale, gli stecchi e poi qualche pezzo di carbone. Un lavoro lento, che richiedeva pazienza, ma ebbe la ricompensa di una gradevole fiamma.

Rimase a sederle davanti per un po' e poi, irrequieto, scese con l'auto al villaggio a farsi un paio di bicchieri in solitudine al pub, sfogliando il «Telegraph». Fu deluso di non riconoscere nessuno: né operai locali né professionisti immigrati di recente. Dopo un po' si sentì prendere dalla dolce malinconia dell'isolamento e tornò a casa.

Rientrato nel cottage, si piazzò nella poltrona davanti al fuoco per rilassarsi con un po' di televisione, sorseggiando un bicchiere di porto e mangiucchiando un po' dello Stilton che si era portato dietro. Il calore della fiamma aveva fatto in fretta a scaldare la casa: si sentì venire sonno e andò a letto.

Di sotto, nel cottage, c'era qualcun altro.

La figura si muoveva furtiva nel buio, con grande grazia. Dalla sua spalla, dove avrebbe dovuto esserci il braccio, ondeggiava invece un grosso barattolo. Il contenuto venne usato per intridere di paraffina il tappeto e le tende.

Fuori, qualcun altro aveva un pennello in bocca. Con incredibile rapidità e destrezza, facendo scattare la testa avanti e indietro, la figura scura tracciò uno slogan in gaelico sul muro del cottage:

CYMRU I'R CYMRU
LLOEGR I'R MOCH*

* Il Galles ai gallesi, l'Inghilterra ai porci. (*N.d.T.*)

Vacche sacre

Portiamo il furgone su a Romford, dove 'sto testa di birillo tiene la vecchia Aston Martin piantata lì fuori della porta. «Dammi cinquecento carte, socio, ed è tua», fa il pazzoide. «Non ho più voglia di rompermi i coglioni con quella lì. Le ho fatto fare un sacco di cose, non occorre molto per rimetterla in marcia. Ne ho un po' piene le scatole.»

Apro il cofano e do una frugatina qua e là. Non sembra male. Bal dà un'occhiata e mi fa segno con la testa.

«Naah... è da sbattere via, socio. Possiamo togliertela dalle palle per un deca.»

«Non se ne parla nemmeno. Quella macchina l'ho pagata un chilo. E ci ho speso sopra altrettanto.»

«Sì, ma ti costerà come minimo duecento carte per sistemarla. Tanto per cominciare, le marce mi sembrano andate. Butteresti via della grana per niente, vecchio, credimi sulla parola.»

«Facciamo quaranta?»

«Noi siamo gente d'affari, socio. Dobbiamo guadagnarci da vivere», ribatte Bal con una scrollata di spalle.

Il piccione incatorcia tutta la faccia e si becca il deca. Ma io sono sicuro che non ci metto niente a rimettere in strada questa piccola bellezza. La agganciamo e la trainiamo giù alla nostra officina.

La nostra baracca ha qualcosa che mi deprime veramente, cazzo. Specialmente essere qui in una giornata d'estate bollente come questa. Credo che sia perché non riceve mai la luce del sole, è sempre all'ombra, cazzo, per via di tutti i palazzoni che ha intorno. Dentro qui non c'è mai un cazzo di luce naturale, soltanto quelle vecchie lampade di merda. Un giorno, giuro, apro un buco in quel tetto del mio culo e ci pianto un lucernario. L'odore di paraffina del calorifero e quello d'olio dei pezzi sparpagliati in giro mi dà proprio allo stomaco, certe volte. L'altra cosa è che ne vengo sempre fuori pieno di padelle. Tutti quei pezzi buttati per terra o su quel tavolone del cazzo. Poi c'è quella gigantesca porta basculante che non ha più nemmeno la serratura. Ci tocca mettergli un lucchetto, al bastardo. Il più delle mattine mi scazzo davvero, a cercare di aprirlo, il maledetto.

A Bal invece questo posto piace. Ci tiene tutti i suoi cazzi di attrezzi, persino la grossa sega a motore che usava l'inverno scorso quando ha cominciato questo lavoretto collaterale di andare a tagliar piante nella Epping Forest per venderle come fasci di legna da ardere tramite l'«Advertiser».

Seh, fa troppo caldo per restare qui in officina, oggi.

«Uno nato ieri, quello, eh, vecchio», ride Bal, sbattendo giù il cofano della macchina.

«Seh, un monumentale testa di cazzo. Dio, fa un caldo bestia, oggi. Senti, Bal, ho la gola che sta cercando di dirmi qualcosa. Ti va un bicchiere?»

«Okay. Ci vediamo giù al Grave Maurice. Prima voglio farmi una sveltina con questa», risponde, dando di nuovo un po' di pacche sul cofano della macchina, toccandolo come se fosse il culo di una donna, o le tette, o roba del genere. Be', si accomodi: un maniaco delle macchine, il cazzone. Per me, mi va di più l'idea delle tette e del culo di Samantha. Uhah! Questo caldo del cazzo mi sta mettendo in tiro alla grande. Certe volte mi chiedo se è una cosa scientifica o se dipende soltanto dal fatto che in questo periodo dell'anno tutta la donna va in giro mezza nuda, cazzo. Comunque, non ne posso più di metterle le mani addosso, ma per adesso mi accontenterò di una bella pinta di birra fresca. Così lo pianto lì.

Polizia in ricognizione, merda. Sono nel pub da cinque minuti e mi sono fatto un paio di sorsi, cazzo, quando nel bar del Maurice entra sparato quel pistola di Nesbitt, che sembra il padrone del locale.

«Andiamo bene, Thorny?»

«Commissario Nesbitt. Che piacevole sorpresa.»

«Non è mai un piacere frequentare la criminalità.»

«So che cosa vuol dire, commissario. Io la evito come la peste. Dev'essere un po' un casino, però, il suo genere di lavoro. Non offre molte prospettive, no? Forse sarebbe il caso di pensare a cambiare mestiere. Mai venuto in mente di provare con il commercio delle auto?»

Il truzzo se ne sta lì ingrugnato, cercando di gelarmi con lo sguardo come se dovessi chiedere scusa. Billy e la nuova figa dietro il banco si stanno facendo una bella risata. Alzo il bicchiere allo stronzo piede piatto: «Salute!»

«Dov'è il tuo socio, Leitchy?»

«Barry Leitch? Bal? Non lo vedo da un po'», rispondo. «Cioè, sul lavoro sì, difficile non vedersi quando si è in società in due, ma quando andiamo in vita non ci frequentiamo un granché. Da qualche tempo tende a frequentare altri giri, non so se mi spiego.»

«E che giri sarebbero?»

«Bisogna che lo chieda a lui. In questi giorni siamo troppo occupati per perdere tempo in chiacchiere sulla nostra vita di società.»

«La settimana prossima andate a Millwall», fa.

«Prego?»

«Non fare il furbo, Thorny. Millwall – West Ham. Endsleigh Insurance League, Prima Divisione. Settimana prossima.»

«Mi spiace, capo, ma di questi tempi non seguo un granché il programma del campionato. Da quando come manager è arrivato Bonzo, ho perso ogni interesse. Grande, in campo, ma come manager non funziona, sa. Triste, quando capita, ma è la vita.»

«Mi fa piacere saperlo, perché se domenica mi capita di vedere il tuo miserabile culo dall'altra parte del fiume in qualsiasi modo, in qualsiasi situazione, ti sbatto dentro per istigazione alla rissa. Anche se ti becco giù al centro commerciale di Croydon carico di sacchetti di giocattoli, sei fatto. Sta' alla larga da London South.»

«Sarà un piacere, mister N. Mai piaciuta quella zona, non ci ho nessun interesse.»

Per i poliziotti, mai avuto simpatia. Non soltanto per via del mestiere che fanno, ma proprio come persone. Occorre un certo tipo di gente, non so se mi spiego. A finire piedipiatti erano sempre i ragazzini carogna, i cagoni, quelli che a scuola si prendevano a sberle. Cercano di mettersi una divisa per girare la schiena al mondo, come dire. Il problema fondamentale dei piedipiatti, però, è che ficcano il naso, ficcano. Questo coglione di Nesbitt, una volta che ha azzannato non molla più. Andate a beccare quei froci di merda che girano per i campi giochi a tastare i bambini. Sono i pervertiti che la polizia dovrebbe tenere d'occhio, altro che sparare accuse del cazzo a uno che cerca di guadagnarsi una vita di merda.

Non appena quello stronzo di Nesbitt ha portato via il culo, telefono a Bal, giù in officina. «Bisogna rinunciare a Millwall. Nesbitt è in campana. È venuto qui in zona, al Maurice, a minacciare.»

«Se il pezzo di merda viene qui, vuol dire che non ha il personale per tenere sotto controllo il movimento. Tagli sugli straordinari, no? L''Advertiser' non parla d'altro. Se avesse le forze necessarie starebbe quatto e cercherebbe di beccarci in azione. Sai bene come me che alla polìs il casino piace: gli permette di mandar a dire ai politici che questa questione dell'ordine pubblico gli sta scappando di mano, quindi caccino più soldi per aumentare l'organico.»

«Seh, e poi, se stiamo alla larga, quei coglioni del Millwall pensano che East London è finita.»

«Una cosa, però», fa Bal. «Fra un paio di settimane abbiamo Newcastle.»

«Già. Per quella lì bisogna convocare tutta la Ditta. Meglio di Millwall, cazzo, è un bel viaggetto. Possiamo finire sui giornali nazionali. Qui a Londra ne hanno tutti piene le palle dei casini. Va già bene se finisce su quello schifo dello 'Standard', una scazzottata con il Millwall.»

Newcastle mi va meglio. Lyonsy è ancora dentro. Mi sono buttato sui pesi, per aumentare la potenza delle mie sventole, soltanto pensando a quel coglione. E senza quella bestia di Lyonsy, Millwall non mi interessa. Capisco che il pensiero di

Newcastle ha eccitato Bal, perché arriva nel pub sparato e mi fa passare subito nel retro. Chiunque tenta di entrare, lo fa smammare con un'occhiata.

«Sai», mi dice, «sono un po' in pensiero per Riggsie e gli altri. Tutto quell'Ecstasy, Thorny, tutta quella cagata di amore e pace.»

«Seh, lo so», faccio, pensando a Samantha. Stasera ci vediamo. Su da lei, a Islington. Che cosa non sa fare con i piedi. Il modo come mi ha preso il cazzo tra le dita di tutti e due e me lo ha menato morbidissimo: ero già lì che spruzzavo come una fontana prima ancora di capire bene cosa cazzo succedeva.

«Mi rompe», sta dicendo Bal. «Mi spacca veramente i coglioni, Dave.»

«Sì, lo so», rispondo.

Samantha. Dio, non può volerci ancora molto perché arriviamo al fatto come si deve. Ma questo pistola di Bal mi sa leggere come un libro, cazzo.

«Senti, Dave», fa tutto serio, «non permetteresti mai che una donna mandi in merda tutto, vero? Tu e io, voglio dire, il lavoro, la Ditta eccetera.»

«No di sicuro», rispondo. «Ma non è così, tra me e Samantha. La violenza le va benissimo. Secondo me gliela fa tirare.»

Lo penso sul serio.

«Ah sì?» sorride, ma io non gli dico più niente, di Samantha, cioè. Ormai ho già detto abbastanza. E lui lascia perdere. «È che da un po' gli uomini di punta mi preoccupano. Cioè, Riggsie e Shorthand, per esempio. Non sono più all'altezza. È la decadenza, cazzo. Come l'antica Roma, quei coglioni, un trip unico di sesso, cazzo. C'è poco da meravigliarsi se gli Ilford hanno cercato di approfittarne. Poi a chi tocca? I bravi rotti in culo di Basildon Road? Quelli di East Ham? Il giro di Gray Avenue?»

«Ma fammi il piacere!» sbuffo. «Comunque, non importa chi cerca di approfittarne. Ce li cucchiamo tutti, quei bastardi!»

Sorride e facciamo tintinnare i bicchieri. Bal e io, siamo più che fratelli di sangue, cazzo. Compagni nello spirito, cazzo. Sempre stati.

Però adesso c'è da pensare a Samantha... e mi fa venire in mente quella canzone degli ABC che è una delle mie preferite, dove dicono che il passato è la nostra vacca sacra e che dobbiamo cambiare tutti, cazzo.

Ecco il problema di Bal: del passato cerca troppo di fare una vacca sacra. Dev'esser stata la vecchia Maggie a dire qualcosa sul fatto che dobbiamo rinnovarci tutti per affrontare nuove sfide. Non lo fai e finisci come quei malinconici sfigati su nel Nord, che versano lacrime nella birra per una fabbrica o una miniera del cazzo che hanno chiuso.

Non si può fare del passato la propria vacca sacra, cazzo.

Il presente siamo io e lei: Samantha. Non posso restare qui seduto ad ascoltare Bal, devo prepararmi per vedermi con lei. Potrebbe essere la serata buona.

Quando arrivo a casa trovo un messaggio nella segreteria: la voce della Sfigata. Non ascolto nemmeno quello che dice. Mi fa sentire di schifo, perché stavo pensando a Samantha ed era bellissimo, e lei cerca di rovinare tutto infilandosi nella mia vita quando non c'entra niente, cazzo.

È Samantha che voglio.

Mi preparo e arrivo da lei in metà tempo. Torno di ottimo umore soltanto pensando a lei, perché 'sto sacco di merda mi taglia la strada uscendo dal posteggio e, invece di clacsonarlo e corrergli dietro per dargli una labbrata, mi limito a sorridere e alzare la mano. Giornata troppo bella per scaldarsi e agitarsi per una massa di cazzate.

Ha in faccia una certa espressione. Non ha intenzione di perdere tempo.

«Spogliati tutto e mettiti sul letto», mi fa.

Be', okay, lo faccio. Butto via jeans, camicia e scarpe. Mi tolgo calze e mutande. E quando monto sul letto sento il vecchio manico che comincia a diventare duro.

«Il cazzo mi è sempre piaciuto», fa lei, torcendosi fuori dal top come un serpente. È così che si muove: come un serpente. «Gli arti li trovo tutti bellissimi. Tu ne hai cinque, e io soltanto due. Significa che devi darmene uno, no?»

«Okay...» dico, con la testa che comincia a girare come una trottola e una voce di merda che diventa tutta rauca.

Lei si toglie i fuseaux una gamba per volta, reggendosi sul-l'altro piede. Sembrano due mani, quei cazzi di piedi. Più la vedo in azione, meno ci credo.

La guardo nuda per la prima volta. Ci ho pensato eccetera, me lo sono menato per giorni e giorni soltanto al pensiero, cazzo. Strano: dopo mi sentivo sempre un po' come in colpa. Non per via che lei non ha le braccia, ma perché è una persona che mi interessa sul serio, il che è proprio una cazzata ma non posso farci niente se sono il coglione che sono e se ho dentro quello che ho dentro. Eccola lì davanti a me. Le gambe sono così belle e tornite, precisamente come deve averle una donna, e ha un magnifico ventre piatto, un bel culo, due grandi tette e quella faccia. Quella faccia, cazzo, che, cazzo, sembra quella di un angelo. Poi guardo dove dovrebbero esserci le braccia e mi sento... triste.

Triste e imbufalito, cazzo.

«Mi piace scopare», fa. «Non ho avuto bisogno di imparare. Ero un talento naturale. Il primo tipo che mi sono fatta, avevo dodici anni, e lui ventotto. All'ospizio. Gli ho fumato la testa. Dipende tutto dai fianchi, e nessuna sa usarli come le donne fatte come me. Nessuno sa usare la bocca come me. Piace da matti a un sacco di uomini, sai? Oh, lo so, c'è sempre quella vecchia cazzata della perversione, se uno scopa un mostro...»

«Macché, tu non sei un mostro. Non continuare a parlare di te in quel modo...»

Mi sorride e basta. «Comunque, quella che conta è la libertà di accesso. Niente braccia per tenerli alla larga. Gli piace pensare che non posso farci niente, niente braccia che sgomitano per spingerli via, per impedirgli di fare quello che vogliono. A te piace, no? Hai tutta la libertà di accesso che vuoi: alle mie tette, alla figa, al culo. Tutto quello che vuoi. Magari non avessi nemmeno le gambe, eh? Un giocattolo per scopare e nient'altro. Potresti montare un'impalcatura, mettermi lì e prendermi in tutti i modi che vuoi, quando vuoi. Sono lì, indifesa, pensi, soltanto per te, perché il tuo cazzo fumante mi penetri, tutte le volte che vuoi.»

Non è giusto, cazzo, che parli così. Non è giusto e basta, cazzo. Qui mi sta venendo la paranoia. Deve avere scoperto quel melone nel frigo, la volta che..

«Se è per via del melone...»

«Che cazzo dici?» chiede.

Grazie al culo, il melone non c'entra. «Che cazzo dici *tu*», le ribatto. «Perché parli così? Eh? Io ti amo. Ti amo, cazzo!»

«Nel senso che vuoi scoparmi.»

«No, ti amo.»

«Sei un po' una delusione, ragazzo di Mile End. Non te l'ha mai detto nessuno che in questo mondo l'amore non esiste? Tutto è soldi e potere. È quello che ho capito: il potere. Sono cresciuta imparandolo. Il potere contro cui siamo andati a sbattere quando abbiamo cercato di ottenere da loro il risarcimento, la giustizia: industriali, governo, tribunali, tutta la merdosa cricca di quelli che fanno andare le cose. Il modo in cui hanno serrato i ranghi, cazzo, e fatto muro. Ti avrebbe fatto inorgoglire, Dave. Non è quello che vorreste essere, tu e la tua Ditta, nel vostro mondo dei balocchi? Il potere di far male. Il potere di essere qualcuno, di essere tanto temuto che nessuno si azzarderà mai a romperti i coglioni. Mai? È tutto un equivoco, Dave, perché qualcuno che ti spacca i coglioni ci sarà sempre.»

«Forse la pensavo così prima, ma adesso non sono più così. So che cosa provo dentro», le ribatto. E mi copro le palle con la mano a coppa. Si sta smollando, e mi sento veramente ridicolo, cazzo, qui seduto senza niente addosso, con una ragazza nuda, e senza fare niente.

«Be', peccato, mio dolce fanciullino della Ditta. Perché se le cose stanno così, non mi servi a niente. Non ho bisogno di uno scemo che si è rammollito. Voi uomini: parlate da duri, ma poi tagliate sempre la corda. Fin dall'inizio. L'ha tagliata anche mio padre.»

«Non mi sono affatto rammollito! Farò qualsiasi cosa per te!»

«Bene. Allora adesso te lo succhio fino a fartelo diventare duro come eri tu una volta, e poi ti lascio scegliere quello che vuoi fare con me. Unica frontiera, come si dice, la tua immaginazione.»

Così dice, e io non posso fare niente. Le voglio bene e voglio occuparmi di lei. Ho bisogno che mi ami, non che parli come una troia bislacca, cazzo. Non mi vanno le ragazze che parlano così. Si vede che legge delle gran cazzate, o che frequenta gente ben balorda, per ricavarne un linguaggio del genere.

Così non riesco a fare niente, e sapete una cosa? Secondo me lo sapeva benissimo che andava a finire così: sono sicurissimo che lo sapeva, cazzo.

Si mette un vestito sulle spalle. La fa sembrare bellissima, il modo come le cade mi fa addirittura pensare per un attimo che abbia le braccia. Ma se le avesse non sarebbe nemmeno qui seduta con uno come me. «Quando hai intenzione di sistemare Sturgess?» mi chiede.

«Non posso farlo! Non posso, cazzo.»

«Se mi vuoi bene davvero, lo farai! *Qualsiasi cosa*, hai detto, cazzo!» mi urla. Poi si mette a piangere. Cazzo, non posso sopportare di vederla piangere.

«Non è giusto. Non lo conosco, quel coglione. È omicidio, questo.»

Mi guarda, poi torna a sedermisi vicino sul letto. «Adesso ti racconto una storiella», fa. E me la singhiozza tutta.

Quando lei nasce, il suo vecchio taglia la corda. Non ce la fa a stare con una bambina senza le braccia. E la sua vecchia che cosa fa? Si impicca, no? Così lei cresce in un orfanotrofio. Il governo e quelli dei tribunali prendono le parti di quelli che hanno prodotto la medicina, non vogliono nemmeno concederle il risarcimento, né a lei né a nessuno dei bambini nati senza braccia. Finis. Lo sputano soltanto quando i giornali sgamano la porcata e attaccano una campagna, cazzo. Quel farabutto di Sturgess, il cazzone che ha provocato tutto, si becca un cavalierato, il vecchio pezzo di merda. Era il primo della lista, ma lo proteggono. Ha fatto questo alla mia ragazza, alla mia Samantha, ma per i servizi resi all'industria gli danno un cavalierato del culo. Deve pur esserci un po' di giustizia, in giro.

Così le dico che lo farò.

Dopo di che io e Samantha andiamo a letto e facciamo l'amore. Veramente bello, non come con la Sfigata. Vengo come si deve eccetera, e la cosa mi fa stare benissimo, cazzo. E quando ho finito vedo soltanto la sua faccia, la sua bella faccia, e non quella del frocione di Millwall.

Orgreave, 1984

Agli orecchi di Samantha Worthington, l'espressione «terrorista» appariva un po' ridicola. Terrorista internazionale, poi, ancora più folle. Lei, Samantha Worthington, cresciuta in un orfanotrofio appena fuori Wolverhampton e andata all'estero una volta sola, in Germania. Più un altro viaggio, nel Galles. Due viaggi, sempre con la prospettiva di essere presi. Due occasioni in cui si era sentita più viva, più redenta che mai e più motivata per la successiva. «Così non va bene», le aveva spiegato Andreas. «Adesso dobbiamo metterci in sonno per un bel po'. Poi ci svegliamo e colpiamo. Dopo di che è tempo di rimettersi in sonno.»

Una parte di lei aveva fatto qualcosa di più che fronteggiare la possibilità della cattura: in un angolo della mente ne aveva fatto il proprio destino. La sua storia sarebbe stata raccontata e, se da un lato ci sarebbe stata esecrazione per i suoi atti, dall'altra ci sarebbe stata anche comprensione. Avrebbe attirato l'attenzione sui fatti, ed era quel che occorreva. Sapeva che sarebbe stata raffigurata come una psicopatica a sangue freddo, «Sam la Rossa, Terrorista Internazionale», o come una ragazzina sciocca e innocente, manovrata da figure più sinistre. Strega Malvagia o Angelo Minchione: un'alternativa fuorviante ma inevitabile. A quale dei due ruoli si sarebbe adeguata? La fantasticheria le attraversava di continuo la mente mentre li provava mentalmente entrambi.

Samantha sapeva che la realtà delle sue motivazioni era molto più complessa. Aveva esaminato a fondo la forza che la spingeva: la vendetta; e anche quella che la trascinava: l'amore; e aveva concluso che non poteva fare nient'altro. Era prigioniera, ma consenziente. Andreas aveva una lievità che gli avrebbe permesso di dimenticare tutto, una volta che i torti fossero stati raddrizzati. Si trattava soltanto di un indizio e, in fondo, Samantha non ci credeva troppo. Comunque Andreas aveva cominciato a parlare di passare dalle questioni personali alla questione complessiva dell'oppressione di stato. Sì, era soltanto un indizio, ma, finché ci fosse stato, lei sarebbe stata al suo fianco.

Quanto a lui, Andreas aveva capito che la questione di fondo era la disciplina. Più la discrezione. La diversità tra loro e le persone ostentatamente estremiste o rivoluzionarie consisteva nel basso profilo. Agli occhi del mondo esterno loro due erano cittadini qualsiasi. E Samantha aveva abbassato la guardia una volta sola.

Alcuni suoi amici di Londra facevano parte del Comitato di Solidarietà ai Minatori e l'avevano convinta ad andare a Orgreave. La vista dei derelitti rappresentanti della classe operaia in piena lotta con le forze oppressive dello stato l'aveva sconvolta. Si era spinta pian piano fino alla prima fila, dove i picchetti premevano contro i cordoni della polizia che proteggevano i crumiri, ed era stata costretta ad agire.

La giovane guardia urbana al servizio dei suoi datori di lavoro governativi, portata su da Londra con la promessa di una sana busta paga gonfiata dagli straordinari, non riusciva a credere che quella ragazza senza braccia gli avesse mollato un violento calcio nei testicoli. Mentre gli occhi gli si riempivano di lacrime e cercava di riprendere fiato, la guardò sparire tra la folla.

Ma degli atti e della scomparsa di Samantha era stata testimone anche una macchina da presa nascosta, piazzata in un furgone bianco.

Londra, 1990

Bruce Sturgess era seduto su una poltroncina nel suo spazioso giardino sulle rive del Tamigi, a Richmond. Era una giornata d'estate calda e ventilata; guardava pigramente le acque del fiume scorrere. Sentì suonare la sirena di una barca in navigazione, e alcune persone, mentre gli passava davanti, lo salutarono dal ponte. Siccome non portava gli occhiali, non riconobbe l'imbarcazione, e ancora meno la gente a bordo, ma rispose comunque pigramente con la mano a tutti quei sorrisi, sentendosi tutt'uno con il suo piccolo angolo di mondo. Poi, per un motivo che preferiva non indagare, si tolse di tasca un pezzetto di carta. In una grafia filiforme c'era scritto:

TI PREGO, UOMO DEL MISTERO, TELEFONAMI.
JONATHAN

Seguiva un numero di telefono, con accanto una grossa X. Povero, penoso ragazzaccio. Credeva veramente che lui, Bruce Sturgess, *Sir* Bruce Sturgess, potesse compromettersi con una marchettuzza mercenaria della fossa dei leoni? Ce n'eran talmente tanti, di luridi frocetti da quattro soldi, con la faccia atteggiata a un'innocenza fasulla, proprio come piaceva a lui. No, pensò, il banco offriva tanti bei pezzi di carne di prima qualità tra cui scegliere. Ciò di cui aveva veramente bisogno, comunque, era un ragazzo sulla cui discrezione potesse fare affidamento. Si appallottolò in mano il foglietto, lasciandosi travolgere da una squisita ondata di violenza. Quando si fu dissolta, fu sostituita da un fuggevole senso di panico, che lo indusse a lisciare di nuovo il pezzo di carta e a reinfilarselo in tasca. Non riusciva a decidersi a buttarlo via. Infine si rimise a guardare le imbarcazioni che scorrevano oziosamente sul Tamigi.

Prese a ripercorrere mentalmente la sua vita, cosa che dal pensionamento tendeva a fare molto di frequente. E che in genere non gli dava mai qualcosa che non si potesse definire soddisfazione. Il riverbero del cavalierato non si era ancora spento. Era bello sentirsi chiamare Sir Bruce, e non soltanto per avere i migliori tavoli al ristorante, o le migliori suite d'albergo, o posti nei consigli di amministrazione e così via: gli suonava bene e basta, gli risultava gradevole all'orecchio. «Sir Bruce», ripeté sottovoce tra sé. Lo faceva spesso. D'altra parte, avevano detto tutti, se qualcuno se lo meritava era proprio lui. Aveva salito con regolarità i gradini della carriera aziendale, passando da un ambiente professionale di ricerca scientifica e sviluppo al management, e da lì al consiglio di amministrazione della United Pharmacology, megagruppo industriale diversificato per la produzione di farmaceutici, prodotti alimentari e bevande alcoliche. Certo, la Tenazadrine era stata una macchiolina. Aveva provocato la caduta di diverse teste, ma non era stato che uno dei tanti disastri aziendali da cui era riuscito a defilarsi abilmente. C'era sempre un'altra persona con meno anzianità aziendale e meno scaltra su cui far ricadere la colpa, e nel suo entourage ce n'erano molte in quella condizione. Le sue fredde capacità di movimento in quell'ambito non avevano fatto altro che accrescere la sua fama di abile manovratore.

Ai suoi occhi la tragedia aveva un mero valore in termini di sterline: i soldi persi dalla ditta. Si rifiutava di tenere in considerazione i servizi giornalistici a base di «problema umano» e le immagini televisive dei figli della Tenazadrine. Membra e deformità rientravano di rado nel suo orizzonte mentale. Anche se per un certo periodo non era stato così. Ai tempi dell'incarico a New York, quando l'anonimato della vita in quella città si era fatto troppo tentante, aveva dovuto venire a patti con la sua sessualità, che aveva represso fin dai giorni della scuola. Era stato allora che aveva capito cosa significhi essere diverso, e per qualche tempo era stato preso da un tremendo senso di pena. Ma grazie a Dio non era durato.

Ricordava la primissima volta che il retaggio lasciatogli dalla Tenazadrine aveva avuto un impatto sulla sua vita. Aveva organizzato una partita di cricket con i suoi due figlioletti nel parco pubblico di Richmond. I pioli erano stati piantati ed era pronto a battere, quando qualcosa aveva attraversato il suo campo visivo. In lontananza aveva visto un bimbetto senza gambe. Si spostava su un una specie di carrello, tipo skateboard, spingendosi con le braccia. Una scena ripugnante, orribile. Per un breve istante si era sentito come il dottor Frankenstein nei momenti di maggior depressione.

Non era stato lui a produrre il medicinale, si era detto: l'aveva soltanto comperato dai kraut e messo in vendita. Sì, certo, c'erano le voci... più che voci, anzi: i rapporti che aveva fatto sparire, in cui si segnalava che i test non erano stati rigorosi come avrebbero potuto essere e che la tossicità della sostanza era più alta di quanto si ritenesse in origine. In quanto ex chimico, avrebbe veramente dovuto tenere in maggiore considerazione questo aspetto della questione. Ma si trattava della Tenazadrine, la pasticca miracolosa contro il dolore. Con prodotti similari, in passato, non si era mai verificato il minimo problema. Inoltre c'erano diversi concorrenti per l'assegnazione della licenza di commercializzazione nel Regno Unito. Era gente che non intendeva certamente perdere tempo, e lui stesso era convinto di non poterselo permettere. Aveva firmato il contratto con il tedesco, strano tipo, nella sala di aspetto di Heathrow. Andava con i piedi di piombo, il kraut, aveva cominciato a tirarla in lungo con la necessità di procedere ad altri test e gli aveva consegnato una copia di quel rapporto.

Ma ormai in quel medicinale era stato investito troppo per non metterlo sul mercato. Troppo tempo, troppo denaro e troppo in termini di carriere aziendali, tra cui la sua. Il rapporto non era mai stato trasmesso: era finito in cenere nel camino di casa Sturgess a West London.

Tutto questo gli era lampeggiato nella mente quando aveva visto quel bambino, e per la prima volta si era sentito tagliare le gambe da un senso di colpa. «Continuate voi, ragazzi», aveva gracchiato ai figli stupiti, tornando verso l'auto con passi malfermi, cercando di ricomporsi, respirando affannosamente, finché quell'immagine non era scomparsa dal suo campo visivo. Dopo di che era tornato al cricket. Ci si adegua, aveva concluso. La tipica maniera inglese: la capacità di relegare dolore e senso di colpa in un angolo separato e sicuro della psiche, un po' come seppellire contenitori sigillati di scorie radioattive nel granito.

Ricordò il vecchio Barney Drysdale. Barney, che era sempre stato al suo fianco.

«Soffro di una bruttissima ossessione, Barney», gli aveva detto.

«Tiratene fuori, vecchio mio. Distribuiamo un unico prodotto dubbio e ci becchiamo tutta questa cattiva pubblicità. Dobbiamo uscirne con il ragionamento. I signori della stampa faranno in fretta a trovare qualcos'altro di cui occuparsi. Pensa a quante vite abbiamo salvato con i progressi della tecnologia farmaceutica, e nessuno che se ne freghi niente. In un momento come questo dobbiamo fare fronte unito. Tutti quei giornalisti impiccioni e quei cuori sanguinanti sono convinti che non si debba mai pagare un prezzo per il progresso. Be', si sbagliano!»

Un bel discorso, che aveva fatto meraviglie per il suo stato mentale. Barney era un tipo rassicurante. Gli aveva insegnato a essere selettivo nelle riflessioni, a concentrarsi sulle sue qualità personali, a lasciare il senso di colpa ai loro amici stranieri. Sì, la tipica maniera inglese. Sentiva molto la mancanza di Barney, l'amico morto in un incendio diversi anni prima, nel suo cottage del Pembrokeshire. Ne era stato incolpato un gruppo di nazionalisti estremisti del Galles. Feccia, pensò Sturgess. Qualcuno avrebbe anche potuto dire giusta remunerazione, ma erano cose a cui Bruce Sturgess non credeva. Maledetta sfortuna, nient'altro.

Come si chiamava quel kraut? pensò mezzo addormentato, sonnecchiando nel caldo. Emmerich. Gunther Emmerich. E Sir Bruce si lasciò appisolare con il sole in faccia. Non dimentico mai un nome, pensò compiaciuto.

Fregati

Per sfasciare Newcastle mettiamo insieme più di cento uomini della Ditta. La situazione sta cominciando a farsi un po' tesa. Ci sono di mezzo questo Rapporto Taylor e questi stadi con posti soltanto a sedere, quindi potrebbe essere una delle ultime stagioni per una bella rissa gigante sulle gradinate. I lavori stanno già cominciando in tutto il paese, merda. Vogliono ammazzare lo sport, quei cazzoni.

Per questa partita sappiamo che la polizia sarà presente in forze, per cui non ci sono speranze di un pestaggio su larga scala. Bal e io diamo istruzioni rigorose, venerdì sera, giù al Grave Maurice: nessuno dev'essere armato. In questi giorni la polizia sta arrestando per qualsiasi motivo. Tutta l'operazione dev'essere una dimostrazione di forza: far vedere a quei tripponi di geordie che i ragazzi cockney non sono finiti. Buttargli addosso un po' di monete da una sterlina limate, cantare un po' di canzoni e insomma trattare la loro topaia per quel cesso che è. Ma sul campo in sé non si fa niente: niente che possa riempire le celle di gente della Ditta. Tutti gli ordini li diamo io e Bal; nessuno degli Ilford batte un cazzo di ciglio, né nessuno di tutti gli altri coglioni.

Comunque, trentadue di noi devono prendere il treno a King's Cross per trovarsi all'ora di apertura, le undici, a una bettola che abbiamo scelto nella terra dei geordie. Un'altra trentina deve venire su con il treno delle nove per trovarsi in quest'altro pub, a poche centinaia di metri. Il terzo gruppo arriverà con un pullman di tifosi, conciati da supertifosi per il viaggio, in modo da essere a Newcastle verso l'una. Dopo di che devono dividersi in due gruppi e puntare verso i due pub. Saranno l'esca per attirare i geordie che vogliono beccarne un po', dopo di che arriviamo noi per farceli. A mezzogiorno di venerdì abbiamo già mandato su due esploratori, che ci stanno tenendo informati con i cellulari.

Be', direbbe il famoso vecchio saggio: il piano meglio organizzato per finir nella merda, perché non ha funzionato per niente come avevamo previsto. Newcastle è uno dei posti dove vado più volentieri, per via della pippa al culo. È a casa del diavolo, tanto per cominciare, e talmente diversa. Diciamo la verità, quelli lì sono più scozzesi che inglesi: tutti un po' sporchi e incivili. Ha qualcosa, quel posto, da far venire i brividi. Tutta colline, cazzo, con quei brutti ponti sospesi su un fiume lercio. I locali sono i tipici coglioni del nord, neanche capaci di organizzare una sbronza in una birreria, ma bravissimi a tirar fuori il buon vecchio manganello, in caso di scazzottata, e a prenderlo. In genere ci vuole un bel po' prima di metterne giù uno. Comunque io me ne sbatto, perché di solito sono su di giri come si deve e le vibrazioni così me le bevo, cazzo, ma oggi non sono in vena. Ho voglia soltanto di essere di nuovo con lei, a miglia di distanza, nella nostra vecchia Londra di merda. Un qualsiasi pub del cazzo, o magari un bel rave scatenato o roba del genere, fatto di E. Io e lei e basta.

Comunque arriviamo alla stazione. A King's Cross ci sono un paio di piedipiatti. Montano in treno ma scendono a Durham. Secondo me comunicano con Newcastle via radio, per cui sono preparato per l'accoglienza della polizia locale. Quando smontiamo, invece, troviamo la stazione quasi deserta.

«Niente polìs, cazzo! Merda, dove sarebbero i poliziotti?» sbraita Bal.

«Com'è questa storia?» chiede Riggsie.

Ma io sento qualcosa. Un gran trapestare in lontananza, e poi un gridare. Ed eccoli che arrivano come una piena nell'atrio, alcuni armati di mazze da baseball.

«CAZZO, È UN'IMBOSCATA!» grido. «QUESTI BASTARDI DI GEORDIE E LA POLIZIA! CI HANNO FREGATO!»

«NESSUNO SI RITIRI! ADDOSSO A QUESTE TESTE DI CAAAAZZO!», urla Bal buttandosi all'assalto, e noi dietro. Mi becco una gran lecca sulla schiena ma continuo a menare botte, puntando al centro del mucchio. È bello. Dimentico tutto. Non c'è più nessuna tensione, soltanto lo scontro. Sono all'attacco. E siamo qui per questo. Mi ero dimenticato com'è bello. Poi scivolo sul pavimento dell'atrio e vado giù. Sento arrivare le scarpate, ma non mi rannicchio nemmeno, continuo a sbattermi, a menare botte e a tirare calci. Riesco a rimettermi in piedi perché Riggsie ha fatto un po' di vuoto tirando su uno sbarramento mobile e adoperandolo per andare alla carica. Becco questo coglione tutto pelle e ossa con dei culi di bicchiere taglia Tirannosaurus Rex, e continuo a martellarlo più forte che posso, brutto stronzo. Finché lascia cadere il taccuino e capisco che è un povero sfigato di trainspotter rimasto incastrato nel casino.

Finalmente arriva la polizia, ed è il segnale per tutti di battersela in ogni direzione possibile. Fuori per strada mi si avvicina questo coglione con un occhio nero: «Bastardo cockney di merda», fa con il suo accento da geordie, ma ride, il cazzone. E giù anch'io. «Sì, proprio un gran bel casino», fa.

«Eh, sì, piuttosto sugoso, sì», concordo.

«Cazzo, socio, sono troppo fatto di E per buttarmici dentro adesso», sorride.

«Seh, già», annuisco.

Mi fa pollice su e poi: «Ci vediamo più tardi, amico».

«Puoi contarci, geordie», rido, e via che teliamo ciascuno per la sua strada. Io torno verso il pub dove eravamo prima. Mi si fanno sotto altri due geordie, ma non ho voglia di menare, mi è calata l'adrenalina.

«Sei una merda del West Ham?» fa uno dei due.

«Vaffanculo, sono scozzese», grugnisco con il mio accento jock.

«Okay, amico, scusa», fa.

Li pianto lì e punto sulla bettola. Ci trovo Riggsie e alcuni altri coglioni e ci avviamo verso lo stadio, dove prendiamo posto nella zona che è tutta circondata dalle merde geordie. Ho in mente di cominciare a tirare qualche cartone per vedere come va a finire, ma Riggsie ha sgamato un pulotto in borghese che ci punta. Restiamo lì il primo tempo, ma è una noia da far cagare, per cui ce la battiamo e torniamo al pub. Do una bella fila di sberle a un paio di coglioni impegnati con stecca e gesso, e prima di andarcene spacchiamo un po' di bicchieri e rovesciamo un paio di tavoli.

Quando usciamo per strada, alla fine della partita, vediamo il grosso della Ditta scortato dalla polizia verso la stazione, con dietro una massa di geordie che baccagliano. La polìs tiene bene in mano la situazione, ormai c'è un grande spiegamento di cavalli e auto. Non possiamo fare altro, ma sono contento di rimettermi in treno per tornare da Samantha.

Sul treno verso casa, Bal è tutto su di giri. «Quei coglioni adesso sanno chi siamo, cazzo!» grida.

E nessuno, Ilford, Gray, East Ham o sa il cazzo, dice bah. Prendo un E di Riggsie e vado in orbita dalle parti di Doncaster.

Acciaio di Sheffield

Lo vedo, 'sta merda. Sturgess. Lo stronzo che deve morire; per quello che ha fatto alla mia Samantha. Ti faccio vedere io, merda.

Il merdone ferma il mezzo in Piccadilly Circus, salta su questo giovane coglioncello, girano attorno allo spartitraffico e scendono per il Dilly, svoltando a destra in Hyde Park. Io dietro. L'auto si ferma alla Serpentine. Non ci vedo un granché, al buio, ma lo so che cosa sta facendo il frocio, lo so.

Dopo circa mezz'ora l'auto riparte. Tornano su a Piccadilly Circus e il ragazzo salta giù. Un culo lo riconosco a un miglio di distanza, lo riconosco. Faccio qualche giretto con l'auto, finché la marchetta di merda è tornata al suo posto di prima e Sturgess se n'è andato. Mi affianco al frocetto.

«Ohé, vuoi un passaggio?» chiedo.

«Sì, certo», fa, con un accento del nord, ma non proprio del nord, non precisamente l'accento di un maschietto del nord.

«Cosa ne dici di un pompino, stella?» chiedo mentre monta. Sporco, ecco come mi fa sentire. Meglio non pensarci troppo.

Mi guarda attentamente con quegli occhi froceschi da femmina. «Venti carte, Hyde Park, e dopo mi riporti qui», risponde.

«Affare fatto», dico, avviando l'auto.

«In questo posto preciso», insiste, tutto fighetta.

«Seh, va bene, d'accordo», gli dico. Riaccendo lo stereo dell'auto. ABC: *The Lexicon of Love*, il mio album preferito di sempre. È il più grande che hanno mai fatto.

Entriamo nel parco e mi fermo nello stesso posto dove questo depravatuzzo di merda si era fermato con Sturgess.

«Non è la prima volta che lo fai, eh?», sorride. «Strano, non mi sembravi uno che paga... così giovane. Questa qui mi sa che me la godo», lischeggia.

«Anch'io, socio, anch'io. Allora, di dove saresti, eh?»

«Sheffield», risponde.

Mi tasto una cicatrice sul mento. Ci sono andato due anni fa, a Sheffield. Stradina stretta, catena di bicicletta. Sono un poeta in rima e non lo sapevo neanche. Coglioni di una certa classe, quelli dell'United. Non come la folla del Wednesday, seghe di merda.

«Allora, sei un Gufo o un Lama?»

«Cosa?» lischeggia.

«Football, no? Tieni al Wednesday o all'United?»

«A dire la verità il football non mi interessa.»

«Questo gruppo, gli ABC, erano di Sheffield. Il coglione con il vestito d'oro. È lui che canta nello stereo: *Show me.*»

Metto il fighetta al lavoro sul mio uccello. Sto lì tutto un sorriso a guardargli la nuca, la testa rapata da frocetto. Non succede niente.

Si ferma per un po' e alza lo sguardo. «Non preoccuparti», fa. «Capita.»

«Oh, non mi preoccupo affatto, socio», sorrido, allungandogli il ventone per l'impegno eccetera.

Il coglione degli ABC sta ancora andando a tutti labbroni sul microfono con *Show me.* Cosa vuoi farmi vedere, scemo?

«Sai», fa quello, «per un po' ho pensato che eri della polìs...»

«Ah ah ah... nah, socio, non io. Pessima cliente, la polìs, ma è quella che è. Io, be', si potrebbe piuttosto dire che sono una catastrofe.»

Mi guarda un po', tutto perplesso. Cerca di sorridere, ma la paura gli paralizza la faccia da frocio prima ancora che lo prenda per quel collo tutto ossa e gli sbatta la ghigna da depravato sul cruscotto. Si spacca e il sangue schizza in giro per tutta la macchina. Lo sbatto giù di nuovo. E ancora. E ancora.

FROCIO DI MERDA! TI SPACCO FUORI I DENTI! TI RIDUCO LA BOCCA A UNA MARMELLATA, COME IL SOTTOPANCIA DI UNA BELLA FIGA, E POI SÌ CHE MI FACCIO FARE UN POMPINO COME SI DEVE!

Vedo la faccia di quello là, del cazzone di Millwall. Lyonsy. Lyonsy il leone, lo chiamano. Tornerà in circolazione presto. Ogni volta che gli sbatto giù la testa, il frocio strilla, e ogni volta che gliela tiro su prega: «Per favore... non voglio morire... non voglio morire...»

Adesso ce l'ho duro. Gli spingo la testa sul mio ventre e via che pompo a tutto spiano: gli manca il fiato e vomita, spruzzandomi sangue e schifezza su palle e cosce...

FORZA, STRONZO, «SHOW ME», CAZZO, FAMMI VEDERE!

...molto più sangue ancora della Sfigata, quando gliele sto dando e lei è stracotta... ma finalmente sto venendo e non vedo altro che Samantha, mentre riempio la faccia del frocio di sborra... è per te, è per te, penso, finché mi rendo conto che in realtà sto sparando in faccia a questo mostro di merda, a questa cosa...

«...OOOOHHHH, FINOCCHIETTO DI MERDA!»

Poi gli tiro su la testa e guardo sangue, sborra e schifezza che gli colano dalla faccia rotta.

Dovrei ammazzarlo. Ammazzarlo, dovrei, cazzo, per quello che mi ha fatto fare.

«Adesso ti insegno una canzone», gli dico, spegnendo lo stereo dell'auto. «D'accordo? E se non canti più che bene, fetido pezzo di stracchino, ti strappo quelle palle di merda e te le caccio in gola, chiaro?»

Fa di sì con la testa, disgraziato frocetto del cazzo.

«*I'm foreveah blowing bubbles...* CANTA, STRONZO!»

Fa uscire un borbottio dalla bocca fracassata.

«*Pretty bubbles in the ayyyahhh... they fly so high, nearly reach the sky, then like my dreams they fade and doiii...* CANTA!... *Fortune's always hiding, I've looked ev-ary-where, I'm forevah blowing bubbles, pretty bubbles in theee...*»*

* «Sono sempre qui a soffiare bolle – belle bolle in aria – volano altissime – arrivano quasi al cielo – poi come i miei sogni – svaniscono e muoiono – La fortuna sta sempre nascosta – ho guardato ovunque – Sono sempre qui a soffiare bolle – belle bolle in...» Come accennato sopra, è l'inno dei tifosi del West Ham. (*N.d.T.*)

UNITED!*

Sbraito come un pazzo mentre gli pesto il pugno sulla faccia da checca. Poi apro la portiera e lo sbatto nel parco. «Fuori dai coglioni, mostriciattolo depravato di merda!» grido, mentre lui resta lì per terra, parecchio più fuori che dai coglioni.

Riparto, poi faccio dietrofront e gli passo di fianco. Mi viene voglia di tirarlo sotto, mi viene. Ma non è con lui che ce l'ho. «Ohé, faccia da checca, di' a quel babbione depravato del tuo amichetto che il prossimo della lista è lui.»

Samantha non ha le braccia, né una mamma né un papà, è cresciuta in un ospizio di merda, tutto per colpa di un vecchio frocione pieno di grana. Be', cazzo, ho deciso di metterla a posto io questa storia.

Torno a casa e trovo un cazzo di messaggio nella segreteria telefonica. È la mia mamma, che non mi telefona mai. Ha un'aria veramente agitata. «Vieni qui da me subito, figliolo. È successa un cosa bruttissima. Telefonami non appena rientri.»

La mia vecchia mamma; mai rotto le palle a nessuno in vita sua, e cos'ha ricevuto in cambio? Niente, ecco cosa. Un frocione, invece, uno che ha provocato tutti quei bambini mostri, quelli come lui hanno tutto. Mi chiedo che cosa può esserle successo, alla mamma, e penso al vecchio cazzone, il coglione sempre sbronzo. Se ha fatto qualcosa di male alla mia mamma, se ha messo un dito addosso alla mia vecchia...

* (West Ham) United, ovviamente. (*N.d.T.*)

Londra, 1991

Erano tre anni. Tre anni, e finalmente veniva a trovarla. C'erano state le telefonate, certo, ma adesso stava veramente per *vedere* Andreas. L'ultima volta era stato in occasione dell'unico weekend che avevano passato insieme nel giro di cinque anni. Un weekend dopo Berlino, quando avevano squartato insieme il piccolo Emmerich. Le era scattato qualcosa dentro, allora: il sarcasmo di Andreas l'aveva gettata in una frenesia di violenza. Avrebbe fatto qualsiasi cosa per lui. E lo aveva fatto. Il sangue del bambino, l'amaro vino eucaristico del loro contorto rapporto.

Il buffo è che lei aveva fantasticato di tenerselo, il bambino. Vivere insieme, loro due, a Berlino, due figli della Tenazadrine, con un piccolo. Nei pigri mesi d'estate avrebbe potuto essere una delle tante mamme del Tiergarten. Ma lui aveva preteso il bambino come sacrificio, perché lei dimostrasse la sua dedizione a ciò che stavano cercando di fare.

Quando lo aveva ucciso, con il piccolo era morta una parte di lei. Esaminando il suo cadaverino a pezzi e senza braccia aveva capito che in effetti era finita anche la sua vita. Si era chiesta se fosse mai cominciata davvero. Aveva cercato di farsi venire in mente le volte in cui era stata veramente felice: sembravano imbarazzanti, piccoli approdi di pace in una vita che era tutta un mare di tormento. No, non esisteva alcuna prospettiva di felicità, soltanto quella di ulteriori vendette. Andreas continuava a dire che bisognava andare oltre se stessi, oltre l'ego. Coloro che erano strumenti del cambiamento non potevano essere felici.

Dopo di che lei era rimasta in uno stato di shock, praticamente catatonica, per quasi due anni. Una volta emersa dal trance, aveva scoperto che non amava più Andreas. Anzi:

non si sentiva più capace di amare. Stava per rivederlo per la prima volta dopo tre anni, ma l'unica persona cui riusciva a pensare era Bruce Sturgess.

Ormai lo avevano trovato. Era suo. Per Andreas, si era freddamente resa conto, non provava più nessun sentimento. Non voleva che Sturgess. Era l'ultimo.

L'altro, quello del cottage nel Galles, era stato facile. Non aveva nessuna protezione. Lo avevano visto nel bar del villaggio. Aveva pensato spesso che intrufolandosi per quella finestra avrebbe avuto paura. Invece no, niente. Dopo quella volta in Germania, niente.

Andreas arrivò alla porta. Lei notò freddamente che i capelli gli si erano diradati, anche se la faccia aveva conservato la sua giovanile freschezza. Portava occhiali con la montatura di acciaio.

«Samantha», disse, baciandola su una guancia. Lei si fece di ghiaccio.

«Ciao», disse.

«Perché così triste?» sorrise lui.

Lo guardò per qualche istante. «Non sono triste», rispose, «soltanto stanca.» Poi, senza amarezza, aggiunse: «Sai, mi hai portato via più vita tu di quelli della Tenazadrine. Ma non ti odio per questo. Doveva essere così. È il modo in cui reagisco agli eventi, è la mia natura. C'è gente che può fare a meno del dolore, ma io no. Voglio Sturgess. Dopo di lui raggiungerò qualche specie di pace».

«Non può esserci pace finché un sistema economico basato sullo sfruttamento...»

«No», lo zittì alzando una mano. «Non posso assumermi una simile responsabilità, Andreas. Non ci trovo nessun legame emotivo. Non riesco a dare la colpa a un sistema. Alla gente sì, ma non so astrarre al punto di scaricare la mia rabbia su un sistema.»

«Ed è precisamente il motivo per cui rimarrai schiava di quel sistema.»

«Non voglio discutere con te. Lo so perché sei qui. Sta' alla larga da Sturgess. È mio.»

«Temo di non poter rischiare...»

«Voglio essere io a farmi il bastardo.»

«Come desideri», consentì Andreas, con una smorfia. «Ma questa sera sono venuto qui per parlare d'amore. Domani facciamo i piani, ma questa notte è dedicata all'amore, no?»

«L'amore non esiste, Andreas, vaffanculo.»

«Che tristezza», sorrise lui. «Non importa! Vorrà dire che questa sera sarà dedicata a bere birra. Magari andiamo in un locale, eh? Non ho avuto molto tempo per tenermi al passo con questa roba acid house e techno... Certo, ho preso l'Ecstasy, ma soltanto in casa, con Marlene, per essere tutto pieno di amore... o fatto di amore, eh?...»

Lei, davanti all'altro nome, a ciò che poteva significare, si fece di ghiaccio. Lui confermò la cosa con la foto di una donna e due bimbetti, femminuccia e maschietto. Un quadro idilliaco. Lei fissò la foto e l'espressione di orgoglio e di amore sulla faccia di Andreas. Si chiese che specie di espressione doveva avere suo padre quando l'aveva vista per la prima volta.

«Nessuna pace fino al crollo del sistema, eh?» rise freddamente. Una risata aspra, distante, che sembrò innervosire Andreas. E lei sorrise soddisfatta. Era la prima volta che lo vedeva a disagio in quel modo, ed era contenta di essere stata lei a provocarlo. «Tutte quelle braccine e gambine...», continuò, inebriata dal senso del potere che sentiva di esercitare su di lui.

La mano di Andreas si chiuse ad artiglio, strappandole la foto. «Sono qui, no?» ribatté infuriato. «Che pace sto godendomi? Sturgess è qui e io sono qui, Samantha. Una parte di me è sempre qui, sempre dov'è lui. Vedi: anch'io non posso fare a meno del dolore.»

Prendi qualcosa?

Quando arrivo a casa della mia vecchia, la prima persona che vedo è la Sfigata. «Cosa ci fa qui quella lì?» chiedo.

«Non parlare in quel modo, David! È la madre del tuo bambino, cristo», fa la vecchia.

«Cos'è successo? Dov'è Gal?»

«È stato portato all'ospedale», fa la Sfigata, sigaretta in mano, soffiando quel mortifero fumo di merda dal naso. «Meningite. Però il dottore ha detto che andrà tutto bene, Dave. Vero, mamma?»

Quel cazzo di sfigata, chiamare Mamma la mia vecchia mamma, come se lei c'entrasse qualcosa con questa casa.

«Sì, abbiamo avuto un po' paura, ma adesso sta bene.»

«Seh, eravamo preoccupatissimi», fa la Sfigata.

Guardo la stronza sfigata faccia di vacca. «Dov'è?»

«Padiglione Otto del London...»

«Se gli capita qualcosa è colpa tua!» ringhio, poi corro alla sua borsetta, sul tavolo, e tiro fuori le cicche. «Tua e di questa roba! Questa merda di tabacco che gli entra nei polmoni tutto il giorno, tutti i sacrosanti giorni!» E stritolo il pacchetto di sigarette. «Se ti becco di nuovo a fumare dalle parti del mio ragazzino, ti faccio quello che ho fatto a quel pacchetto di merda! Non devi stare qui! Non c'entri niente con questa casa! E neanche più con me, chiaro?»

E sono fuori di quel cazzo di porta, con la mia vecchia mamma che mi grida dietro di tornare lì, ma me ne vado. Corro all'ospedale con il cuore in gola. Quella sfigata del cazzo doveva farlo ammalare con il suo fumo proprio in questo preciso momento che ho da fare. Quando arrivo, il piccolo dorme. Sembra un angelo. Mi dicono che guarirà perfettamente. Devo andare. Ho un appuntamento.

Quando arrivo in quel posto di merda sono parecchio su di giri. Li ho tenuti d'occhio, i locali così, li ho visti comparire e sparire, ma adesso devo entrarci per la prima volta.

Mi fa venire i brividi. Mi becco subito una proposta lampo da un frocio, che gira gli occhi tutti di sbieco e mi dice qualcosa di una festa nei cessi. Gli dico dove può andare a farselo mettere. C'è un uomo solo che voglio, ed è al bar. Facile sgamarlo: è il più vecchio che c'è qui dentro. Vado lì e mi siedo vicino.

«Un bel brandy», ordina al barista.

«Che accento distinto che ha», gli dico.

Si volta e mi guarda con la sua faccia da frocione: bocca molle e gommosa, occhi morti da femmina. Mi fa venire da vomitare eccetera, che mi squadri tutto come se fossi un pezzo di carne, cazzo.

«Non parliamo di me. Parliamo di te. Prendi qualcosa?»

«Eh, sì. Un whisky, per favore.»

«Allora, immagino che dovrei chiederti se vieni qui spesso o qualcosa di ugualmente fesso», sorride.

Schifoso vecchio loffio di merda.

«La prima volta», rispondo. «Se devo dirle la verità, era un po' che avevo voglia... cioè, mi spiace parlarle così, ma ho pensato che lei, essendo... cioè... essendo anziano, potrebbe magari essere una persona discreta. Ho moglie e un bambino e non voglio che sappiano che sono stato qui... in un posto come questo...»

Lui alza la sua schifosa mano da manicure come per farmi tacere. «Penso che tra noi ci sia quello che i nostri amici economisti potrebbero definire una reciproca coincidenza di interessi.»

«Sarebbe?»

«Credo che abbiamo voglia tutti e due di fare un po' di bel movimento, ma in segreto, con discrezione garantita.»

«Seh... discrezione. Proprio quello che voglio. Un po' di bel movimento, seh. Mi farà bene.»

«Usciamo da questa fogna», ringhia. «Questo posto mi fa venire i brividi.»

Mi viene da dirgli, allora fa' a meno di essere il frocione che sei, ma chiudo il becco e usciamo. Samantha dev'essere là che aspetta in officina, le ho dato le chiavi.

Per un po' penso che questo tipo, questa vecchia ciabatta cula qui, non ci sta ad andare su all'officina nell'East End, ma poi invece sembra che va in tiro, lo schifoso babbione, all'idea di andare in giro per bassifondi. Sì, adesso vediamo come va in tiro, fra un minuto.

Prendiamo il mio mezzo e, mentre viaggiamo in silenzio, guardo nello specchietto quella testa da tartaruga, tutta grinze: mi fa venire in mente Touché Turtle, il cartoon, cazzo; e poi eccomi lì a pensare che Samantha mi sta usando e che mi sto comportando da frocione di merda, ma non importa, perché quando si vuole bene a una persona come gliene voglio io si farebbe qualsiasi cosa per lei, qual-sia-si-co-sa-caz-zo e non se ne parla più, e questo coso fra un po' lo mando in quel cazzo dell'altro mondo, all'inferno dei depravati e dei malati...

L'officina

Ho gli ABC sullo stereo dell'auto e mi sto sparando *All of My Heart*, che se lo applico al mio tipo di faccende personali mi fa sentire molto triste. Mi viene da piangere come una femmina e secondo me sto emettendo vibrazioni frocesche, perché il checcone mi chiede:

«Tutto bene?»

Siamo all'officina. Fermo il mezzo.

«Seh... cioè... tu è un bel po' che batti, socio. Invece io sono un po' in confusione. Soltanto per il fatto che fra un po' ce la facciamo fra noi, non significa che non vogliamo bene alla famiglia, non significa...»

Il marcione mi mette una mano sul braccio. «Non preoccuparti. Sei soltanto nervoso. Su», fa, smontando dall'auto, «ormai siamo andati troppo in là per poter tornare indietro.»

Ha proprio ragione. Smonto e mi dirigo verso il nostro ambiente. Apro il lucchetto e le porte a spinta. Le chiudo dietro le nostre spalle e gli faccio strada verso il garage.

Samantha accende le luci e io stringo il braccio attorno al collo tutto ossa di Touché Turtle e gli tiro una gran incornata sul muso. Bacio di Glasgow, lo chiama il mio vecchio. Lo spingo per terra e gli tiro un calcio nei coglioni.

Samantha è lì e sta facendo una specie di danza da ferma, con i moncherini che sbattono come quelli di un flipper; sembra una bambina e dice: «L'hai beccato, Dave! Hai beccato il bastardo! È nostro». E molla un calcio nello stomaco al frocione che stronfia. «Sturgess! Sei accusato di crimini farmaceutici! Cosa cazzo hai da dire per difenderti ?» urla, chinandosi su di lui.

«Chi siete... Ho soldi... Posso darvi tutti i soldi che volete...», geme il frocione tutto ansante.

Lei lo guarda come se fosse matto. «SOLDIII...» strilla. «NON HO BISOGNO DEI TUOI SOLDI DI MERDA... cosa cazzo me ne faccio dei soldi? Voglio te! Per me sei più importante di tutti i soldi di merda di questo mondo! Scommetto che non hai mai pensato che in vita tua potesse capitarti di sentirti dire una cosa del genere, eh?»

Io ho sprangato il locale con lucchetto e catena, dopo di che vado nel retro e metto il paletto anche alla porta dei servizi. Samantha sta ancora sfruculiando il frocione, che implora pietà come una bambinona.

Lei mi fa segno con la testa e io prendo su il frocione e lo trascino al tavolo. Il suo schifoso naso sgocciola sangue e moccio, e piange come un'anima triste: neanche capace di affrontare la punizione da uomo, cazzo. Non che mi aspettassi qualcosa di diverso, da un ciucciacazzi.

Lo tiro sul tavolone, faccia in giù. Gli vedo comparire negli occhi una strana espressione, pare quasi che pensi che ho veramente intenzione di infilarglielo su per il culo, lo schifoso... che è per questo che *lo* abbiamo cercato. Gli lego i polsi al tavolo usando filo elettrico, e Samantha ci monta sopra e gli si mette seduta sulle gambe, tenendole ferme mentre lego anche quelle.

Faccio partire la motosega, e questo cazzone di Sturgess si mette a urlare, ma sento altri rumori e c'è gente che tira botte sulla porta. È la polizia, cazzo, e ce n'è una camionata, pare, dal baccano.

Samantha grida: «Tienili fuori, tienili fuori, cazzo», e intanto cerca di mettere la motosega in posizione con i piedi, davanti a Sturgess, che è sturbato e si sbatte come un matto cercando di liberarsi dei legacci. Quel lucchetto e quella catena non terranno chiusa la porta molto a lungo. Non so che cosa fare, finché vedo l'enorme fessura del catenaccio di alluminio: massiccio, cazzo, ma senza dentro il paletto. Ci infilo il braccio, metto il gomito nella giuntura tra porta e parete. Sento la voce di un testa di cazzo della polìs attraverso un megafono, ma non capisco cosa dice, mi sento martellare in testa soltanto la canzone *Poison Arrow*. Freccia avvelenata. Perché è lei che mi ha spezzato il cuore, cazzo, perché sapeva fin dall'inizio come andava a finire.

Intanto Samantha se lo sta facendo, sento il rumore lacerante della sega, ma il dolore al braccio è insopportabile, cazzo; dopo questa faccenda il mio braccio non sarà mai più in grado di mettere al tappeto Lyonsy del Millwall, per quel che conta; alzo lo sguardo per gridarle: «Fattelo, quel merdone, Sam! Forza, sistemalo!»

Quando penetra nella carne del frocione, appena sotto la spalla, il rumore della sega cambia, e il sangue sprizza e scroscia sul pavimento del garage. Penso al casino che lascerà qui al povero vecchio Bal, che non sarà per niente contento, ed è un pensiero veramente strambo, visto che la sega ha attraversato la carne di Burgess e sta penetrando nell'osso. Samantha, lì seduta sul culo, con la sega tra i piedi, che stacca il braccio al frocione prigioniero che urla... Dio, lei ha la faccia che fa quando glielo do tutto, finché sento un altro rumore di qualcosa che si spacca e questa volta sono io, è quel cazzo del mio braccio, e il dolore è tale che fra un po' svengo, però sgamo Samantha che mi guarda mentre cado e urla qualcosa che non riesco a sentire ma so cos'è, glielo leggo sulle labbra. È coperta del sangue del merdone, che continua a spruzzare dappertutto, ma sorride come una bambina che gioca con il fango e mormora «Ti amo», e io non ce la faccio più e sto svenendo ma non mi importa perché è la sensazione più straordinaria del mondo... *fortune's always hiding*... la fortuna sta sempre nascosta, ma io l'ho trovata perché l'amo e ce l'ho fatta... *I have looked everywhere*... la polìs può fare il cazzo che vuole, ormai è finita, ma non me ne importa un cazzo... *I'm forever blowing bubbles*...

pretty

bubbles

in

the...

LORRAINE VA A LIVINGSTON

A Debbie Donovan
e Gary Dunn

1. I cioccolatini di Rebecca

Rebecca Navarro era seduta nella sua spaziosa serra e guardava il giardino, fuori, pieno di luce, fresco. Perky era giù in fondo, davanti al vecchio muro a secco, a potare i rosai. Con la visione distorta dal sole che le splendeva forte in faccia attraverso il vetro, riusciva appena a intuire la famigliare espressione assorta della sua fronte. In quel caldo le sembrava di galleggiare, sonnacchiosa, impedita. Cedendo a quella sensazione, si lasciò scivolare tra le mani il pesante dattiloscritto, che cadde sul tavolino di vetro con un robusto tonfo. Sulla prima pagina si leggeva l'intestazione:

SENZA TITOLO: IN PREPARAZIONE
(14ª avventura della serie «Miss May Regency»)

Una nuvola scura si portò minacciosa davanti al sole, rompendo l'incanto che stava esercitando su Rebecca. Lei ne approfittò per gettare una breve occhiata alla propria immagine riflessa dal vetro temporaneamente oscurato del divisorio. Ne trasse un breve spasmo di orrore per se stessa: cambiò subito posizione, non più di profilo ma di fronte, succhiando in dentro le guance. La nuova immagine cancellò quella di carne flaccida e pendula, tanto che si sentì in diritto di concedersi un piccolo premio.

Perky era tutto preso dal giardinaggio, o almeno fingeva. Allo scopo pagavano un uomo, che provvedeva ai suoi compiti con grande professionalità, ma lui trovava sempre una scusa per uscire a lavoricchiare un po'. Diceva che lo aiutava a pensare. Anche se lei non avrebbe mai nemmeno potuto immaginare che cosa avesse suo marito da pensare.

Nonostante Perky fosse tanto preso, Rebecca fu comunque

attenta ad agire ancora una volta in maniera rapida e furtiva nell'allungare la mano verso la scatola. Sollevò lo strato superiore e tolse precipitosamente da quello inferiore due tartufi al rum. Se li inzeppò in bocca, con un senso di nausea che la fece quasi svenire, e si mise a masticare con furia. Il segreto consisteva nel consumare più in fretta possibile; così facendo si aveva l'illusione di poter fregare il corpo, falsamente indotto a trattare le calorie come un blocco unico, lasciando scorrere via i due cioccolatini come due inezie.

Ma quando il dolce e schifoso senso di nausea rovinò nello stomaco, la finzione non poté più reggere. Rebecca *avvertì* letteralmente il corpo frantumare pian piano e con grande pena quei brutti grumi di veleno, procedendo a un pignolo inventario di calorie e tossine prima di distribuirle alle parti di se stesso dove avrebbero fatto più danno.

Così, sulle prime, quando giunse il colpo, Rebecca pensò di avere avuto uno dei suoi soliti attacchi di ansia: lo stesso dolore, lento, bruciante. Ci vollero un paio di secondi perché le si facesse strada nella mente la possibilità, e poi la realtà, che si trattasse di qualcosa di più. Non riusciva a respirare, le orecchie cominciarono a suonare come campane e il mondo attorno a lei si era messo a ruotare. Cadde pesantemente dalla poltrona sul pavimento della serra, stringendosi la gola, la faccia tutta torta da una parte, cioccolato e saliva che colavano dalla bocca.

A pochi metri di distanza Perky potava i rosai. Queste rompicazzo hanno bisogno di una spruzzatina, pensò, arretrando per controllare il risultato del suo lavoro. Con la coda dell'occhio vide qualcosa torcersi sul pavimento della serra...

2. Yasmin va a Yeovil

Yvonne Croft raccattò la copia del libro *Yasmin va a Yeovil*, di Rebecca Navarro. Un tempo rideva della passione maniacale che aveva sua madre per questa serie di narrativa popolare romantica, intitolata «Le avventure di miss May Regency», ma adesso non era capace di staccarsi dal libro. C'erano momenti, rifletté, in cui la presa che esercitava su di lei sembrava raggiungere livelli da far paura. Si mise a sedere nella posizione del loto sulla sua grossa poltrona di vimini, uno dei pochi mobili, oltre al letto a una piazza, l'armadio di legno, il cassettone e il minuscolo lavabo, della sua stanzetta rettangolare nella residenza infermiere del St Hubbin's Hospital di Londra.

Stava divorando avidamente le ultime due pagine, il punto culminante di quella specifica vicenda. Sapeva benissimo che cosa sarebbe successo. Sapeva che la scaltra combinatrice di matrimoni miss May (che compariva in diverse incarnazioni in ogni romanzo di Rebecca Navarro) avrebbe fatto fare la figura dell'idiota a sir Rodney de Mourney, mentre la sensuale, tempestosa e impavida Yasmin Delacourt si sarebbe unita al suo vero amore, il focoso Tom Resnick, esattamente come avveniva nella precedente opera della scrittrice, *Lucy va a Liverpool*, dove la bella protagonista veniva sottratta al rapimento su una nave contrabbandiera e a una vita di schiava nelle mani del malvagio Milburn d'Arcy, da Quentin Hammond, focoso ufficiale della Compagnia delle Indie Orientali.

Nondimeno leggeva con grande entusiasmo, lasciandosi trasportare in un mondo di avventura romantica, esente dalla realtà dei turni di otto ore nel reparto geriatria, per assistere esseri umani decrepiti e incontinenti, ridotti a cadenti, ansimanti, fragili, contorte parodie di se stessi in preparazione per la morte.

Pagina 224

Tom Resnick cavalcava come il vento. Sapeva che la sua fedele giumenta Midnight era in grave difficoltà, e che forzando il fedele e nobile animale con tanta violenta determinazione rischiava di storpiarlo. E a che fine? Con il cuore in pena, Tom sapeva che mai avrebbe raggiunto Brondy Hall prima che Yasmin venisse unita in matrimonio allo spregevole sir Rodney de Mourney, un mascalzone che, all'insaputa del bell'angelo, si apprestava a sottrarle con l'inganno le sue ricchezze e a ridurre la squisita creatura al ruolo di concubina prigioniera.

Al ballo, sir Rodney aveva un'aria rilassata e allegra. Yasmin non era mai stata così bella. Quella notte la sua virtù gli sarebbe appartenuta, e come si sarebbe goduto, sir Rodney, la definitiva resa della tenace fanciulla.... In piedi al suo fianco, l'amico lord Beaumont osservò: «La tua promessa sposa è davvero un tesoro. Per essere franco con te, caro Rodney, pensavo che non avresti mai conquistato il suo cuore, convinto com'ero che ci considerasse due farfalloni».

«Mai sottovalutare un cacciatore, amico mio», sorrise sir Rodney. «Sono troppo esperto di quello sport per stare eccessivamente sul collo alla preda. Mi sono limitato a rimanere a distanza, aspettando l'occasione ideale per farmi avanti e vibrare il coup de grâce.»

«Spedendo oltre mare quel piantagrane di Resnick, mi permetto di aggiungere.»

Sir Rodney inarcò un sopracciglio e abbassò la voce. «Sii un po' più discreto, per favore, amico mio», e si guardò furtivamente attorno, ma poi, convinto che nessuno li avesse sentiti nel rumore dell'orchestra che suonava il valzer, continuò: «Sì, ho combinato io l'imprevista assegnazione di Resnick ai Sussex Rangers e il suo invio in Belgio. Sperando che, mentre siamo qui che parliamo, i tiratori scelti di Bonaparte abbiano spedito il furfante all'inferno!»

«E hai fatto benissimo», sorrise Beaumont, «visto che, purtroppo, lady Yasmin non si era condotta nel modo che si conviene a una donna di buona educazione. È parsa manifestare ben poca sottomissione allorché tu e io siamo andati a trovarla, scoprendola irretita nelle attenzioni di un giovinastro, un individuo certamente assai al di sotto della condizione di qualsiasi aspirante all'alta società!»

«Sì, Beaumont, tuttavia l'inclinazione all'intemperanza esercita la sua presa sulle fanciulle, e dev'essere spezzata se si vuole che l'interessata diventi una sposa rispettosa. Ed è precisamente ciò che intendo fare questa notte!»

Sir Rodney era ignaro che in piedi dietro la tenda di velluto era celata una zitella di alta statura. Miss May aveva sentito tutto. Si spostò, portandosi nel cuore della festa e lasciandolo con i suoi pensieri su Yasmin. Quella notte sarebbe stata...

Yvonne fu distratta da un colpo sulla porta. Era la sua amica Lorraine Gillespie. «Fai il turno tardi, Yvonne?» le chiese sorridendo. Un sorriso fuori dall'ordinario, pensò Yvonne, che sembrava sempre rivolto a qualcosa alle spalle del destinatario. A volte, quando guardava la gente in quel modo, Lorraine non sembrava nemmeno lei.

«Seh, maledetta sfiga. Quella dannata sorella Bruce, vecchia scassacazzi.»

«Dovresti vedere sorella Patel, allora... brutta tartagliona del mio culo», ribatté d'impulso Lorraine. «Adesso va' a ca-cambiare le lenzuola e, quando hai finito, va' a fa-fa-fare il giro delle medicine, e poi a mi-mi-misurare le temperature e po-po-poi...»

«Seh... sorella Patel. Bell'impiastro, quella lì.»

«Ti va se faccio un tè, Yvonne, eh?»

«Seh, però, scusa... occupati tu del bollitore, Lorraine, ti spiace? Lo so, sono una gran villana, ma devo finire questo libro.»

Lorraine si accostò al lavabo alle spalle di Yvonne, riempì il bollitore elettrico e lo accese. Passando di nuovo dietro l'amica si chinò sulla sua sedia e riempì le narici con la fragranza del suo profumo e dello shampoo. Si scoprì a sfregare tra pollice e indice qualche filo dei suoi capelli biondi. «Dio, Yvonne, che bei capelli ti sono venuti. Proprio belli. Che shampoo hai usato?»

«La solita roba della Schwarzkopf», rispose lei. «Ti piace?»

«Seh», rispose Lorraine, sentendosi la gola stranamente secca, «mi piace.» Quindi tornò all'acquaio e staccò la spina del bollitore.

«Allora, vai per locali notturni, questa sera?» chiese Yvonne.

«Oh, sì, mi va sempre di andare per locali», sorrise Lorraine.

3. I cadaveri di Freddy

Per farlo venire duro a Freddy Royle non c'era niente come la vista di un cadavere bello duro.

«Un po' conciata, questa qui», spiegò Glen, il tecnico del laboratorio di patologia, mentre spingeva la defunta nella camera mortuaria dell'ospedale.

Freddy cominciava a far fatica a controllare il respiro. Scrutò il cadavere. «Però era molto carina eccetera», sbanfò con la sua cadenza strascicata del Somerset. «Incidente d'auto, immagino.»

«Sì, povera diavola. Sulla M25. Ora che l'hanno tirata fuori dai rottami aveva perso troppo sangue», borbottò Glen a disagio. Sentiva un po' di nausea. Di solito per lui un cadavere era un cadavere e amen; ne aveva visti tanti, ridotti in tutti gli stati. Certe volte, però, se si trattava di una persona giovane, o la cui bellezza traspariva ancora dalla foto tridimensionale di carne che si era lasciata dietro, lo turbava un gran senso di spreco e inutilità. E questa era una di quelle volte.

Una delle gambe della giovane morta era lacerata fino all'osso. Freddy fece scorrere la mano su quella intatta. Era liscia. «Ancora un po' calda eccetera», osservò. «Un po' troppo, per i miei gusti, a dire il vero.»

«Ehm, Freddy», attaccò Glen.

«Ah, già, scusa, vecchio», sorrise l'altro, mettendo mano al portafoglio, tirandone fuori alcune banconote e porgendogliele.

«Auguri», concluse Glen, intascando i soldi e filandosela.

Mentre attraversava frettolosamente il corridoio dell'ospedale per andare a prendere l'ascensore verso la mensa, tastò i soldi in tasca. Questa parte del rituale, lo scambio della fresca, lo lasciava al tempo stesso euforico e avvilito. Se più uno o l'altro, non riusciva mai a capire. Comunque, ragionava, perché avrebbe dovuto negarsi la sua fetta quando tutti gli altri c'erano dentro fino al collo? Quei rotti in culo che avevano molto più di quanto lui avrebbe mai avuto: i fiduciari dell'ospedale.

Sì, i fiduciari sapevano tutto di Freddy Royle, rifletté incazzato. Conoscevano i segreti del conduttore del famoso chat-show, il presentatore dello spettacolo televisivo dei cuori solitari, *Da Fred con amore*, autore di diversi libri, tra cui: *Eliminato! Freddy Royle e il cricket; Il Somerset di Freddy Royle; Somerset o Zomerzet? Lo spirito del nostro West; Itinerari del nostro West in compagnia di Freddy Royle* e *I cento e un gioco di società di Freddy Royle*. Sì, quei bastardi dei fiduciari sapevano che cosa ci faceva questo distinto amico, questo zietto ideale di tutto il paese, affettuoso e di poche parole, con i cadaveri che arrivavano lì. Ma con le sue attività di raccolta di fondi Freddy portava lì milioni di sterline. Cosa che copriva di gloria i fiduciari e faceva del St Hubbin's Hospital l'ammiraglia dei responsabili del Servizio Sanitario Nazionale, con la loro puzza sotto il naso. Gli bastava tenere il becco chiuso e concedere ogni tanto il suo cadaverozzo a Sir Freddy.

Pensò a Sir Freddy, che zompava verso un paradiso senza amore con un pezzo di carne morta. In mensa, si mise in coda e scrutò i piatti esposti. Rinunciò al rotolo di pancetta e prese formaggio condito. Intanto pensava a Freddy e alla vecchia battuta necrofila: un giorno o l'altro una figa marcia gli si squaglierà sotto. Comunque, pensò ancora, non sarebbe di sicuro stato lui: Freddy pagava troppo bene. E pensando alla fresca e a quello che avrebbe potuto comprarcisi, la sua mente si rivolse all'AWOL, quella sera. Ci sarebbe stata anche lei lì, era un posto che batteva spesso, il sabato, lì oppure al Garage City di Shaftesbury Avenue. Glielo aveva detto Ray Harrow, uno dei tecnici di sala operatoria. Gli piaceva la jungle, a Ray, aveva lo stesso *modus operandi* di Lorraine. Tipo a posto, Ray: gli aveva prestato qualche nastro. A Glen la jungle non piaceva, ma ci provava per Lorraine. Lorraine Gillespie. La bella Lorraine. L'apprendista infermeria Lorraine Gillespie. Sapeva che lavorava forte: coscienziosa, dedita al reparto. Ma sapeva anche che ci dava dentro con il rave: all'AWOL, il Gallery, il Garage City. Come amava, gli sarebbe piaciuto sapere.

Conclusa la coda con il suo vassoio e pagata la cassiera, vide l'infermiera bionda seduta a uno dei tavoli. Non ne conosceva il nome, sapeva soltanto che era amica di Lorraine. Dall'aria che aveva, stava per entrare di turno. Pensò di sedersi con lei, di parlarle, magari persino di scoprire qualcosa su Lorraine tramite lei. Si avviò per farlo ma poi, obbedendo a un improvviso impulso nervoso, si lasciò scivolare se non addirittura crollare a un paio di tavoli di distanza. Mangiando il suo formaggio maledisse la propria debolezza. Lorraine. Se non riusciva a trovare il coraggio di rivolgere la parola alla sua amica, come poteva trovarlo per rivolgerla a *lei*?

Finché quella si alzò e, passandogli davanti, gli sorrise. Si sentì rinfrancare. La prossima volta le avrebbe rivolto la parola, e la volta dopo gliel'avrebbe rivolta quando era *con Lorraine*.

Tornato nell'anticamera sentì Freddy, lì accanto, nella camera mortuaria. Non ebbe il fegato di guardare, ma rimase ad ascoltare alle porte a molla. Sentì i suoi ansiti: «Uuf, uuf, uuf, ottima questa!»

4. Ricovero

L'ambulanza arrivò in fretta, ma a Perky sembrò un'eternità. Guardava Rebecca ansare e gemere sul pavimento della serra. Quasi senza rendersene conto le afferrò la mano. «Tieni duro, vecchia mia, stanno arrivando», disse un paio di volte.

«Ne verrai fuori sana come prima», le disse ancora, mentre gli addetti all'ambulanza la mettevano su una sedia a rotelle, le piazzavano una maschera di ossigeno sulla faccia e la spingevano nel retro del furgone. Gli sembrava di vedere un film muto, in cui le sue espressioni di incoraggiamento sembravano una voce fuori campo mal impostata. Finché si accorse di Wilma e Alan Fosley, che osservavano la scena dalla siepe di casa loro. «Tutto bene», assicurò loro. «Benissimo.»

Gli addetti all'ambulanza gli assicurarono a loro volta che le cose stavano precisamente così, dichiarando che l'infarto aveva l'aria di essere leggero. Affermazione talmente convinta da scombussolarlo, e che comunque servì a deprimerlo. Si trovò a sperare con fervore che si sbagliassero e che comparisse un medico con una diagnosi più negativa.

Analizzando mentalmente le diverse possibilità, cominciò a sudare abbondantemente:

Scenario ottimale: lei muore e io mi becco una barca di soldi per testamento.

Un po' meno ma sempre bene: lei guarisce, continua a scrivere e finisce rattamente l'ultimo romanzo della serie «Le avventure di miss May Regency».

Rabbrividì, rendendosi conto che in realtà stava prospettandosi il peggiore degli scenari: Rebecca rimane menomata, forse persino ridotta a un vegetale, incapace di scrivere, ma in compenso diventa un vero lavandino per le nostre risorse economiche.

«Non viene con noi, signor Navarro?» chiese uno degli addetti all'ambulanza, in tono assolutamente accusatorio.

«Andate avanti, voialtri, che vi seguo in auto», rispose bruscamente. In pubblico, a gente di quella classe sociale era abituato a dare ordini, per cui era profondamente oltraggiato dall'idea che dovesse essere lui a fare come ritenevano opportuno *loro*. Guardò i rosai. Sì, una spruzzata gli avrebbe fatto proprio bene. All'ospedale avrebbero perso un sacco di tempo nelle procedure di ricovero della vecchiarda. Sì, era senz'altro il momento di dargli una bella spruzzatina.

La sua attenzione fu improvvisamente bloccata dal manoscritto posato sul tavolino. Sulla prima pagina, tracce di vomito al cioccolato. Con un certo disgusto ne ripulì il peggio con un fazzoletto, scoprendo la carta gibbuta e bagnata.

Aprì e si mise a leggere.

5. Senza titolo: In preparazione (14ª avventura della serie «Miss May Regency»)

Pagina 1

Per riscaldare l'angusta auletta scolastica nella vecchia casa parrocchiale di Selkirk bastava il più modesto dei focolari. E il parroco, il reverendo Andrew Beattie, uomo noto per la sua parsimonia, la considerava una circostanza particolarmente vantaggiosa.

Parsimonia a cui per altro sua moglie, Flora, contrapponeva una larga prodigalità. Sapeva di essersi sposata con un uomo di condizioni modeste, accettava il fatto che i soldi erano scarsi ma, se da un lato, nelle faccende quotidiane, aveva imparato a comportarsi da quella che suo marito indicava continuamente con l'espressione «donna pratica», lo stato delle cose non poteva far venire meno la fondamentale prodigalità del suo spirito. Lungi dal disapprovare, Andrew lo trovava un motivo di ulteriore adorazione. Pensare che quella donna mirabile e bella aveva rinunciato alla società elegante di Londra per la vita che poteva offrirle lui, lo riempiva di fede nella bontà della chiamata ricevuta e nella purezza del di lei amore.

Le due figlie, accoccolate davanti al fuoco, avevano ereditato la prodigalità di spirito della madre. La maggiore, Agnes, diciassettenne, una bellezza dalla pelle di porcellana, tirò all'indietro i capelli corvini per concedersi una visione completa del «Ladies Monthly Museum». «Ecco il più splendido degli abiti da sera! Guardalo, Margaret», esclamò con fervido calore, ficcando la pagina sotto il naso della sorella minore di un anno, che stava oziosamente sistemando gli scarsi pezzi di carbone nel camino. «Corpetto di raso azzurro, chiuso sul davanti con diamanti!»

Margaret scattò in piedi e cercò di strapparle la pagina. Agnes aumentò la presa, quindi il suo cuore mancò un battito, nell'angosciato timore che la pagina potesse lacerarsi, ma mantenne ugualmente un tono di ammirevole accondiscendenza nell'esclamare, ridendo: «Ma cara sorella, sei troppo giovane per pensare a cose simili!»

«Ti prego, dammela!» implorò Margaret, pur allentando la presa. Perdute nei loro fatui interessi, le giovani non si accorsero dell'arrivo della loro nuova precettrice. L'ossuta, zitellesca inglese sporse le labbra in un sonoro schiocco di rimprovero. «È dunque questo il comportamento che devo aspettarmi dalle figlie della mia cara amica Flora Beattie? Prima di assentarmi, in futuro, mi toccherà pensarci due volte!»

Sul volto delle ragazze si dipinse un'espressione di imbarazzo, ma Agnes aveva colto nella reprimenda della precettrice un tono scherzoso. «Ma, signora, se devo essere presentata in società, e a Londra per di più, dovrò pur occuparmi del mio abbigliamento!»

La donna la guardò. «Per una signorina, ai fini del suo ingresso in società, istruzione, educazione ed etichetta sono qualità più importanti degli indumenti che indossa. Pensi forse che la tua cara mamma, o il tuo papà, il buon reverendo, nonostante tutta la sua austerità, accetterebbero di vederti in simili angustie ai balli di Londra? Lascia la cura del tuo guardaroba a tali capaci mani, ragazza mia, e rivolgi l'attenzione a questioni di maggiore rilievo!»

«Sì, miss May», consentì Agnes.

«Questa ragazza ha un'indole assai vivace e ribelle», pensò miss May, proprio come la sua cara madre, di cui era intima amica da tanti anni, e precisamente da quando lei, Amanda May, e Flora Kirkland erano state presentate in società insieme, a Londra.

Perky rifiondò il manoscritto sul tavolino. «Che massa di stronzate», commentò ad alta voce, e poi: «Assolutamente formidabile, cazzo! La troia è in forma. Ci farà guadagnare un'altra barca di soldi!» Quindi si sfregò allegramente le mani e uscì a grandi passi in giardino, verso i rosai. Ma di punto in bianco si sentì gonfiare in petto un tumulto di ansia, e si precipitò di nuovo verso la serra riprendendo il manoscritto. Lo sfogliò fino alle ultime pagine. Si interrompeva a pagina quarantadue, e da pagina ventisei in avanti scadeva in un'incomprensibile sfilza di frasi stentate e note traballanti, scritte con zampa di gallina sui margini. Era ben lungi dall'essere finito.

Speriamo che la vecchiarda guarisca, pensò. Sentì un bisogno incontrollabile di essere accanto alla moglie.

6. La scoperta di Yvonne e Lorraine

Lorraine e Yvonne si stavano preparando per andare nei reparti. Dopo il turno sarebbero uscite a comperare qualche vestito, perché quella sera avevano intenzione di andare in un locale jungle dove ai comandi c'era Goldie. Lorraine rimase vagamente turbata nel trovare Yvonne ancora persa nel suo libro. Beata lei: nel suo padiglione non c'era sorella Patel. Stava per protestare, dicendole di darsi una mossa, quando fu colpita dal nome dell'autrice in copertina. Scrutò attentamente il libro e la foto di una splendida giovane che ornava il retro. Era una foto molto vecchia: se non fosse stato per il nome non avrebbe riconosciuto Rebecca Navarro.

«Cazzarola!» esclamò, sbarrando gli occhi. «Vedi quel libro che stai leggendo?»

«Seh?» rispose Yvonne, guardando la luccicante copertina stampata in rilievo. Una giovane donna in corpetto le rivolgeva un'espressione imbronciata in uno stato tra il sogno e la trance.

«Conosci quella che l'ha scritto? Quella lì, sul retro.»

«Rebecca Navarro?» chiese Yvonne, girandolo.

«È stata ricoverata qui in ospedale, Padiglione Sei, ieri sera. Ha avuto un infarto.»

«Incredibile! Che tipo è?»

«Non saprei... comunque, col cazzo che assomiglia a quella lì. A me sembra un po' conciata, però bisogna anche dire che ha appena avuto un colpo, no?»

«Mi pare che basti», ridacchiò Yvonne, con aria di sufficienza. «Vuoi controllare se ha qualche copia omaggio?»

«Sì, lo farò senz'altro», rispose Lorraine. «È anche parecchio grassa. È per quello che le è venuto l'infarto. Ormai è una vera scrofa.»

«Cacchio! Pensa, essere così e lasciarsi andare!»

«Proprio, Yvonne», convenne Lorraine, guardando l'orologio. «Eh, però adesso sarà meglio darsi una mossa, no?»

«Già...» convenne l'altra, facendo un orecchio su una pagina e alzandosi per prepararsi.

7. Il dilemma di Perks

Rebecca stava piangendo. Esattamente come aveva fatto ogni giorno di quella settimana, quando andava a trovarla. E la cosa preoccupava fortemente Perky. Quando Rebecca piangeva voleva dire che era depressa. E quando era depressa non scriveva, non ce la faceva. E quando non scriveva... be', le questioni economiche le lasciava sempre a lui, che dal canto suo le dipingeva un quadro della loro situazione finanziaria molto più roseo di quanto in realtà fosse. Aveva certe spese di cui lei non era a conoscenza. Aveva certi bisogni; bisogni, rifletté, che la vecchia ciabatta egocentrica ed egoista non avrebbe mai potuto capire.

La loro relazione si reggeva unicamente sul fatto che lui concedeva tutto all'ego della moglie, piegando ogni proprio bisogno all'esigenza di servire la sua infinita vanità; o perlomeno così sarebbe stato se non avesse avuto la possibilità di vivere una sua vita privata. Una ricompensa, rifletté, se la meritava. Era per natura un uomo dai gusti costosi, prodigo come quelle stronze dei personaggi femminili di sua moglie.

La guardò con occhio clinico, valutando con estrema cura il livello del danno. Non era stato quello che i medici definirebbero un infarto grave. Rebecca non aveva perso l'uso della parola (peccato, si disse), e gli era stato assicurato che le sue facoltà essenziali non erano state compromesse (bene, pensò). Ma la situazione gli sembrava comunque piuttosto infame. Un lato della faccia sembrava un pezzo di plastica lasciato troppo vicino al fuoco. Aveva cercato di impedirle di guardarsi in uno specchio, brutta troia solipsista, ma era stato impossibile. Lei aveva insistito, finché qualcuno glielo aveva dato.

«Oh, Perky, sono assolutamente orribile!» aveva uggiolato, sbirciando nello specchio il crollo della sua faccia.

«Sciocchezze, tesoro. Si sistemerà tutto, vedrai!»

Diciamo le cose come stanno, vecchia mia: quanto ad aspetto non sei mai valsa un granché. Troppo grossa, sempre lì a ficcarti in bocca cioccolatini, pensò tra sé. Lo avevano detto anche i medici. Obesa, per la precisione, era l'espressione che avevano usato. Aveva soltanto quarantadue anni, nove meno di lui, ma non lo si sarebbe mai pensato. Sopra peso di una ventina di chili. Espressione fantastica: obesa. Il modo in cui l'aveva pronunciata il dottore, in tono clinico, medico, nel suo giusto contesto. Le aveva fatto male. Se n'era accorto. L'aveva ammutolita di botto.

A parte la constatazione del cambiamento subito dalla faccia dopo il colpo, Perky era profondamente stupito di non notare in realtà alcun vero peggioramento, sotto il profilo estetico, nell'aspetto di Rebecca. La realtà, rifletté, è che mi fa senso da un pezzo. Anzi, forse glielo aveva sempre fatto: il suo infantilismo, il solipsismo maniacale, e come rompeva i coglioni, e soprattutto l'obesità. Era penosa.

«Oh, Perks, tesoro, credi davvero?» gemette Rebecca, più a se stessa che a lui, quindi si rivolse all'infermiera Lorraine Gillespie, che stava arrivando: «La situazione migliorerà, infermierina?»

«Oh, certamente, signora Navarro», le sorrise Lorraine.

«Visto? Ascolta questa giovane e bella signora», sorrise Perks, ammiccando a Lorraine con un sopracciglio e continuando a guardarla fisso negli occhi per un bel po', civettando, prima di darci un taglio con una strizzata d'occhio.

Una faccia smorta, questa qua, pensò. Si considerava un conoscitore di donne. A volte, a suo modo di vedere, la bellezza colpisce a prima vista. Si rimane basiti, ma poi ci si adegua. Le migliori, invece, quelle come questa infermierina scozzese, ti entrano in corpo lentamente ma con determinazione, mostrandoti ogni volta qualcosa di diverso, a ogni loro umore, con ogni diversa espressione. Ti permettono di formarti una visione neutra della loro persona, vaga, lanosa, poi ti guardano in un certo modo e colpiscono duro.

«Sì, mia piccola, adorata infermierina», si imbronciò Rebecca. «È tanto gentile e dolce, vero, infermierina?»

Lorraine si sentì lusingata e insultata allo stesso tempo. Non riusciva a pensare ad altro che a finire il turno. Ah: che serata, stasera! Goldie!

«E mi pare proprio che a Perky lei piaccia», cinguettò Rebecca. «È un gran filone. Vero, Perks?»

Lui si impose un sorriso.

«Ma è un tale tesoro, un gran romantico: senza di lui non so che cosa farei.»

Visto che le sue azioni presso la moglie erano apparentemente più alte che mai, Perky posò per istinto un registratore di minicassette sul suo armadietto, insieme ad alcuni nastri vuoti. Un po' greve, forse, pensò, ma era disperato. «Tesoro, un po' di combini matrimoniali con miss May potrebbero magari svagarti un pochino...»

«Oh, Perks... in questo momento non sono assolutamente in grado di scrivere. Guardami. Sono orrenda. Come posso pensare a situazioni romantiche?»

Lui sentì una paura sospesa in petto e poi lì lì per sprofondare.

«Sciocchezze. Sei ancora la donna più bella del mondo», riuscì a strapparsi di bocca a denti stretti.

«Oh, Perky, che stella...» attaccò lei, giusto un attimo prima che Lorraine le ficcasse un termometro in bocca zittendola.

Perks osservò freddamente quella che gli appariva una figura ridicola, il viso ancora atteggiato a un sorriso rilassato. La doppiezza gli veniva del tutto facile. Comunque l'angustiante problema persisteva: senza il manoscritto di un'altra Avventura di miss May Regency, Giles, alla casa editrice, non avrebbe sputato l'anticipo di centottantamila sterline per il nuovo libro. Peggio ancora, avrebbe fatto causa per inadempienza contrattuale e preteso indietro i novanta versati per l'ultimo. Quei novanta testoni, ormai in mano a una serie di allibratori, osti, ristoratori e prostitute di Londra.

Rebecca stava crescendo sempre più, non soltanto in senso fisico ma anche come scrittrice. Il «Daily Mail» l'aveva definita «la più grande scrittrice vivente di romanzi rosa», mentre, con fine gioco di parole tra Regency e Regent, lo «Standard» aveva parlato di lei come della «Principessa reggente d'Inghilterra». E il prossimo libro sarebbe stato il più grosso di tutti. Aveva bisogno di quel manoscritto, il seguito di *Yasmin va a Yeovil*, *Paula va a Portsmouth*, *Lucy va a Liverpool* e *Nora va a Norwich*.

«Dovrò proprio leggere i suoi libri, signora Navarro. Una mia amica è una sua grande ammiratrice. Ha appena finito di leggere *Yasmin va a Yeovil*», disse Lorraine a Rebecca, togliendole il termometro di bocca.

«E lo farà! Perks, da bravo, ricordati di portare qui qualche libro per la nostra infermierina... Ah, e poi, piccola, per favore, per favore, per favore, per favore, mi chiami Rebecca. Mentre io naturalmente continuerò a chiamarla infermierina, perché ormai mi ci sono abituata, anche se Lorraine è un nome molto bello. Sembra una giovane contessa francese... anzi, sa una cosa? Secondo me lei assomiglia moltissimo a un ritratto di lady Caroline Lamb che ho visto una volta. Un ritratto adulatorio, perché in realtà non è mai stata bella come lei, tesoro, ma quella donna è la mia eroina: un personaggio mirabilmente romantico, che non ha avuto paura a rischiare lo scandalo per amore, come tutte le donne migliori della storia. Lei rischierebbe lo scandalo per amore, cara infermierina?»

Dio, pensò Perks, la scrofa ha ripreso a baccagliare.

«Boh, non saprei», scrollò le spalle Lorraine.

«Oh, sono sicura di sì. Ha quella tipica aria selvatica, ingovernabile. Non ti pare, Perks?»

Lui si sentì salire la pressione sanguigna, uno strato di sale cristallizzarsi sulle labbra. Quell'uniforme... quei bottoni... slacciarli a uno a uno... si impose un sorriso freddo.

«Sì, infermierina», continuò Rebecca. «Io in lei vedo una sodale di lady Caroline Lamb, a uno di quei grandi balli della Reggenza, braccata da corteggiatori bramosi di ballare il valzer con lei... lo balla il valzer, infermierina?»

«Nah, mi piace la house, in particolare la jungle e roba del genere. Non mi interessano la trance o la garage o la techno eccetera, ma mi piace che pesti forte, sa.»

«Le piacerebbe imparare il valzer?»

«Mai pensato, a dire la verità. Insomma, mi va di più la house. Roba jungle. Il mio idolo è Goldie.»

«Oh, ma deve, infermierina, deve assolutamente», insistette il broncio bisinfio di Rebecca.

Lorraine era vagamente in imbarazzo, sentendosi fisicamente addosso lo sguardo di Perky. Nella sua uniforme le pareva di essere stranamente esposta, quasi fosse un oggetto esotico, una cosa da sottoporre a esame. Doveva spicciarsi. Stava per arrivare sorella Patel, e se non si fosse data una mossa sarebbero stati guai.

«Di che zona dell'amena Scozia è?» chiese Perks sorridendo.

«Livingston», si affrettò a rispondere.

«Livingston», commentò Rebecca, «una vera delizia. Ha in mente di andarci presto?»

«Sì, a trovare mia madre, eccetera.»

Sì, questa infermiera scozzese ha qualcosa, pensò Perks. Esercitava un effetto su qualcosa di più dei suoi ormoni; e poi curava Rebecca. Sembrava accenderla, ridarle vita. Quando Lorraine se ne fu andata, sua moglie tornò a sprofondare in una geremiade di uggiolii di autocompatimento. Era ora che se ne andasse anche lui.

8. L'impudenza di Freddy

Per i suoi gusti, prima di arrivare quel pomeriggio tardi al St Hubbin's Hospital, Freddy Royle aveva avuto una giornata faticosa. Era stato tutto il mattino negli studi televisivi a registrare una puntata di *Da Fred con amore*. In studio, un bambino da lui scelto per nuotare con i delfini al Morecambe's Marineland, mentre ai suoi nonni veniva fatta rievocare la loro luna di miele, si era agitato terribilmente, torcendoglisi in grembo in un modo tale da mandarlo in tiro ed eccitarlo al punto che avevano dovuto ripetere diverse scene. «Mi piacciono fermi», aveva detto. «Molto, molto fermi.» Barry, il regista, non si divertiva per niente. «In nome di Dio, Freddy, prenditi un pomeriggio di riposo e va' all'ospedale a trombarti un cadavere, cazzo. Più fermo di così», gemette. «Chissà che non si riesca a dare una calmata a questa tua schifosa libido.»

Gli era sembrato un buon consiglio. «Mi sa che lo faccio davvero, vecchia lenza», aveva sorriso, ordinando a un fattorino di chiamargli un taxi che lo portasse da Shepherd's Bush giù al St Hubbin's. Ma poi, durante la corsa attraverso West London, infastidito dalla penosa lentezza dell'auto nel traffico, aveva cambiato idea e chiesto al tassista di lasciarlo a una libreria di Soho che frequentava abitualmente.

Prima di filarsela nel retro aveva strizzato l'occhio all'uomo dietro il banco dell'affollato esercizio. Arrivato lì, un altro uomo, vestito in maniera eccentrica, occhiali cerchiati di corno e in mano una tazza da tè del Gillingham F.C., gli aveva sorriso. «Tutto bene, Freddy? Come va, vecchio?»

«Non male, Bertie, vecchio bestione. E tu, come te la zfanghi?»

«Oh, non posso lamentarmi. Tieni, ho una cosa per te...» E

aveva aperto un cassettone chiuso a chiave, mettendosi a frugare tra alcuni pacchetti avvolti in carta bruna finché ne aveva visto uno contrassegnato FREDDY a pennarello.

Freddy non l'aveva aperto, indicando invece con un cenno della testa una libreria a vista sulla parete. Bertie aveva sorriso. «C'è andata un bel po' di gente, oggi.» Quindi si era accostato alla parete e aveva dato di piglio a una maniglia, aprendo una porta. Al di là di essa c'era una stanzetta angusta, piena di scaffalature metalliche zeppe di riviste e video, che due uomini stavano esaminando. Freddy era entrato e si era chiuso alle spalle la porta-libreria. Uno dei due lo conosceva.

«Tutto bene, Perks, vecchio pirata?»

Perky Navarro aveva distolto lo sguardo da *Amorini lesbici lingua lunga N. 2* e gli aveva sorriso. «Freddy, vecchio mio. Come va?» Quindi aveva fatto una fulminea conversione verso lo scaffale, convinto di avere visto le sembianze dell'infermiera Lorraine Gillespie in *Nuove fighe 78*. L'aveva preso ed esaminato con cura. No, una semplice somiglianza di pelo.

«Sto bene, vecchio bestione», aveva attaccato Freddy, e poi, notata la disattenzione di Perky, aveva chiesto: «Vizto qualcoza di interessante?»

«Credevo proprio. Invece, ahimè, no», aveva risposto Perky in tono depresso.

«Oh, vedrai che qualcoza che ti titilla la fantazia lo trovi. Che notizie dell'Angelo? Come se la passa?»

«Oh, sta molto meglio.»

«Be', è nel posto giusto. Ho in mente di fare un salto a trovarla, oggi, visto che vado giù a St Hubbin's per una riunione sulla raccolta di fondi.»

«Insomma, io noto una grossissima differenza», sorrise Perky, mettendosi di nuovo in punta di piedi. «Ha persino accennato all'idea di mettersi presto a scrivere qualcosa.»

«Grandioso.»

«Sì, quella giovane infermiera che l'assiste... una ragazzetta scozzese... le ha fatto bene. Ragazzina di primissima, tra l'altro. Infatti stavo proprio esaminando lo stock per via di una somiglianza...»

«Visto qualcosa di interessante?»

«C'è un po' di roba nuova che Bertie mi dice arrivata ieri da Amburgo, ma è da quella parte», rispose Perky accompagnandolo verso uno degli scaffali.

Freddy prese una rivista e ne sfogliò il contenuto. «Niente male, proprio niente male. Lì così ho trovato anch'io una bella rivistina di fizt-fucking, la settimana scorsa. Come facciano quelle ragazze e quei ragazzi a beccarsi uno di quei pugni zu per il culetto, non zo proprio. Io sento già abbastanza male quando cerco di cagare, se mi capita di non averne fatto un filo per qualche giorno!»

«Secondo me alcuni di loro devono essere pieni di quelle sostanze miorilassanti», ribatté Perks.

Freddy era parso vivamente interessato. «Sostanze che rilassano i muzcoli... hmmm... è roba che apre bene, vero?»

«Sì, pare che funzionino. Ne ho letto qualcosa. Non avrai in mente di provarne un po', eh?» aveva riso Perky.

Freddy gli aveva scoccato un sorriso tutto denti, e l'altro aveva dovuto rinculare di fronte al suo alito pungente. «Non ezcludo mai niente, ragazzo mio, mi conosci.»

Quindi, data una pacca sulla schiena all'amico, la star televisiva aveva dato di piglio al suo pacchetto ed era uscita dal negozio, chiamando un altro taxi. Andava a trovare Rebecca Navarro , una donna a cui concedeva qualsiasi cosa in un modo svergognato, come del resto facevano tutti gli amici. Per gioco, e con immenso piacere dell'interessata, l'aveva soprannominata «l'Angelo». Ma conclusa la visita avrebbe passato un po' di tempo con altri amici, che quasi tutti avrebbero definito «assenti», ma che ai suoi fini erano invece presentissimi e il meglio che ci potesse essere.

9. Jungle

La sera prima che la sua vita cambiasse, Glen aveva dovuto implorare l'amico Martin: «Dai, vecchio, andiamo a dare un'occhiata. Ho delle ottime pasticche, le Amsterdam Playboy. Le migliori che ci siano mai state».

«Esattamente», aveva ghignato Martin, «e tu vorresti sbatterle via così in questo cazzo di merda jungle. Non mi va 'sta merda, Glen, non sono capace di ballarla.»

«Dai, vecchio, te lo chiedo come favore. Andiamo.»

«Favore? Perché hai questo pepe al culo di dare un'occhiata a quel locale? Keith, Carol ed Eddie vanno giù tutti al Sabresonic e poi su al Ministry.»

«Senti, vecchio, in questo momento la house music è il massimo, e la jungle è il massimo della house. Dev'essere capace di sorprendere, capisci, altrimenti diventa soltanto una ripetizione, come il country-and-western, o com'è diventato il rock'n roll. E la jungle è musica che sa sorprendere. Il massimo dei massimi. Quindi abbiamo il dovere di dare un'occhiata», aveva implorato di nuovo.

Martin lo aveva guardato in tono inquisitorio. «In quel locale c'è una persona che vuoi vedere... ci va qualcuno dell'ospedale... una di quelle infermiere, scommetto.»

Glen aveva scrollato le spalle e sorriso. «Be'... sì... però...»

«D'accordo, va bene. Vuoi andare a caccia di quelle ragazze? Andiamoci. Niente in contrario. Però lascia perdere tutte queste cazzate di massimi e non massimi.»

Erano arrivati al locale ma, vista la coda chilometrica, Glen si era scoraggiato. Però Martin l'aveva superata tutta a grandi passi ed era andato a parlare con uno dei buttafuori. Dopo di che si era voltato e si era scalmanato a gesticolare per fargli segno di raggiungerlo. Mentre entravano con passo sicuro, dalla calca si erano levati dei gemiti di invidia frustrata. Sulle prime Glen aveva il terrore che non ce l'avrebbero fatta a entrare. Poi, dopo il fantastico numero di Martin, aveva temuto che fosse Lorraine a esser rimasta bloccata fuori.

Entrati nel locale si erano fiondati nella zona relax. Martin era filato al bar e aveva preso due minerali frizzanti. Era buio, e Glen aveva tirato fuori un sacchetto di plastica dalla patta. C'erano dentro quattro pasticche con inciso sopra il logo del coniglietto di Playboy. Ne avevano mandata giù una ciascuno, bevendoci sopra un po' d'acqua.

Dopo circa dieci minuti la pasticca continuava a tornargli su, come succede spesso, dandogli una serie di conati secchi di singhiozzo. Lui e Martin se ne erano sbattuti altamente: con le pasticche Glen faceva sempre fatica.

Tre ragazze erano venute a sedersi vicino a loro. Martin non ci aveva messo niente ad attaccare bottone. E lui non ci aveva messo niente a lasciarlo lì per andare in pista. Queste pasticche di Ecstasy erano buone, ma se non ci si mette subito a ballare si può restate tutta la sera seduti a chiacchierare nella zona relax. E lui era venuto lì per ballare.

Aveva costeggiato la pista già zeppa di gente e aveva visto quasi subito Lorraine e la sua amica. Si era messo a ballare con discrezione a una certa distanza. Aveva riconosciuto *Murder Dem* di Ninjaman che sfumava in *G-Spot* di Wayne Marshall.

Lorraine e la sua amica erano lì e ci davano dentro alla grande. Le aveva guardate ballare tra loro, con Lorraine che escludeva tutto il mondo circostante, completamente concentrata su Yvonne, tutta per lei. Dio, aveva pensato, avere soltanto un briciolo di quell'attenzione. Yvonne invece era più disimpegnata, più staccata, e teneva d'occhio tutto l'ambiente. O perlomeno così gli pareva. La pasticca stava facendo effetto, e la musica, verso cui sulle prime aveva qualche resistenza, adesso gli stava entrando dentro da tutte le parti, montandogli in corpo a ondate, rendendo più nitide le sue emozioni. Prima gli sembrava sballata e sconnessa, lo sbatacchiava qua e là, dandogli sui nervi. Adesso invece ci si abbandonava, con il corpo che si sbatteva e scioglieva da tutte le parti al tuonare delle note di basso e alle botte laceranti dei piatti. Si sentiva dentro tutta la gioia dell'amore per ogni cosa buona, anche se vedeva perfettamente tutte quelle brutte che ci sono in Gran Bretagna, perché, anzi, questo blues urbano del ventesimo secolo le definiva e chiariva in un modo più che mai preciso. Ma non aveva paura e non se ne lasciava deprimere: capiva che cosa bisognava fare per tirarsene fuori. Il party: sentiva che bisognava buttarsi nel party, nel party, più che mai. Era l'unico modo. Si ha il dovere di mostrarsi ancora vivi. Slogan e atteggiamenti politici non servono a niente: bisogna celebrare la gioia della vita alla facciazza di tutte le forze grigie e gli spiriti morti che controllano ogni cosa, e che ti fottono la testa e la vita, comunque, se non sei uno di loro. Bisogna fargli capire che, nonostante tutti i loro sforzi per renderci uguali a loro, ovvero morti, siamo ancora vivi. Sapeva che non era la soluzione definitiva, perché quando si finisce tutto è ancora lì come prima, ma in quel momento era il meglio che offrisse la situazione. E certamente era quello che voleva lui.

Si era voltato a guardare di nuovo Lorraine e la sua amica. Sulle prime non aveva capito bene, stava ballando come un invasato, ma guardandole gli era apparso chiaro. Lì nessuno posava, stavano dando fuori tutti. Non si trattava di ballare, non era l'espressione giusta. Ed ecco lì quelle due, Lorraine e la sua amica Yvonne. Lorraine, la dea. Però poi la dea si era moltiplicata. Adesso non era più una sola, come quando era arrivato, erano Lorraine e la sua amica. Lorraine e Yvonne, adesso, in un ballo di folle, rapita emozione che mentre filava a centocinquanta all'ora rallentava fino a quasi niente sotto l'assalto del tremolare degli strobo e dello sbattersi dei breakbeat. Lorraine e Yvonne. Yvonne e Lorraine.

Dalla calca si era levato un urlo, mentre la musica abbandonava un crescendo e cambiava il tempo per elaborarne un altro. Le due donne, sfatte di ballare, erano cadute l'una nelle braccia dell'altra. E a quel punto lui aveva capito che nel loro linguaggio corporeo c'era qualcosa che non andava. Si stavano baciando, ma dopo un po' Yvonne aveva cominciato a opporre resistenza e si stava scostando. Lentissimamente, sotto gli strobo. Come se fosse sballata, come se fosse andata oltre il limite della sua elasticità emotiva. Si era divincolata da quello che sulle prime sembrava un abbraccio simbiotico con una violenza che gli strobo non avevano potuto dissimulare, ed era rimasta lì una specie di rattrappito imbarazzo, mentre Lorraine sembrava gettarle una rapida occhiata di strano disprezzo e poi ignorarla.

Yvonne si era allontanata dalla pista, filando al bar. Lui l'aveva guardata andarsene e poi aveva guardato Lorraine. Lorraine. Yvonne. Si era precipitato dietro Yvonne. Era in piedi al bar a bere minerale. La notte che la sua vita era cambiata, lui le diede un colpetto su una spalla.

«Yvonne, no?»

«Sì...», aveva risposto lei lentamente, e poi: «E tu sei Glen, no? Dell'ospedale».

«Esatto», aveva sorriso lui. Era bella. Era Yvonne. L'unica. Yvonne, Yvonne, Yvonne.

«Non sapevo che ti piacesse questa roba», aveva sorriso anche lei. Sembrava che i suoi dentoni bianchi gli si fossero ficcati oltre lo sterno, scavandogli un buco nel cuore. Cazzo, com'è bella, aveva concluso. Una donna per cui si poteva anche morire.

«Oh, sì», aveva risposto. «Assolutamente.»

«Sei in orbita?» aveva chiesto lei. Un ragazzo splendido, aveva pensato. Che figo, cazzo. Ed è un bel po' che mi punta.

«Al meglio. E tu?»

«Sta migliorando», aveva sorriso lei.

Era stata la notte in cui era cambiata anche la vita di Yvonne.

10. Miglioramento di Rebecca

Lorraine stava misurando la temperatura a Rebecca, quando arrivò l'eminente visitatore della sua illustre paziente. «Angelo!» vociò Freddy. «Come va? Zarei dovuto venire qui a trovarti ieri, ma quezta riunione per la raccolta di fondi non è mai finita. Come andiamo?»

«Mmmm», protestò Rebecca, e Lorraine ritirò il termometro con mano tremante e malferma. «Freddy! Tesoro!» e la malata tese le braccia, cingendo Royle in un abbraccio teatrale.

«Buona, Rebecca», disse Lorraine con un sorriso forzato. Stava soffrendo un brutto planaggio dopo l'impasticcata, e Yvonne era incazzata con lei. Aveva lasciato che le cose si incasinassero stupidamente, andassero in tilt. No, era stata *lei* ad andare in tilt. Interruppe coscientemente l'autoflagellazione psichica prima che prendesse slancio. Non era il momento...

«Grazie, Lorraine, stella... conosci questo tesoro di Freddy?»

«No...» rispose lei. E andò a stringergli la mano. Lui ricambiò con una stretta lasciva, seguita da un bacio su una guancia. La sensazione fredda e umida della saliva untuosa che le sue labbra le lasciarono sulla faccia le fece senso.

«Ho sentito tutto di lei, pare che abbia fatto un lavoro magnifico assistendo il nostro Angelo», sorrise Freddy.

Lei rispose con una scrollata di spalle.

«Oh, Freddy, Lorraine è stata un autentico tesoro, sì, sì, vero stella?»

«Eh, insomma, be', è il mio lavoro.»

«Però lei lo fa con grandissimo stile, con un magnifico *savoir faire*. Esigo assolutamente, caro Freddy, che tu metta in atto tutta la tua notevole influenza perché la carriera di Lorraine in questo ospedale possa fare dei passi avanti.»

«Temo tu stia sopravvalutando l'influenza di un zemplice contadinotto del Zomerzet, Angelo, ma metterò senz'altro le parole giuste nei posti giusti, per cozì dire.»

«Oh, devi assolutamente. Se la settimana ventura andrò a casa è tutto merito della mia infermierina. E ho perso più di sei chili. Oh, Freddy, stella, negli ultimi anni mi ero *veramente* lasciata andare. Devi promettermi di avvertirmi quando sono sovrappeso, e non semplicemente accontentarmi in tutto.»

«Tutto quello che vuoi, Angelo. Però è una grossa novità, quezta che ti dimettono», sorrise Freddy.

«Sì, e Lorraine verrà a trovarmi, vero stella?»

«Eh, be'...» borbottò Lorraine. Al momento era l'ultima cosa di cui aveva voglia. Le facevano male le gambe, e prima della fine del turno le avrebbero fatto ancora più male. Aveva gli occhi stanchi. Vedeva i letti che doveva rifare e le sarebbe tanto piaciuto potersi stendere su uno di essi.

«Oh, di' che lo farai», si imbronciò Rebecca.

Quella donna la faceva sentire strana. Una parte di lei detestava questo suo atteggiamento accondiscendente e idiota. Una parte di lei aveva voglia di darle una strapazzata, a questa donna stupida, bisinfia, ingenua e viziata, di dirle che era una scema, di cercare di rimettersi in sesto, di abbandonare la sua infantile terra dei sogni. Ma una parte di lei provava pietà per Rebecca, un desiderio di protezione nei suoi confronti.

Lorraine capiva che, nonostante i suoi modi irritanti e i suoi penosi handicap, Rebecca era essenzialmente una persona buona, calorosa e onesta. «Sì, certo», le rispose.

«Magnifico. Sai, Freddy, Lorraine mi ha ispirato un nuovo libro. Baserò la protagonista su di lei. La chiamerò persino Lorraine. Avrebbe dovuto chiamarsi Agnes, ma credo di potermela cavare bene con un nome alla francese. Sto pensando che Flora potrebbe avere avuto un amante francese prima di conoscere il parroco. L'antica alleanza, sai. Dio, sono di nuovo un turbine di idee. Questo libro lo dedicherò senz'altro a lei, cara, cara infermierina, Lorraine, il mio tesoro.»

Lorraine si sentì accapponare la pelle.

«Fantastico», commentò Freddy, che non ne poteva più dalla voglia di scendere nel laboratorio di patologia, «però adesso devo andare. Ah, di' un po', Angelo, la ricoverata della camera accanto, che cos'ha?»

«Oh, è molto malata. Credo che sia soltanto questione di giorni», sospirò Rebecca.

«Terribile», tagliò corto Freddy, cercando di impedire ai suoi lineamenti di atteggiarsi a un sorriso di gioiosa aspettativa. Era di taglia forte. Il tipo di cadavere in cui poteva perdersi felicemente. Tutta quella carne da conquistare. «Sarebbe come scalare l'Everezt», concluse beato, pensosamente, sottovoce.

11. Senza titolo: In preparazione

Pagina 47

Date le circostanze, fu solo alla fine di marzo che Lorraine e miss May si accinsero ad affrontare la lunga spedizione a Londra. Per una giovane delle più remote terre scozzesi, spintasi una volta soltanto fino a Edimburgo, ogni nuovo spettacolo offerto dalla strada era motivo di grande interesse. All'inizio del viaggio Lorraine era ancora in preda a uno stato di profonda eccitazione, in grandissima parte connesso con il piccolo patrimonio di sessanta sterline con cui suo padre, lo stoico reverendo, l'aveva sorpresa prima della partenza.

Viaggiavano su una vecchia carrozza tirata da due animali gagliardi e guidata da Tam Greig, un abitante di Selkirk che in passato aveva già affrontato molte volte quel viaggio. A una persona abituata alla velocità di cui erano capaci le vetture postali, un viaggio su un carro piuttosto ponderoso e cigolante, tirato soltanto da due cavalli, appariva spesso di assai penosa lentezza. Così, mentre per Lorraine si trattava di una grande avventura, per la sua compagna di viaggio, miss May, era un fastidio inenarrabile, il cui unico vantaggio era rappresentato dalla maggiore comodità.

Avevano comunque il piacere di scoprire che a quasi tutte le tappe venivano loro offerti eccellenti rinfreschi; inoltre, nelle stazioni di posta i letti erano in genere di qualità accettabile. Lorraine trovò estremamente gradevole una sosta di tre giorni a York. Era stata prolungata su suggerimento di Tam Greig, che aveva notato un brutto affaticamento in uno dei cavalli. Lorraine rimase talmente incantata dalla città da chiedere che rimanessero addirittura un giorno di più, ma l'arcigno cocchiere scozzese re-

plicò che i cavalli erano freschi, e, come sempre, miss May ebbe l'ultima parola. «Ho il dovere di portarti da lady Huntington, ragazza mia. Anche se per il nostro arrivo non è stata indicata una data precisa, sarei assai poco rispettosa delle mie responsabilità se ti consentissi un lungo soggiorno in ogni luogo interessante che attraversiamo! C'è poco da guadagnare dagli indugi!»

Ciò detto, partirono.

Il resto del viaggio fu privo di eventi fino a Grantham. Quando furono nei pressi del Gonerby Moor aveva piovuto con forza quasi tutto il giorno, e la campagna del Lincolnshire era fradicia. Come dal nulla schizzò fuori un tiro postale a quattro, a una velocità tale che i più docili cavalli della loro carrozza si imbizzarrirono terribilmente, facendo uscire di strada il veicolo. La carrozza si inclinò e miss May batté la testa. «Che cosa...»

«Miss May», chiese Lorraine, stringendole la mano, «state bene?»

«Sì, sì, sì, ragazza mia... ho temuto che la carrozza si rovesciasse... ti prego, dimmi: che cos'è successo?»

Guardando fuori del finestrino Lorraine vide Tam Greig che agitava il pugno e gridava contumelie in uno scozzese gutturale da lei mai sentito prima. «Maledetti demoni! Vi strapperò il cuore, pazzi di inglesi!»

«Mister Greig!» abbaiò miss May.

«Chiedo scusa, signora, ma ho perso la testa davanti all'incoscienza di quella gente. Ufficiali, per di più. Ufficiali, ma non gentiluomini, mi permetto di dire.»

«Forse avevano fretta di consegnare un messaggio postale», replicò miss May. «E sarebbe ormai il caso che avessimo fretta anche noi.»

«Mi spiace, signora, ma un cavallo si è azzoppato. Dovrà essere sostituito a Grantham, e temo che le procedure richiederanno un po' di tempo.»

«Molto bene», sospirò miss May. «Oh, Lorraine, questo viaggio mi ha veramente stremato!»

A causa dell'azzoppatura del secondo cavallo, per raggiungere Grantham ci volle più del previsto. Alla Blue Inn non c'era posto, per cui furono costretti a scendere in una locanda molto meno signorile. Mentre smontavano, Tam, il cocchiere, esplose in una contumelia alla vista di quattro ufficiali, gli occupanti del postale responsabile della loro angustia, che stavano passando accanto diretti a una taverna.

Uno dei militari, un bel giovane bruno il cui taglio della bocca esprimeva tutta la sua arroganza, inarcò un sopracciglio in direzione di Lorraine, costringendola a distogliere lo sguardo arrossendo. Miss May notò il gesto dell'ufficiale e si compiacque tra sé per la reazione della giovane.

La sosta a Grantham li fece ritardare di altri due giorni, ma l'ultima parte del viaggio per Londra scorse via senza intoppi, sicché raggiunsero Radcombe House, a Kensington, la grandiosa residenza di città del conte Denby e di lady Huntington, di ottimo umore.

Lorraine si sentì sopraffare da Londra, una città le cui dimensioni andavano al di là della sua immaginazione. Lady Huntington, una donna di straordinaria bellezza che dimostrava assai meno dei suoi trentasei anni (Flora, la madre di Lorraine, aveva infatti la stessa età dell'amica), si rivelò una padrona di casa molto amabile. Inoltre, a tenerla d'occhio per l'ingresso in società, Lorraine aveva anche miss May, che lady Huntington chiamava per nome, Amanda. Il conte Denby era un uomo bello e focoso: lui e la moglie formavano una coppia piena di brio e gaiezza.

I convitati alla tavola di Radcombe House erano grandi personalità, anche nelle occasioni in cui c'erano pochi ospiti. «Non è meraviglioso?» chiese Lorraine a miss May, sempre presente a fianco della giovane bellezza scozzese.

«In realtà per adesso si tratta di cosucce. Aspetta di vedere New Thorndyke Hall, ragazza mia», sorrise la precettrice. Era la dimora di famiglia in campagna, nel Wiltshire, dove Lorraine non vedeva l'ora di trasferirsi.

Una sera a Radcombe House, durante una cena informale, con pochi ospiti, l'attenzione di Lorraine fu attirata dall'occhio ammiccante di un bel giovane. Le parve stranamente famigliare, pensò di averlo già visto a una delle cene precedenti. Eccentrico damerino alla moda, costui fissò sull'amico e ospite conte Denby uno sguardo ironico e chiese in toni teatralmente canzonatori: «Allora, Denby, vecchio furfante, mi hai promesso una straordinaria battuta con i cani questo weekend, giù nel Wiltshire, ma, ti prego, che cosa mi offri per il mio piacere di questa sera?» E, così dicendo, il giovane nobiluomo scoccò un sorriso a Lorraine, che rammentò all'istante dove lo aveva già visto: era uno degli ufficiali del postale che aveva turbato il loro viaggio verso Londra, colui che le aveva rivolto quel gesto.

«La mia cuoca», replicò Denby piuttosto inquieto, «è generalmente considerata un'artista nel suo genere...»

«Oh, no!» lo interruppe in tono sarcastico il giovane, gettando intanto un'altra occhiata ammiccante a Lorraine, che si sentì arrossire ancora una volta. «Non mi accontenterò certo di una cuoca! Sono venuto qui nella lieta previsione di trovare travolgenti orge di ogni sorta», tuonò. Lord Harcourt, seduto accanto a lui, si sentì andare di traverso il vino e scosse il capo con aria stizzita.

«Marcus, tesoro! Siete veramente scandaloso!» sorrise benignamente lady Huntington.

«Cara lady», intervenne lord Harcourt, «vi comportate male quanto questo spregevole giovane moscardino, concedendo tanta indulgenza alle sue ciance puerili e immorali!»

«Ecco il deplorevole influsso sulla buona società di lord Byron e delle sue schiere di seguaci!» disse Denby, con un sorriso vagamente sprezzante.

«Sì, quel dannato poeta ha combinato davvero dei pasticci», esclamò Harcourt.

«Ciò che sto cercando di spiegare», continuò il giovane, «è questo: come posso pensare di scontrarmi con il vecchio Bonaparte, alla fine del mese, senza il sostegno di un più sostanzioso sollazzo?»

«Il tipo di sollazzo che sembri lasciar intendere non ti verrà di sicuro offerto sotto il mio tetto, Marcus!» ringhiò Denby.

«Siate gentile, Marcus, raffreddate per un po' il vostro focoso ardore mentre ceniamo, giacché il vostro modo di esprimervi è al limite dello scandaloso! Intratteneteci casomai con i vostri rac-

conti militari», implorò dolcemente lady Huntington rivolta al giovane e arrogante ospite.

«Come desiderate, mia buona signora», sorrise costui, blandito e sedotto dai modi soavi e dalla rasserenante bellezza classica della padrona di casa. E fu esattamente ciò che fece per il resto della serata, incantando i commensali con racconti di grande arguzia e umorismo sulla sua carriera militare.

«Chi era quell'uomo?» fu indotta a chiedere Lorraine a lady Huntington, quando gli ospiti si furono congedati.

«Marcus Cox. Un vero tesoro, oltre che uno dei migliori partiti di Londra, ma anche un indicibile zotico. In questa città vivono molti rampolli della nobiltà che non sono ciò che sembrano, angelo mio, e con loro devi stare molto in guardia. Ma te lo avranno senza dubbio già detto la tua cara mamma e la carissima Amanda. Ahimè, molti rampolli della nobiltà farebbero e direbbero qualsiasi cosa pur di conquistare la virtù di una fanciulla. Quando un uomo, persino del lignaggio di Marcus Cox, si trova a dover presto affrontare il campo di battaglia, nel suo tono e nei suoi atteggiamenti si insinua una certa sventatezza. La triste realtà, infatti, è che molti di loro non tornano, e di questo essi sono persin troppo consapevoli.»

«Come siete esperta degli usi di mondo...», mormorò Lorraine.

«E di conseguenza è mio dovere trasmetterti un po' di questa esperienza che ho avuto la buona sorte di conseguire, carissima Lorraine. Ma adesso abbiamo da fare. Per quanto a malincuore, dobbiamo affrontare questioni più pressanti e ardue, e decidere finalmente che cosa indosseremo tu e io al ballo di domani sera.»

L'indomani sera Lorraine fu preparata per il ballo con la supervisione di lady Huntington. Capì che l'operazione aveva avuto un esito splendido prima ancora di esaminarsi nello specchio. Negli occhi della padrona di casa vide una tale espressione di radiosa approvazione da rendere detto specchio del tutto inutile. In un abito rosso di seta indiana d'importazione era celestiale, era sensazionale. «Sei magnifica, tesoro mio, semplicemente divina!» tubò lady Huntington.

Lorraine andò allo specchio e studiò la propria immagine riflessa. «Non posso essere io, è impossibile!»

«Oh, invece sì, tesoro mio, senza la minima ombra di dubbio. Come assomigli alla tua carissima mamma...»

Al ballo gli ufficiali fecero a gara uno dopo l'altro per ballare con Lorraine, tutti ansiosi di fare la sua conoscenza. Il valzer era il più meraviglioso dei balli, la giovane era inebriata dalla musica e dal movimento.

Dopo un ballo con un ufficiale di statura particolarmente alta, lady Huntington e lord Denby la presero da parte. «Siamo veramente orgogliosi di te, tesoro mio! Come vorrei che la tua cara mamma fosse qui con noi per assistere a tutto questo», le disse all'orecchio la padrona di casa, in tono di convinta approvazione.

Lorraine pensò con tenerezza e affetto agli amati genitori, lassù nella remota parrocchia scozzese, e ai sacrifici da loro fatti perché questo sogno potesse realizzarsi.

«Sì, tesorino, il tuo debutto in società ha avuto ancora più successo di quanto potessi auspicare! I giovani ufficiali del mio reggimento sono venuti tutti a chiedermi notizie di te», osservò allegramente lord Denby.

«Ahimè, rimango comunque sempre nella radiosa ombra della vostra bella moglie, m'lord», rispose lei sorridendogli. Tutti i presenti sapevano che l'affermazione della graziosa debuttante costituiva un gesto di sincerità, e non già un servile gesto di deferenza o una manifestazione di gratitudine per la padrona di casa.

«Ah! Come mi lusinghi! Ma tutti gli occhi sono puntati su di te, mio piccolo tesoro! Guarda, osserva e aspetta, angelo mio, e domina l'impazienza. L'ideale arriverà e tu lo capirai», replicò lady Huntington scoccando un sorriso al marito, che le strinse teneramente la mano.

Lorraine ne fu commossa. Decise che doveva ballare con l'uomo più bello del salone. «Venite a ballare con me, m'lord», pregò Denby.

«Non sia mai!» E Denby scoppiò in una risata di finto oltraggio.

«Non lo convincerai mai a ballare il valzer, piccola mia. Sua

Signoria è fermamente contrario all'importazione di simile musica in questo paese.»

«E su questo punto devo dichiarare il mio accordo con i principi di Sua Signoria», interloquì bruscamente lord Harcourt, venuto in quel momento a unirsi a loro, «poiché far arrivare queste musiche e danze decadenti alle nostre coste non è che una subdola tattica dei nostri nemici.»

Lorraine si sentì inorridire all'idea che il saggio lord potesse nutrire simili sentimenti nei confronti di una musica tanto bella. «Perché dite così, m'lord?» chiese.

Harcourt fece un passo indietro, e la giovane lo vide ritrarre il mento nel collo. «Perché», attaccò con furia il nobiluomo, non abituato a sentirsi cimentare in tal modo da una giovane, «questa inquietante prossimità tra uomo e donna è un atteggiamento del tutto scandaloso e sconveniente, e non può che essere una strategia dei nostri nemici d'oltremare onde fiaccare la risolutezza e la fibra morale degli ufficiali britannici spianando loro davanti la strada verso il precipizio della deboscia! Questa sozzura si sta diffondendo nella buona società come un virus incontrollabile, e rabbrividisco nel pensare alle conseguenze per i soldati che seguono simili pratiche diaboliche!»

«Oh, basta, Harcourt», sorrise lady Huntington, portando via con sé il buon lord e spazzando maestosamente lo scalone di marmo, seguita dallo sguardo di approvazione del marito, consapevole degli sguardi di ammirazione suscitati dalla bella moglie.

Lorraine notò la sua espressione e ne fu indotta a parlargli. «Milord, mi auguro di cuore di poter conseguire un giorno un aspetto simile a quello di codesta divina beltà, la vostra buona moglie, lady Huntington. Di quale portamento e grazia è dotata la radiosissima e nobile signora, di quale...»

Le sue parole furono bruscamente interrotte dalla vista di lady Huntington che inciampava in una delle sottogonne dell'abito, cadendo a capofitto per il marmoreo scalone. Gli ospiti assistettero alla scena in un silenzio sconvolto e inorridito, nessuno di essi essendole abbastanza vicino da riuscire a trattenerla, mentre la signora appariva incapace di frenare la caduta, precipitando sempre più giù di gradino in gradino per quella che parve un'e-

ternità, fino a raggiungere una velocità spaventosa e arrivando finalmente a fermarsi in un mucchio scomposto ai piedi dello scalone.

Il conte di Denby fu il primo ad arrivare al suo fianco. Sollevò a sé la testa dorata e scarmigliata della moglie, con gli occhi che si riempivano di lacrime al sentirsi scorrere tra le mani il sangue, che sgocciolava sul pavimento di marmo. Alzò lo sguardo al cielo, attraverso e oltre il soffitto riccamente decorato della sala dei banchetti. Sapeva che per il più casuale, arbitrario e crudele degli incidenti, tutto ciò che possedeva e aveva caro gli era stato tolto. «Dio non esiste», disse sottovoce e poi, ancora più sottovoce, ripeté: «Non esiste».

12. Ricaduta di Rebecca

Rebecca pensò che le stesse venendo un altro infarto. Mentre sfogliava le pagine della rivista, il cuore le si era messo a bruciare. Vi si vedevano due giovani donne in varie pose. Una delle due – come del resto era prevedibile, rifletté, visto il titolo: «Fuste femministe Fist-Fucking» – sembrava infilare il pugno chiuso nella vagina dell'altra.

La mente corse precipitosamente al venerdì prima, quando tutto il suo mondo era andato in frantumi. Ed era stato anche peggio dell'infarto, una cosa ancora più casuale, crudele e nauseante. Implicava un'umiliazione che il male non le aveva mai dato, nonostante l'avesse sfigurata e inabilitata. Il venerdì prima, dopo essere stata dimessa, era andata a fare compere. Era uscita da Harrod's con un vestito nuovo che le aveva tirato su il morale: una misura meno di quella che le era diventata usuale. Ed ecco che, dal finestrino del taxi che la riportava a casa, aveva visto Perky, proprio lì, in un'affollata via di Kensington. Aveva fatto rallentare ed era smontata per mettersi al suo inseguimento, considerando che poteva essere un bello spasso pedinare il suo adorato Perks.

Un po' meno spassoso era cominciato a sembrarle quando lo aveva visto sparire in un appartamentino. Si era sentita sprofondare il cuore, sospettando immediatamente l'esistenza di un'altra donna. Era tornata a casa sotto le nubi più cupe, resistendo a una voglia disperata di inzepparsi la bocca di cibo fino a che lo stomaco fosse lì lì per scoppiare. Poi l'impulso era passato e non avrebbe potuto mangiare niente neanche se le avessero mandato il cibo giù per la gola con un tubo. Voleva solamente sapere.

Dopo di allora aveva seguito Perks molte volte, ma all'appartamento andava sempre da solo. Aveva passato secoli a spiare se entrava o usciva qualcun altro. Sembrava disabitato. Finché era andata alla porta e aveva suonato il campanello. Non aveva risposto nessuno. E neppure in seguito, ogni volta che aveva provato. Si era confidata con Lorraine, quando era venuta a prendere un tè dietro suo invito. Era stata lei a suggerirle di guardargli nelle tasche per vedere se c'era una chiave. Infatti c'era, e lei l'aveva fatta duplicare. Andataci da sola, aveva trovato un angusto monolocale, ridotto a una vera e propria biblioteca di pornografia: riviste, video tape e, fatto soprattutto sinistro, una videocamera piazzata su un treppiedi e puntata sul letto che – insieme al televisore e agli scaffali di libri, riviste e nastri – dominava il locale.

Quindi adesso eccola lì seduta da sola, a sfogliare questo «Fuste femministe Fist-Fucking». Non riusciva a trovare il coraggio di guardare i video tape, specialmente quelli fatti in casa. Avevano tutti il nome di una donna diversa scritto su un'etichetta sul dorso. Nomi da puttana, pensò amaramente: Candy, Jade, Cindy, e simili. Si tastò di nuovo la guancia. Non bruciava ma era bagnata. Lasciò cadere sul pavimento la copia di Perky di «Fuste femministe Fist-Fucking».

Qualcosa le suggerì di fare i suoi esercizi di respirazione. Cominciò con respiri forzati, faticosi, profondi, inframmezzati da singhiozzi, ma finalmente trovò un ritmo. E a quel punto esplose un sonoro: «Che *bastardo*!»

Fu presa da una strana calma gelida, mentre continuava ostinatamente a esplorare l'appartamento. Finché trovò quella che si rivelò la scoperta peggiore. Un grosso contenitore pieno di diversi estratti conto, ricevute e fatture. Si sentì tremare. Aveva bisogno di essere con qualcuno. L'unica persona che le venne in mente fu Lorraine. Fece il numero e la sua giovane ex infermiera, e adesso amica, rispose. «Ti prego, vieni qui», le disse con un filo di voce. «Vieni qui, ti prego.»

Lorraine aveva appena finito il turno e stava andando a letto. La notte prima, in pista, era andata in orbita come si deve, e adesso ne stava pagando le conseguenze, ma non appena sentì la voce di Rebecca all'altro capo del filo si buttò addosso qualcosa e saltò su un taxi per farsi portare a Kensington. Mai, prima di allora, aveva sentito in una voce umana tanto dolore e disperazione.

Raggiunse Rebecca in una mescita di vini accanto alla stazione del metro, a quattro passi dall'appartamento. Capì subito che era successo qualcosa di terribile.

«Sono stata tradita, profondamente tradita», le disse Rebecca con una voce fredda, tremante. «Lo pagavo perché... era tutta una bugia, Lorraine... tutta una schifosa *bugia*», singhiozzò.

Vederla in quello stato turbò Lorraine. Non era lei: non era più la donna stravagante, a tratti seducente e a tratti irritante che aveva conosciuto in ospedale. Aveva un'aria vulnerabile e autentica. Era una sorella nei guai, non una zia picchiatella.

«Che cosa faccio...», le stava gridando.

Lorraine la guardò negli occhi. «Lascia perdere che cosa farai tu. Che cosa farà quel pezzo di merda, caso mai, quello schifoso parassita. Quella che ha i soldi sei tu. Non si può contare su tutti, Rebecca, e in particolare su un pezzo di merda di un uomo. Guardati in giro. La faceva franca perché ti sei tenuta per troppo tempo la testa infilata nella figa, in quel mondo inesistente dove vivi tu. Per questo ha potuto sfruttarti, spremerti in quel modo!»

Rebecca fu profondamente turbata dallo sfogo di Lorraine. Ma avvertì che aveva una logica. Attraverso il suo dolore riusciva a entrare in sintonia con ciò che le veniva da lei.

«Dove sta l'errore, Lorraine? Qual è?» Le sembrava incredibile che le si potesse parlare così. Lorraine. La sua infermierina...

«L'errore è che io vedo arrivare in ospedale gente che non ha niente. Poi vado a casa, torno a Livingston, e anche lì non hanno niente. Mentre tu... be', tu hai tutto. E che cosa ci fai? Cazzo, lasci che un porco lo sbatta via, questo tutto.»

«Lo so... Lo so, vivo perennemente in un romanzo... Lo so, vivo nel mondo dei sogni, come dici tu. È tanto di quel tempo che scrivo quella merda che forse sono arrivata a crederci...

Non so. So soltanto che era sempre lì a mia disposizione, Lorraine. Perky era sempre lì.»

«Lì a guardarti diventare sempre più grassa e ridicola, cazzo, a incoraggiarti a startene lì stravaccata come uno stupido vegetale. A coprirti di ridicolo per il divertimento degli altri... Sai che cosa dicevamo di te, in reparto? Cazzo, com'è stupida, dicevamo. Finché la mia amica Yvonne fa: 'No, non è poi così scema. Fa un sacco di soldi, mentre noi siamo qui a romperci la schiena con i nostri turni per quattro soldi di merda'. E noi: 'Già, è vero'. Ci ha fatto vedere la cosa in un modo diverso. Abbiamo pensato: 'Ci prende per il naso, quella lì: fa la scema, e invece lo mette nel culo a tutti quei bastardi'. Ma adesso vieni a dirmi che sono anni che quello ti munge, senza nemmeno che te ne accorgi.»

Rebecca si sentì ribollire di rabbia. «Tu... tu... è fin troppo evidente che odi gli uomini. Me ne sarei dovuta accorgere... non è lo spirito romantico che odi, ma gli uomini, vero? Vero?»

«Non odio affatto gli uomini, soltanto quelli del tipo che a quanto pare capita sempre a me.»

«E che tipo sarebbe?»

«Be', a scuola, tanto per cominciare. Lorraine Gillesbian mi chiamavano, alle superiori di Craigshill, su a Livi. Mi davano della lesbica perché ero una tredicenne con le tette che non voleva scopare con qualsiasi maschio mi prendesse per il culo o mi rompesse i coglioni. Soltanto perché non volevo mettermi nella merda con loro. Mi sono diplomata in otto materie, dopo di che volevo fare le superiori e partire per l'università. Ma il nuovo marito di mia madre non la smetteva mai di mettermi addosso quelle sue mani di merda, neanche il tempo necessario per gli esami. Dovevo andare via, così ho fatto domanda per venire a fare l'infermiera qui. Ma è sempre la stessa storia, continuo a essere infastidita e molestata da quei segaioli dell'ospedale. Mentre voglio soltanto essere lasciata in pace. Non lo so che cosa sono, cazzo, non so nemmeno se sono lesbica o no... cazzo... Voglio essere lasciata in pace a cercare di capirci qualcosa.»

Adesso era Lorraine a singhiozzare, e Rebecca a confortarla.

«È tutto in regola, tesoro... tutto in regola. Sei ancora tanto giovane... e c'è tanta confusione. Troverai una persona...»

«È proprio lì il problema», ribatté Lorraine tirando su col naso. «Io non voglio trovare nessuno, o comunque non ancora. Voglio trovare me stessa, prima.»

«Anch'io», ribatté Rebecca sottovoce. «E ho bisogno di un'amica che mi aiuti.»

«Sì, come me», sorrise Lorraine. «Allora, che cosa facciamo?»

«Be', adesso ci sbronziamo, poi andiamo a guardare i video di Perky per vedere che cosa combinava quel bastardo, dopo di che io mi rimetto a fare quello che ho sempre fatto.»

«Cioè?» chiese Lorraine.

«Mi metto a scrivere.»

13. Perks vede il manoscritto

Magnifico. L'infermierina scozzese era quasi sempre in giro per casa, e la vecchiarda scriveva come se avesse il proverbiale pepe al culo. In certi momenti, quando c'era lì la sua dolce Lorraine, Perks trovava difficile chiedere licenza per andare al suo appartamento. Di fronte alla prospettiva di portarcela, la mente gli febbricitava. *Doveva* portarcela, bisognava che facesse la sua mossa.

Un pomeriggio decise di cogliere l'occasione. Aveva sentito Lorraine ridere con Rebecca nello studio e aveva notato che si stava preparando per andarsene. «Ah, Lorraine, dov'è diretta?»

«Eh, torno in ospedale.»

«Splendido», cinguettò lui. «Vado proprio da quelle parti. La accompagno.»

«Ma è magnifico, Perky», disse Rebecca. «Lo vedi che tesoro è, Lorraine? Che cosa farei senza di lui?» E le due donne si scambiarono uno sguardo d'intesa di cui lui non si accorse.

Lorraine montò in auto nel posto accanto al guidatore e Perky partì. «Senta, Lorraine, spero che non le dispiaccia», disse, accostando e svoltando in una laterale dove fermò l'auto, «ma bisogna che lei e io facciamo quattro chiacchiere a proposito di Rebecca.»

«Ah sì?»

«Be', voi due siete molto intime, sicché ho pensato di doverla ricompensare in qualche modo per avere dato un contributo così prezioso alla sua guarigione.» E Perks infilò la mano nel cassetto del cruscotto, porgendole una busta bruna.

«Cos'è?»

«La apra e guardi!»

Lorraine sapeva che si trattava di soldi. Vide le grosse banconote e valutò che doveva trattarsi di circa un migliaio di sterline. «Ottimo», commentò, ficcando la busta nella borsetta. «Grazie.»

Alla troietta piace la fresca, pensò Perks tutto soddisfatto. Quindi le si fece più vicino e le lasciò cadere la mano sul ginocchio. «Inoltre, mia piccola bellezza, ti dirò che nel posto da dove viene quella roba ce n'è molta altra...» ansimò.

«Oh, certo», sorrise Lorraine. E gli piazzò la destra sull'inguine. Aprì la lampo e la infilò dentro. Trovò i testicoli e li strizzò. Perky si lasciò sfuggire un ansito. Era in paradiso. Lei strizzò ancora un po', e poi ancora, e il paradiso cominciò a diventare un'altra cosa. «Toccami ancora e ti spacco quel collo di merda», gli disse con un ghigno, finché il radioso sorriso di Perky scomparve, e lei gli sbatté a tutta forza la fronte sul naso.

E già era scomparsa, lasciandolo con un fazzoletto insanguinato stretto al naso con una mano, mentre con l'altra si massaggiava i testicoli spiaccicati. Rimase lì un po', cercando di ricomporsi. «Buon Dio», gemette, avviando l'auto e dirigendosi verso l'appartamento. «Mi piacciono fuste, ma non fino a questo punto», pensò malevolmente, con le mani che tremavano sul volante.

Una seduta di vecchi video lo tirò su di morale. In particolare quello con Candy, la sua preferita. Per il giusto prezzo era disposta a fare qualsiasi cosa, che è esattamente come dev'essere una brava puttana. Mentre troppe di loro si ponevano dei limiti banali e questa era una tremenda disgrazia per la loro professione, a suo modo di vedere. No, bisognava rimettersi in contatto con Candy al più presto.

Tornato a casa di un umore migliore notò con compiaciuta gioia che il manoscritto di Rebecca stava crescendo. Mentre, stranamente, lei si stava contraendo. Questo regime di diete ed esercizi a cui era stata messa aveva fatto miracoli. Aveva perso quintali. Si vestiva in un modo diverso e sembrava diversa anche in un senso più profondo. La gente commentava. Ormai pesava almeno una dozzina di chili meno di quando aveva avuto l'infarto. La faccia era tornata alla normalità. Cambiamenti interessanti, anche se la novità lo inquietava e preoccupava. Una sera si era persino sentito eccitare dalla sua presenza, tanto da buttare là l'idea di abbandonare le camere separate e andare a letto insieme per la prima volta dopo circa tre anni. «No, tesoro, sono veramente troppo stanca, devo finire questo libro», aveva risposto lei.

Non importa, aveva pensato, il manoscritto stava venendo benissimo. Lei sparava parole a mitraglia. E la cosa lo consolava. Anche se, stranamente, Rebecca aveva cominciato a tenere lo studio chiuso a chiave, chissà perché. Ma quella sera aveva detto che usciva, come ormai faceva sempre più di frequente, e aveva lasciato la porta non soltanto aperta ma addirittura spalancata. Lui prese il manoscritto e lesse.

14. Senza titolo: In preparazione

Pagina 56

Dopo la morte di lady Huntington, la tristezza aveva pervaso Radcombe House. Lorraine, assunto il ruolo di padrona di casa, era molto preoccupata per lo stato mentale del conte di Denby, che aveva cominciato a bere forte e a frequentare le fumerie di oppio di Londra. Il grande signore mostrava una tale debolezza di carattere che Lorraine fu felice di apprendere che il suo buon amico Marcus Cox sarebbe tornato tra breve in Inghilterra con il reggimento.

Al suo ritorno, però, purtroppo, anche Marcus apparve trasformato. La guerra aveva avuto il suo pesante effetto sul focoso giovanotto, tornato a casa febbricitante. Incontrandolo, Lorraine fu comunque felice di scoprire che era fermamente determinato acché il dolore di Sua Signoria fosse lenito senza dover fare ricorso a brutte pratiche istupidenti.

«Bisogna portare via Denby da Londra», disse a Lorraine. «Dobbiamo andare tutti insieme nell'avita dimora di Thorndyke Hall, nel Wiltshire. Bisogna farlo uscire dal guscio, toglierlo dalla depressione, prima che gli distrugga l'anima.»

«Sì, un soggiorno a Thorndyke Hall servirà a sollevargli lo spirito», convenne Lorraine.

Perky posò il manoscritto per versarsi un grosso scotch. Quindi crollò la testa in tono di approvazione, sfogliando qualche altra pagina. Ideale. Ma a un certo punto il testo sembrava cambiare. Non riusciva a credere ai suoi occhi.

Pagina 72

Dentro il grande fienile ad alcune miglia da Thorndyke Hall, sulla strada per il villaggio, il tredicesimo conte di Denby era bendato e legato con le mani dietro la schiena. Il suo pene eretto sporgeva da una fessura della lunga tunica bianca che gli copriva torace, ventre e cosce.

«Datemi un culo, maledizione!» ruggì con voce impastata dall'alcol, mentre dalla folla raccolta nel fienile si levava un'ovazione.

«Pazienta, Denby, furfante!» E il conte riconobbe la voce del suo amico Harcourt. Era famelico di agire, di misurarsi in questa scommessa.

Di fronte a lui erano piazzate tre piattaforme di legno. Su una di esse c'era una ragazza legata, imbavagliata e nuda, in ginocchio e con le natiche all'aria. Su quella accanto un ragazzo nella medesima posizione. Sulla terza era incaprettata e imbavagliata una tosta pecora nera.

Le piattaforme erano collegate a una serie di pulegge, che consentivano di modificare l'altezza degli oggetti della scommessa. Harcourt aveva dato istruzioni agli incaricati di procedere ad adeguati aggiustamenti, perché gli orifizi anali delle tre creature fossero posizionati alla medesima altezza, tutti in fila e pronti a ricevere l'enfio membro di Denby.

«Ricordate, Denby», gli mormorò all'orecchio Harcourt: «ragazzo, ragazza e pecora non sono ignari di sodomia».

«Conosco bene condizioni e vicende di tutte le creaturine in questione, lord Harcourt. Cominciate a non essere più così sicuro, vecchio mio?» ribatté Denby in tono di scherno.

«Fuah! Neanche per sogno. Vedete, Denby, sono assolutamente convinto che voi non siate che un vecchio pronto a tutti i buchi, incapace, soprattutto una volta ingozzato di vino, di capire con chi vi stiate accoppiando», rispose Harcourt con forte sarcasmo.

«Scommetto sul mio amico conte», dichiarò Marcus Cox, lasciando cadere un fiorino nella mano dell'incaricato e scatenando nuove acclamazioni da parte della furfantesca e gentilizia marmaglia lì riunita.

La donna sembrava, dei tre, la più difficile da tenere ferma. Servetta di norma compiacente e non ignara delle attenzioni di molti dei presenti, nondimeno le limitazioni dei sensi impostele da bavaglio, funi e benda stavano cominciando a inquietarla.

«Zitta, carina», le mormorò Harcourt, mettendosi a cavalcioni su di lei e allargandole le natiche, mentre il cazzo di Denby si apprestava a penetrarla. Mentre le ungeva rozzamente l'ano e vi infilava un dito, notò una tensione nervosa che non aveva mai riscontrato nella giovane contadinotta tutte le volte che le era entrato in corpo. Nonostante la loro esperienza, sia la pecora sia il ragazzo avrebbero manifestato la medesima tensione nervosa, e la gara sarebbe finita pari.

Harcourt fu sollevato nel vedere l'organo di Denby scivolare nel corpo della ragazza incontrando poca resistenza. Vedendo lo sfintere cedere agevolmente, fu contento di avere scelto questa giovane, trattata per via anale fin dall'età di otto anni.

«Mmmm», sorrise Denby, continuando a spingere e poi menando alcune furiose pompate.

Dopo qualche altro colpo si ritrasse senza versare il seme, il pene ancora eretto.

Harcourt si piazzò in piedi sopra il ragazzo e gli tenne le natiche aperte, spalmando il grasso con maggior cura e tenerezza di quanto avesse fatto con la ragazza. Era il suo preferito, e temeva che Denby potesse metterlo fuori uso per un po' con la ferocia della sua foia. Guidato dai valletti, il membro di Denby, chiazzato di sangue e merda, trovò il bersaglio. «Maledizione...» ansimò, mentre il ragazzo, che come la ragazza era soggetto ad attenzioni anali da parte del padrone fin dalla tenera età, gemeva sotto il bavaglio.

«Il prossimo», ruggì Denby, ritraendosi tra le acclamazioni.

Con un'espressione di leggero disgusto, Harcourt montò a cavalcioni della pecora, che due uomini trattenevano ciascuno per una delle zampe posteriori. Esaminò la zona perfettamente rasata attorno al passaggio anale. Quindi ordinò a uno degli uomini di ungerne l'orifizio.

Nonostante il vigore dei valletti l'animale non cedette facilmente a Denby. Che lo penetrò a forza mentre esso si torceva e *dibatteva, con gli uomini che faticavano a tenerlo fermo. Denby spinse più forte, facendosi paonazzo in viso, mentre le sue grida riempivano l'aria:* «CEDI, MALEDIZIONE!... SONO IL CONTE DI DENBY! TI ORDINO DI CEDERE!»

L'animale continuò a dibattersi, tanto che il nobiluomo non riuscì a trattenere la propria eccitazione.

«SONO DENBY...» urlò, spruzzando il suo sperma a fiotti nell'animale.

Le acclamazioni si levarono alte, mentre Denby si ritraeva ansante e si ricomponeva.

«Allora, Denby?» chiese Marcus Cox.

Il conte attese che il respiro si calmasse. «Mai ho goduto di più una scommessa del genere, signore, e mai ho avuto il piacere di una meravigliosa monta come con l'ultima creatura. Nessuna bestia ciecamente docile dei campi, allevata per il macello, avrebbe potuto reagire in quel modo alle mie attenzioni... no, è stato assai più di un comune accoppiamento... la comunione spirituale di cui ho goduto con la deliziosa e incantevolissima creatura ha trasceso ogni limite... vi è stato un incontro di menti, di anime... una squisita comunione di natura assolutamente umana.»

I bifolchi soffocarono le risate, mentre Denby continuava: «L'ultima, la bella scopata, l'ho fatta con la graziosa contadinotta o con l'obbediente servitorello... non importa. So che la creatura è destinata a essere mia. Dichiaro subito che al proprietario della terza pagherò la cifra di cento sterline per i servizi di monta!»

«Bella offerta, lord Denby, che sono vincolato ad accettare.»

Denby riconobbe immediatamente la voce di Harcourt. «Il ragazzo! Lo sapevo! Il bel ragazzino. Cento sterline spese bene!» esclamò tra un subisso di cachinni. «Pecora, ragazza e maschietto, nell'ordine. È andata così, direi!»

Calò un breve silenzio, seguito da una raffica di risate isteriche. Quando fu liberato dalla benda, Denby esplose in un ruggito sportivo. «Mio Dio! La pecora! Non ci credo! Bell'animale stoico!»

«Signori!» annunciò Harcourt alzando la voce insieme al bicchiere. «Signori! Per quanto io sia persona che ha poco tempo da dedicare alle controversie da salotto tra oziosi teorici, qui è stata

sicuramente dimostrata un'interessante questione di importanza sociale! I nostri amici legulei ne prendano nota! La sodomia è sempre uguale!»

I contadini cantarono in un coro infoiato:

C'è chi gli piace la pulzella
c'è chi preferisce il ragazzo
ma la pecora è calda e bella
e fa un tremendo schiamazzo.

Perks si lasciò cadere dalle dita il manoscritto che finì per terra. Quindi sollevò la cornetta e puntò diritto alla casa editrice di Rebecca. «Penso sia il caso che tu venga qui, Giles. Immediatamente.»

Giles colse una nota di panico nella sua voce. «Che cos'è successo? Rebecca? Sta bene?»

«No», ribatté Perks tra i denti. «Non sta affatto bene, cazzo Cazzo! Sta tutt'altro che bene.»

«Arrivo subito», disse Giles.

15. Perks è fuori di sé

Giles raggiunse in un lampo la casa di Perky e Rebecca a Kensington. Lesse il manoscritto con orrore. Diventava sempre peggio. Rebecca tornò di pomeriggio tardi e li trovò nello studio.

«Giles! Tesoro! Come stai? Oh, vedo che hai dato un'occhiata al manoscritto. Che cosa te ne pare?»

Nonostante la rabbia e l'angoscia, Giles si era preparato a blandirla. Detestava gli scrittori. Erano immancabilmente tediosi, pieni di sé, una noiosissima rottura di coglioni. E di gran lunga più insopportabili erano quelli con pretese letterarie. Precisamente quello che era successo alla vecchia vacca, rifletté. Troppo, troppissimo tempo trascorso a riflettere in quell'ospedale, e, cazzo, aveva deciso di buttarsi sull'arte. La malattia le aveva sbattuto la morte in faccia, e lei aveva deciso di lasciare il segno, e di farlo a spese dei margini di profitto dell'editore! Comunque, contrariandola non c'era niente da guadagnare. Bisognava sedurla, indurla con dolci blandizie a capire quanto fosse sbagliato il suo comportamento. Stava per buttarsi in una «Interessante nuova direzione, tesoro, però...», ma fu preceduto da un Perky schiumante rabbia.

«Rebecca, stella», disse a denti stretti, «non capisco che cosa tu abbia in mente di combinarci...»

«Non ti piace, Perky? Non lo trovi più frizzante, più... crudo?»

«Ma non è un'avventura di miss May, tesoro», farfugliò Giles.

«Dai, Giles, è una storia ricca di realismo. Non si può, come dire, vivere tutta la vita con la testa infilata nella figa, no?»

Sono le medicine, pensò Perks. La vecchiarda ha finito con l'andare nel pallone.

«Rebecca, tesoro», implorò Giles. «Cerca di ragionare.» E si mise a camminare avanti e indietro, gesticolando animatamente con le mani. «Chi legge i tuoi libri? La Brava Mammina, naturalmente, colei che tiene insieme tutto il tessuto della nostra grande società. Colei che provvede alla manutenzione essenziale per l'uomo che va a lavorare, colei che alleva i bambini. La conosci, la vedi di continuo nelle pubblicità dei detersivi. Certo, lavora fortissimo; e come gli schiavi dei campi lo fa con il sorriso sulle labbra e, precisamente, con il canto nel cuore. È un'oscura, ingrata vita di dura fatica, per cui ha bisogno di una piccola scappatoia. Oh, certo, le trasmissioni televisive del pomeriggio le danno una mano, ma qual è la vera, dolce pasticchina che rende tollerabile il tutto? Prendere in mano i romanzi di miss May, scritti da Rebecca Navarro, e fuggire nel bel mondo di avventura romantica che tu ricrei con tanta passione. Ne hanno bisogno tutte le mammine in servizio effettivo così come le aspiranti al ruolo.»

«Esattamente», annuì severo Perky. «Comincia a metterci dentro sodomia e rivoluzione, e le bovine befane strafatte di Valium butteranno via il libro inorridite. Dopo di che, noi, dove ci troviamo?»

«Dimmelo tu, tesoro», lo canzonò Rebecca.

«Sulla strada, cazzo, a vendere 'The Big Issue',* ecco dove!» ruggì Perky.

* Popolarissima pubblicazione scritta e venduta in Gran Bretagna dai «senza casa». (*N.d.T.*)

16. Il giovane inculato

Nick Armitage-Welsby recuperò una palla persa ai margini della mischia e scattò, inserendosi a fondo nella metà campo avversaria ed evitando abilmente due cariche disperate. La piccola folla di Richmond avvertì un brivido di aspettativa, poiché Armitage-Welsby aveva tutti i numeri di velocità e potenza per arrivare alla linea di fondo. Invece, con tutta la difesa nemica sbandata, passò debolmente la palla a un compagno di squadra e crollò nel fango.

All'arrivo al St Hubbin's Hospital era morto, vittima di un grave incidente cardiovascolare.

Il corpo, steso su una portantina nella camera mortuaria, ora veniva sottoposto ad ansioso esame da parte di Freddy Royle. «Uuuh-ah, ottimo questo! Armato come un ragazzo da culo, si direbbe, a quanto vedo...» E si apprestò a dare un'occhiata ancor più scrupolosa.

«Ehi, Freddy», disse Glen con circospezione, «abbiamo questo nuovo patologo, un certo Clements, e... be', non ha ancora sgamato fino in fondo come vanno le cose da queste parti. È di turno fra un po', e vorrà vedere il nostro amico, per cui vacci piano.»

«Oh, zì, ti tratterò con dolcezza e delicatezza, vero, fiorellino mio?» sorrise Freddy, strizzando l'occhio al morto. Quindi si rivolse a Glen: «Zu, da bravo, cerca un po' di bella cordicella per Freddy».

Glen sbuffò seccato, ma frugò in un cassetto e ne tirò fuori una matassa di corda. Faccia un po' quello che vuole, pensò. Quella sera doveva uscire con Yvonne. Un cinema e poi via per locali. Con la fresca di Freddy le avrebbe comperato qualcosa di bello. Un profumo. Un profumo costoso, pensò.

Per vedere che faccia faceva quando glielo dava. Un'idea da sballo.

Freddy prese due stecche e le legò attorno al pene flaccido del cadavere. Quindi gli infilò tra le gambe una scatola rettangolare da biscotti, e vi appoggiò sopra il cazzo così steccato.

«Adesso aspettiamo che questo bel maschione zi zistemi da bravo nel rigor mortiz, dopo di che ci sarà da divertirzi come zi deve!» sorrise.

Glen chiese licenza di andarsene e si ritirò nell'anticamera.

17. Lorraine e l'amore

Lorraine passava un sacco di tempo da Rebecca. L'aiutava con il manoscritto. Erano state al British Museum, tra i baraccati, in giro per le stazioni della metropolitana dove le madri chiedevano l'elemosina esibendo i loro bambini denutriti. «Le avevo viste fare così a Città del Messico una decina di anni fa», sospirò Rebecca, «e avevo sempre pensato: una cosa del genere non potrebbe mai succedere qui, in Inghilterra, mai. Guardiamo sempre da un'altra parte. Siamo pronti a credere a qualsiasi cosa, che sia tutto falso, che sia tutto scena; siamo pronti a credere a tutto, tranne che alla verità.»

«Che sarebbe che non hanno i soldi per dare da mangiare ai loro bambini e che il governo se ne fotte», ghignò Lorraine. «Preferiscono preoccuparsi che i ricchi ne abbiano più che abbastanza, a strafottere.»

Certe volte Lorraine è molto dura, pensò Rebecca. Non va bene. Se si consente a chi vorrebbe brutalizzarci di indurirci, si è sicuramente perso. È proprio questo che vogliono. Lo spirito romantico era qualcosa di più della sua immaginazione creativa. E per lo spirito romantico, quello vero, doveva di sicuro esserci posto. Spirito romantico per tutti, e non soltanto nelle pagine di un libro.

Le martellavano in testa simili pensieri , mentre la sua amica tornava alla residenza della infermiere. Anche Lorraine aveva i suoi problemi. Erano secoli che non parlava come si deve con Yvonne. Dopo la serata in quel locale notturno l'amica la evitava. E adesso usciva con quel Glen e sembrava molto felice. Giunta a casa, sentì che dalla stanza dell'amica arrivava un po' di house music. Il nastro di Slam che le aveva regalato secoli prima.

Fattasi forza, bussò alla porta. «È aperta», disse Yvonne.

Quando la sua amica entrò, era sola. «Ciao», le disse Lorraine.

«Ciao», rispose.

«Senti, Yvonne», attaccò Lorraine, mettendosi subito a parlare precipitosamente: «sono venuta a scusarmi per come mi sono comportata quella sera. È proprio strano, ma ero totalmente fatta di E, e lo ero anche dal punto di vista emozionale, e tu eri in forma, cazzo, eri splendida, e poi sei la mia migliore amica, l'unica persona che non mi rompe mai...»

«Sì, tutto benissimo, però io non sono... cioè... così...»

«Il fatto è», rise Lorraine, «che non so neanche io se lo sono. Stavo soltanto attraversando un periodo di scazzo per gli uomini... oppure... oh, non so... forse lo sono, non capisco più un tubo. Quando ti ho baciata, ti ho trattata come fanno i maschi con me... non aveva senso. È strano, ma volevo capire che cosa provano loro. Volevo provare quello che provano loro. Volevo farti piacere, ma non è stato così. Ho pensato che, se ero lesbica, allora tutto era più facile, almeno sapevo qualcosa di me stessa. Ma non sono riuscita a farmi eccitare da te.»

«Non so se sentirmi lusingata o insultata», sorrise Yvonne.

«Il fatto è che a quanto pare non mi piacciono nemmeno i maschi. Tutte le volte che sono andata con uno è stata una delusione. Nessuno me lo fa bene come me lo faccio da sola...» E Lorraine si portò la mano alla bocca. «Che cazzo di balorda, eh?»

«È che non hai ancora trovato la persona giusta, Lorraine. Chiunque sia, maschio o femmina, devi soltanto trovare la persona giusta.»

«La voce dell'esperienza, eh?»

«Credo», sorrise Yvonne. «Perché non vieni in quel locale con noi, questa sera?»

«Nah, voglio stare alla larga per un po' dall'E, mi sta fottendo la testa. Mi sembra di volere bene a tutti, e poi di non poter voler bene a nessuno. I planaggi stanno diventando piuttosto brutti.»

«Sì, penso che fai bene, ci hai dato dentro un bel po' negli ultimi due anni. Le hai pagate le tue cambiali, eh, bella?» rise Yvonne, quindi si alzò e strinse l'amica in un abbraccio che per entrambe significò più di qualsiasi cosa potessero essersi mai dette.

Mentre se ne andava, Lorraine rifletté sull'amore di Yvonne per Glen. No, non sarebbe andata in quel locale con loro. Quando due sono innamorati, bisogna lasciarli soli. Specialmente se tu non sei innamorata e vorresti esserlo. Potrebbe creare imbarazzo. Potrebbe far male.

18. Senza titolo: In preparazione

Pagina 99

Il declino del conte Denby proseguì rapido. I servitori si lamentavano del fatto che Flossie, la pecora, riduceva gli alloggi in uno stato vergognoso, ma lui esigeva che fosse accudita da un gruppo di servette, che dovevano farla vivere in un lusso beato, assicurandosi in particolare che il suo vello fosse ben curato e immacolato.

«Flossie, tesoro mio, mio angelo», diceva, strofinando il pene eretto contro il vello dell'amatissima pecora nera: «mi hai salvato da una vita che dopo la morte prematura della mia meravigliosa moglie si era fatta vuota, senza conforto... Ah, Flossie, perdonami, non ti dispiaccia se ti parlo di quella divina creatura. Vorrei che voi due vi foste conosciute. Sarebbe stato magnifico. Ma, ahimè, ormai non può più essere: tu e io siamo rimasti soli, tesoro mio. Come mi ecciti e tormenti! Sono stregato...» E il conte si sentì scivolare in corpo alla pecora... «Che beatitudine.»

19. Il rapporto del patologo

Il direttore del Fondo, Alan Sweet, si sentì sprofondare: una sensazione che si aspettava da un po' di provare. Qualcuno doveva pur essere il messaggero di sventura. Quel borioso Geoffrey Clements, il nuovo patologo, non gli era mai piaciuto, fin dall'inizio. Era entrato nel suo ufficio senza chiedere un appuntamento, si era seduto e gli aveva piazzato davanti un rapporto dattiloscritto, lasciando che gli desse soltanto un'occhiata. Aveva cominciato a parlare in toni profondi, severi: «...devo quindi concludere che, dopo essere stato consegnato a noi, qui a St Hubbin's, il corpo di Armitage-Welsby è stato violato nel modo sopra descritto».

«Senta, signor Clements...», replicò Sweet, guardando il referto, «...cioè, ehm, Geoffrey... è una cosa di cui dobbiamo essere assolutamente sicuri.»

«Io lo sono. Perciò il referto», osservò bruscamente Clements.

«Ma vi sono senza dubbio altri fattori da tenere in considerazione...»

«Tipo?»

«Intendo dire», attaccò Sweet aggiungendo una confidenziale strizzatina d'occhi che capì immediatamente essere stata un errore, prima ancora che sulla faccia barbuta di Clements si dipingesse un'espressione di forte disapprovazione. «Nick Armitage-Welsby ha frequentato una public school britannica e ha giocato a rugby a tutti i livelli. Due fattori che dovrebbero bastare a dare la certezza che non era sicuramente ignaro di questo tipo di, ehm, attenzioni...»

Sul viso di Clements si dipinse un'espressione stupefatta.

«In altre parole», continuò Sweet: «il cedimento dei tessuti e le contusioni attorno allo sfintere, e le tracce di seme, non potrebbero essere il risultato di un po' di giochetti spinti avvenuti nello spogliatoio, magari durante l'intervallo, poco prima che il povero sventurato venisse portato qui?»

«No, secondo il mio parere professionale», ribatté gelidamente Clements. «E, per inciso, voglio lei sappia che ho frequentato una public school britannica e gioco a rugby con grande entusiasmo, anche se assolutamente non ai livelli raggiunti da Nick Armitage-Welsby. Non ho sicuramente mai riscontrato le pratiche di cui parla, per cui la disinvolta esposizione di un simile oltraggioso stereotipo mi offende profondamente.»

«Mi scuso se l'ho offesa, Geoffrey. Tuttavia, in quanto direttore del Fondo, lei capisce che ho una responsabilità nei confronti dei fiduciari, a loro volta responsabili di ogni presunta negligenza...»

«E le responsabilità nei confronti dei pazienti e dei loro parenti?»

«Be', va da sé, certo. Sono ugualmente importanti. Sta di fatto però che non posso andare in giro ad accusare di pratiche di necrofilia i dipendenti. Se la stampa ne avesse sentore, ci si butterebbe a corpo morto! La fiducia pubblica nell'ospedale e nella sua gestione ne risulterebbe fortemente minata. Per alcune delle sue attività innovative, come la modernissima attrezzatura radiologica della nuova unità di medicina preventiva, il Fondo dipende in larga misura dalla simpatia, espressa attraverso donazioni caritatevoli, dei suoi molti ricchi benefattori. Sicché, se cominciassi a premere inutili campanelli d'allarme...»

«In quanto direttore, lei, con i suoi collaboratori, ha il dovere civico di indagare sull'accaduto», ribatté seccamente Clements.

Sweet decise che quell'uomo rappresentava quasi tutto ciò che detestava, forse persino più di quelle classi lavoratrici da cui veniva lui stesso. L'arrogante presunzione da public school di possedere una innata superiorità morale. Se lo potevano permettere, i bastardi come lui; non c'erano di sicuro preoccupazioni economiche, dalle loro parti. Lui, invece, aveva scommesso tutto sull'acquisto di quella proprietà sul Tamigi, a Richmond: quando l'aveva comperata era poco più di una catapecchia. Adesso i conti andavano pagati, ma, grazie al sostegno di Freddy, le cose andavano benissimo. E invece a questo punto tutto ciò, la sua stessa vita, era messo a repentaglio da un arrogante rompicoglioni cresciuto con il culo nel burro!

Tirato un respiro profondo, cercò di riprendere un tono di distaccata professionalità. «Certamente, verrà svolta un'indagine approfondita...»

«Provveda in merito», abbaiò Clements. «E provveda anche che io sia tenuto informato.»

«Naturalmente... Geoffrey...» balbettò Sweet a denti stretti.

«Addio, *signor* Sweet», lo salutò seccamente l'altro.

Sweet si strinse nel pugno una penna, con cui raschiò l'espressione TESTA DI CAZZO sulla pagina di un taccuino a righe, con una furia tale da penetrare attraverso sei pagine e lasciare il segno in un'altra dozzzina. Quindi alzò la cornetta e compose un numero. «Freddy Royle?»

20. Senza titolo: In preparazione

Pagina 156

Lorraine aveva seguito il conte di Denby per tutta la città, fino alla fumeria di oppio che egli frequentava a Limehouse. Infagottata in vecchi indumenti e con una sciarpa sul volto per evitare di essere riconosciuta dal conte, appariva a tutto il mondo un'umile servetta. Un travestimento efficace, per certi versi persino troppo. La giovane era infatti soggetta a continue molestie da parte dei numerosi debosciati e buoni a nulla che stavano rincasando per le buie vie della città dopo una notte di bagordi.

Manteneva il suo contegno e tirava dritto, ma un paio di persecutori ostinati, che ostentavano i colori militari, dopo essersi abbandonati a una serie di commenti le balzarono davanti, bloccandole il passaggio.

«Questa bella fanciulla sarà buona preda di qualche cacciatore, oserei dire», esclamò sarcasticamente il primo.

«E so qual è il tipo di caccia che hai in mente», sorrise scaltramente l'altro.

Lorraine si immobilizzò dov'era. Quei militari ubriachi l'avevano presa per una comune servetta. Stava per dire qualcosa quando avvertì una presenza alle sue spalle.

«Vi diffido dal disturbare questa signora», disse una voce.

Voltatasi, Lorraine vide un bell'uomo uscire dall'ombra.

«Chi credete di essere?» gridò uno dei due bellimbusti. «Occupatevi dei fatti vostri.»

L'uomo rimase impassibile. E Lorraine riconobbe il famigliare taglio sprezzante delle sue labbra, anche se il cappello gli teneva gli occhi nell'ombra. Quando si degnò di replicare ai giovani militari, lo fece in tono autoritario. «Ho osservato i vostri sol-

lazzi, signori, e devo informarvi che il vostro comportamento da ubriachi mostra aspetti ribaldi da far vergogna ai più riottosi coscritti delle città carbonifere del Lancashire!»

Riconosciuto il portamento di un collega ufficiale, l'altro militare parve farsi più cauto: «E voi chi sareste, signore?»

«Colonnello Marcus Cox, della Casata di Cranborough e della Terza Divisione Ranger del Sussex. E voi? Chi sono gli zotici che insudiciano i colori del loro onorato reggimento insultando una signora dell'alta società, una protetta del conte di Denby?»

«Voi sapete, signore?» chiese Lorraine sorpresa. Il suo travestimento era bastato ad abbindolare l'afflitto Denby, impaziente soltanto di lasciare i doveri londinesi per tornare alla sua stupida pecora, ma non aveva tratto in inganno Marcus Cox, ormai tornato in piena salute e lucidità.

«Con il vostro permesso, cara miss Lorraine», rispose il giovane galante colonnello, tornando a rivolgersi ai due zotici: «Allora, che cos'avete da dire?»

«Be', signora, mille scuse... vi avevamo preso per una fantesca...»

«Con ogni evidenza», ribatté Marcus. «E, in qualità di responsabile della disciplina nel mio reggimento, vi prego di spiegarmi come reagirebbe il mio buon amico colonnello 'Sandy' Alexander nell'apprendere che due suoi ufficiali di grado inferiore stavano dando un così sconveniente esempio di deboscia.»

«Signore... consentitemi di spiegare la situazione... verremo presto inviati al fronte per opporci alla marmaglia di Bonaparte. Non... non ci eravamo resi conto che la signora apparteneva alla... alla buona società. I miei non sono ricchi, signore, e per loro questo significa molto... Vi scongiuro...» implorò il giovane militare che era apparso il più arrogante, il viso torto in un'espressione di angoscia.

A Lorraine vennero in mente la sua situazione personale e i sacrifici fatti dai genitori per presentarla in società. «È stata colpa mia, per essermi vestita così, Marcus. Ma l'ho fatto soltanto per poter seguire il nostro amato Denby senza farmi scoprire...» disse piangendo

Marcus Cox si voltò brevemente a guardarla, quindi tornò a gettare un'occhiata ai due uomini. Arricciò all'ingiù il labbro *inferiore e si posò una mano sull'anca, squadrandoli dall'alto in basso. «Non sono un uomo privo per natura di compassione», spiegò ai due giovani ufficiali, «né sono immune dalle tentazioni di un certo tipo di caccia, in particolare prima delle tensioni della battaglia, che conosco fin troppo bene. Tuttavia, quando un ufficiale di un reggimento britannico insulta una signora di buona famiglia, e per di più di mia conoscenza, posso soltanto chiedere soddisfazione. Ogni altra considerazione impallidisce», continuò in tono minaccioso, la voce ridotta quasi a un sussurro. Quindi tuonò: «Me la concederete?»*

«Egregio signore», rispose il più silenzioso dei due militari, ora in grandi angustie, quasi stesse affrontando i fucili di Napoleone, «non possiamo permetterci di duellare con un ufficiale di grado superiore. E tanto meno con un uomo del vostro rango! Sarebbe da barbari! Impegnarsi in duello con una persona con cui dovremmo stare fianco a fianco in nome dell'Inghilterra, be', sarebbe vergognoso! Vi prego, mio nobile signore, riconosco che abbiamo sbagliato gravemente e che vi dobbiamo un'ammenda per il nostro comportamento deplorevole nei confronti della buona signora, ma, per favore, vi scongiuro, non cercate soddisfazione da noi in questo modo!»

«La pensate così entrambi?» chiese Cox.

«Sì, signore, certo», rispose l'altro militare.

«Avrò soddisfazione, maledetti», ruggì Cox nella notte. «Me la renderete?»

«Signore... vi imploro... come possiamo?», risposero i due giovani, spaventati e intimiditi davanti alla tempestosa furia dell'alto ufficiale.

Marcus sentì le labbra screpolate e formicolanti ricoprirsi di schiuma, e un poderoso fremito nel petto. «Vedo davanti a me un uomo di nessuna qualità, non uso alla buona società e indegno di indossare quei colori, e un'arrogante femminuccia capace di vendere l'anima per salvare la sua carne tremula, coperta di pelle d'oca!»

«Vi prego, signore... vi scongiuro, in nome dell'Inghilterra stessa! Come possiamo rendervi soddisfazione nel modo che suggerite?»

«Molto bene», replicò Cox dopo una pausa di silenzio assorto. «Visto che vi rifiutate di aderire alla mia richiesta di sistemare la questione in un modo reso sacro dal tempo, ciò mi impone di farmi guidare dalle tradizioni del mio reggimento. E secondo tali tradizioni, le pene per gli ufficiali di grado inferiore che trasgrediscono in un qualsiasi modo le regole sono quelle che ora mi sento doverosamente costretto a infliggere. Calate i pantaloni, tutti e due! Obbedite!» ordinò Marcus. Quindi si rivolse a Lorraine: «Vi prego, salite in carrozza, Lorraine. Quanto sta per avvenire non si conviene agli occhi di una dama».

Lorraine ubbidì, ma non seppe trattenersi dallo scostare lo spioncino per guardare i due uomini spogliarsi dalla vita in giù e piegarsi in due su una ringhiera. Non poté guardare di più, ma sentì le urla prima di uno e poi dell'altro, seguite dal grido di Marcus: «Avrò soddisfazione!»

Dopo un po' il giovane la raggiunse nella carrozza, un po' a corto di fiato. «Mi dispiace, Lorraine, che abbiate dovuto essere esposta in questo modo all'aspetto più duro della disciplina militare. Mi ferisce fortemente essere costretto a infliggere una simile punizione, ma i doveri di un alto ufficiale non sono sempre piacevoli.»

«Ma il modo in cui avete castigato questi ufficiali, Marcus, è consueto?»

Marcus inarcò un sopracciglio e la guardò. «Vi sono molti sistemi a cui si può fare ricorso, ma nella specifica circostanza ho adottato quelli a mio parere più efficaci. Quando a un uomo è affidata la responsabilità di infliggere le punizioni ai colleghi ufficiali, è importante rammenti che non può nemmeno trascurare l'obbligo, altrettanto vincolante, di garantire che sia mantenuto il senso di esprit de corps, *il senso di solidarietà e, precisamente, dell'amore nei confronti del reggimento e dei propri colleghi ufficiali. È un concetto di importanza assolutamente fondamentale ai fini del morale.»*

Sul viso di Lorraine si dipinse un'espressione dubbiosa, tuttavia la giovane fu indotta dall'eloquenza di Marcus a riconoscere: «Ahimè, signore, in quanto semplice donna sono ben lungi dall'essere esperta degli usi militari...»

«Ed è giusto che così sia», convenne Marcus con un cenno affermativo del capo. «Ma, adesso, quali notizie del nostro amico, il conte di Denby?»

«Oh, milord è ancora così afflitto, Marcus! Mi spezza il cuore! L'ingorda assunzione di vino e oppio, l'eccentrico congiungimento carnale con quella pecora... mi turbano profondamente. Tra alcuni giorni andrà nel Wiltshire, e passerà tutto il tempo con quell'animale!»

«Dobbiamo accompagnarlo. Dobbiamo cercare di fare qualcosa che lo riporti alla ragione. A minargli la mente è stato un trauma, sicché forse ne occorre un altro che possa riscuoterlo dal suo stato. Dobbiamo pensare.»

«Marcus», attaccò Lorraine, dopo una pausa di impressionante brevità vista la portata della sua riflessione: «credo di avere in mente qualcosa...»

21. Signore degli anelli

Il cadavere era stato estratto dal magazzino in fiamme quel mattino presto. Guardandolo, Glen sussultò; per quanto i morti, alcuni dei quali in uno stato spaventoso, ormai non gli facessero più nessun effetto, non ne aveva mai visto uno così. Il corpo era bruciato dalla metà in su, la faccia era irriconoscibile. Con un orribile presentimento, mentre si sentiva dietro le spalle il respiro pesante di Freddy Royle, notò che la chiappe erano state lasciate quasi intatte dalle fiamme.

«Cozì questo era un zuperculo in zervizio attivo, eh?» chiese Freddy con la sua lisca.

«Be', sì, cioè, è stato un incendio in una disco gay. Il ragazzo di questo povero cristo è venuto qui a identificare il cadavere», rispose Glen accennando con la testa all'ammasso di carne carbonizzata. «Ha saputo riconoscere soltanto l'anello, ed è così che ha potuto procedere all'identificazione.»

Freddy infilò l'indice nel buco del culo del cadavere. «Seh, è praticamente l'unica cosa che non ha subito danni... Non capisco comunque che differenza ci abbia trovato. A me sembrano quasi tutti uguali. Doveva trattarsi di vero amore, eh?»

Glen scosse la testa e indicò il cerchietto d'oro su una delle dita carbonizzate del corpo. «*Quell'*anello, Freddy», replicò.

«Ah. Capisco, vecchio pisquano», rise Freddy.

Glen stava quasi soffocando per il nauseabondo puzzo della carne carbonizzata. Sembrava arrivare dappertutto. Si ficcò sotto le narici ancora un po' di pomata bloccante.

Dopo avere fatto i suoi comodi con il cadavere, Freddy versò nel buco del culo un po' di benzina da accendino e vi diede fuoco.

«Che cosa stai facendo?» urlò Glen.

«Be', complico un po' la vita a quel voztro patologo, quando cercherà le prove», sorrise Freddy, mentre Glen si sentiva prendere da altri conati di vomito.

22. Senza titolo: In preparazione

Pagina 204

«L'agnello più tenero e più succulento che io abbia gustato da molti anni a questa parte», disse Denby, ma si bloccò lì. La parola «agnello» parve echeggiargli nel cervello. Flossie. Scoccò un'occhiata a Harcourt, che si stava riempiendo il calice di vino.

«Davvero», sorrise costui. «Carne che, mi si dice, è stata marinata all'interno con i succhi del miglior aristocratico inglese.»

Denby spostò lo sguardo su Marcus Cox, di fronte a lui. Sul viso dell'amico non trovò il sorriso sprezzante che si aspettava, ma una strana espressione di compassione e pietà che lo convinse che era stato perpetrato un atto terribile. Harcourt, invece, non mostrò alcuna compassione. Le sue spalle presero a scuotersi e dalla sua massiccia struttura vibrò il suono di un risolino.

«Voi...» gridò Denby, alzandosi. «Siate maledetti... se è successo qualcosa alla mia Flossie giuro su Dio...» ma si interruppe lì e si precipitò nelle cucine.

Vide il volto terrorizzato della cuoca, la signora Hurst, proprio mentre il suo sguardo si posava sulla testa della sua amata pecora, Flossie, decapitata e con lo sguardo fisso su di lui con quella che gli parve un'espressione di tristezza e rammarico.

Si piegò su se stesso come per effetto di un pugno, ma si raddrizzò immediatamente, scagliandosi sulla vecchia tremebonda.

«Maledetta strega malvagia! Spedirò il vostro cumulo di ossa nella tomba e la vostra anima perversa all'inferno!»

«Non è opera mia, signore!» strillò la donna.

«Chi ha autorizzato questo orribile, criminale macello?» ruggì Denby.

«È stata la padroncina, signore, miss Lorraine. È stata lei a dirmi di fare così...»

«BUGIARDA!» urlò Denby, allungando la mano verso una mannaia posata sul tavolo.

Sulla soglia si stagliò Lorraine. «Se esigete vendetta, mio signore, rivolgete su di me le vostre ire. È vero infatti: sono stata io ad autorizzare tutto ciò!»

Denby guardò la sua protetta. Incontrando il suo sguardo non colse in esso alcuna doppiezza ma soltanto l'incrollabile devozione della bella giovane che, invero, dopo la dipartita di sua moglie aveva assunto senza ambagi su di sé il compito di padrona di casa. Ciò ebbe l'effetto di strizzargli dal corpo l'ira come il succo di un'arancia. «Ma, Lorraine, mio dolce, tenero fiore di edera scozzese selvatica... come avete potuto commettere un gesto così orribile!»

Lorraine si voltò da un'altra parte, lasciando scorrere le lacrime dagli occhi. Poi tornò a guardare Denby. «Vi prego milord, credetemi: sono stata costretta! Il rapporto tra il mio amato conte e questo sventurato animale dei campi stava facendo di lui lo zimbello della buona società.»

«Ma...»

«...si mormorava addirittura di un effetto esercitato sulle facoltà mentali di Vostra Signoria dal potere corrosivo della sifilide. Tali scurrili illazioni, chiacchiere oziose di sciocchi e reprobi, stavano certamente minando il vostro prestigio, nobile signore...»

«Non mi ero reso conto... non avevo idea...»

«No, signore, voi no, tanto eravate stregato da un influsso malefico. Eravate così lacerato dal crepacuore che il diavolo vi era penetrato nell'intimo mentre le vostre difese erano state abbattute dalla perdita dell'adorata moglie. Ma quella pecora non è un succedaneo... Soltanto una donna può amare un uomo, e lo affermo.»

Denby lasciò aleggiare sulle labbra un sorriso, mentre scrutava con affetto l'incantevole giovane creatura. «E che cosa sapreste voi dell'amore, mio piccolo tesoro?»

«Ahimè, signore, albergo anch'io in seno le mie passioni. Pas-

sioni che ardono ancor più dolorosamente per il modo in cui sono represse...»

«Una piccola cosa graziosa e innocente come voi?» chiese Denby. Ma anche tanto subdola, pensò.

«Persino in un mondo così stravolto dalla follia degli uomini come il nostro, mio buon signore, non so arrivare a considerare inganno, sotterfugio, intrigo e seduzione alla stregua di un comportamento legittimo per una giovane, tanto meno se costei si sta apprestando a occupare il suo posto in società... Tuttavia simili aneliti alla moralità sono sempre contrastati da passioni... immense passioni capaci di giustificare qualsiasi cosa!»

«Vi siete innamorata di Marcus Cox! Lorraine, voglio sappiate che il calore del mio stesso sangue mi impone il massimo rispetto di lui in quanto soldato e amico; inoltre, nei suoi modi riottosi colgo echi di me stesso giovane. Ma proprio per questo non potrei mai acconsentire a un suo legame con una mia protetta. Cox è uno stallone brado, la cui unica raison d'être *è rappresentata dal conquistare i cuori e, con essi, la virtù di fanciulle innocenti, per poi liberarsene brutalmente in caccia della successiva preda!»*

«No, signore, per quel che riguarda Marcus Cox potete stare tranquillo. Per quanto possa essere affascinante e focoso, non è stato lui a catturare il mio cuore... ma voi, milord. Ecco. L'ho detto.»

Denby la guardò. E in quel momento avvertì un'altra presenza nel locale. Si girò, pensando di vedere Marcus Cox. Invece vide una figura femminile. Fissò lo sguardo sulla grande amica della sua defunta sposa, la combinatrice di matrimoni miss May.

«Miss May. Immagino abbiate avuto un ruolo in questa vicenda.»

«Non come mi capita di fare in genere, poiché le questioni di cuore possono essere risolte soltanto dagli interessati. Adesso sta a voi prendere una risoluzione, milord. Che cosa dite?»

Lord Denby guardò dentro le pozze di oscurità che erano gli occhi della bionda Lorraine. «Dico...» esclamò, avanzando con passo incerto e stringendo la giovane tra le braccia, «...che ti amo... tesoro mio... mia dolce, dolce Lorraine!» Quindi la baciò, e sentì che nel locale, dove attorno a loro si erano raccolti Harcourt e Cox, si levava un'acclamazione. Tuttavia non staccò le labbra da quelle della bella dama.

«A questo punto», commentò Cox ad alta voce rivolto a Harcourt, «ci meritiamo senz'altro una giornata tra i campi con quei dannati cani da caccia!»

23. La fine di Perks

Era alla terza bottiglia di vino rosso nella mescita di Kensington ma, arrivato cinque centimetri sotto il collo della bottiglia, non riuscì più a bere e capì di essere ubriaco fin quasi a crollare. Quindi salutò stancamente con la mano il barista e uscì con passo malfermo per strada.

Era ancora chiaro, ma Perky Navarro era troppo annebbiato dall'alcol per reagire al sopravvenire dell'auto. Non sentì niente finché non lo prese in pieno, facendolo cadere sul cofano, e non capì assolutamente niente finché non rinvenne per qualche istante all'ospedale.

Pur nel suo stato di forte stordimento vide la schiera di volti estranei raccolti attorno al suo letto, i volti dell'équipe medica. Uno però gli era famigliare, una faccia ghignante che si mise faticosamente e grottescamente a fuoco dietro la blanda espressione di distaccata preoccupazione del personale medico.

Perky Navarro capì che se ne stava andando, ma vide la faccia farsi più vicina, e le ultime parole che sentì furono: «Sei in buoooone mani, qui, Perky, vecchio dizcolo. Ci occuperemo di te come zi deve...»

Purtroppo Perky Navarro morì. Quella sera Yvonne Croft era di riposo, per cui scese nel laboratorio di patologia a trovare Glen. Sentì arrivare dei rumori da dietro una porta. «Chi c'è di là?» chiese.

«Oh, è Freddy», sorrise Glen. «È un vecchio amico del morto. È un po' scosso. Gli sta rivolgendo l'ultimo saluto alla sua maniera.»

«Oh», commentò Yvonne, «che carino.»

«Seh», convenne Glen. «Ti va un caffè?»

Lei sorrise e lui la spinse fuori, verso la mensa.

24. Patologicamente tuo

Nell'ambito della Fondazione del St Hubbin's Hospital c'erano due uomini che esercitavano un ruolo di particolare importanza. La cosa faceva loro comodo in due maniere diverse. Quindi erano entrambi perfettamente consapevoli di non aver nessuna intenzione di rinunciare a ciò di cui disponevano e che consideravano prezioso.

Uno dei due era Alan Sweet, ed era stato lui a indire l'incontro chiarificatore con il sempre più bellicoso patologo Geoffrey Clements per discutere le sue continue accuse riguardo ad atti illeciti commessi nel reparto.

Il patologo aveva appena cominciato a parlare quando sentì sulla bocca il bavaglio imbevuto di cloroformio. Si divincolò, ma Freddy Royle, l'altro personaggio particolarmente preoccupato per le conseguenze delle sue scoperte, era di buona tempra contadina e aveva una presa eccezionalmente forte.

Alan Sweet gli fu immediatamente di fianco, e lo aiutò a immobilizzare il patologo finché non perse conoscenza.

Quando riuscì a riprenderla parzialmente, Geoffrey Clements poté soltanto fare qualche debole tentativo di liberarsi dei legacci. Si sentiva beatamente rilassato, anche se una ragazza di un pelo biondo chiarissimo, quasi bianco, di nome Candy, lo stava montando a cavalcioni, e l'enorme dildo che portava legato al ventre era infilato a fondo nel suo ano, e un'altra ragazza, Jade, gli sfregava l'inguine sulla faccia barbuta.

«Uuuuah, fantastica questa!» gridò Freddy Royle, mentre la macchina da presa nel vecchio appartamento di Perky cominciava a riprendere la scena. «Questi prodotti per rilazzare i muzcoli funzionano da dio, vero Geoffrey, vecchia canaglia?»

Nel suo stato di beato stordimento, Clements non poté fare altro che gemere sottovoce nel cespuglio di Jade.

«Questo video potrebbe vederlo un sacco di gente, Geoffrey. Anche se, naturalmente, tu e io sappiamo che non succederà», sorrise Sweet.

«Un affare come un altro», rise Freddy. «Uuuuah, fantastica questa!»

25. Lorraine va a Livingston

Rebecca si stava divertendo da matti al Forum. La droga, insieme alla musica, la stava portando ad altitudini sconosciute. Era spaparanzata nella sala relax a godersi nell'intimo le ondate di MDMA e musica. Guardava Lorraine, impazzita a ballare al frastuono apocalittico di clacson e sirene speciali da folle incubo notturno su un coinvolgente e irresistibile breakbeat. L'aveva accompagnata a casa, a Livingston, per una pausa di riposo. Lorraine stava ballando con un gruppo di uomini e donne di sua conoscenza. Era la prima serata di jungle al Forum, gestita da un paio di dj da sballo venuti su apposta da Londra. Lorraine sembrava felice. Rebecca pensò al titolo del suo libro: *Lorraine va a Livingston*. Non sarebbe probabilmente mai stato pubblicato. Non importava.

Ma nel bel mezzo della jungle di Livingston, a Lorraine successe qualcosa. Si trovò a sbaciucchiarsi con un tale, a slabbrazzare una faccia che era stata vicina alla sua tutta la sera. Era bello. Giusto. Fu contenta di essere tornata su a Livingston. A casa.

INDICE

Finito di stampare nel mese di luglio 2001
presso il Nuovo Istituto Italiano d'Arti Grafiche - Bergamo
Printed in Italy

SUPERPOCKET

Periodico settimanale, anno V, n. 151
Registrazione n. 707 del 30.11.1996 presso il Tribunale di Milano
Direttore responsabile: Rosaria Carpinelli

Irvine Welsh

Risiede a Londra, dopo aver vissuto e lavorato a Edimburgo e ad Amsterdam. I suoi libri, *Trainspotting*, *Ecstasy*, *Acid House*, *Il lercio* e *Tolleranza zero*, sono pubblicati in Italia da Guanda.

SUPERPOCKET
grandi best-seller da grandi editori

ULTIMI VOLUMI PUBBLICATI

105. Beppe Severgnini, *Italiani si diventa*
106. Dacia Maraini, *La lunga vita di Marianna Ucrìa*
107. Daniel Goleman, *Intelligenza emotiva*
108. Ellis Peters, *Un cadavere di troppo*
109. Andrea Camilleri, *La mossa del cavallo*
110. Roald Dahl, *Le streghe*
111. Marion Zimmer Bradley, *La signora delle tempeste*
112. Patrick Robinson, *Invisibile*
113. Laura Esquivel, *Dolce come il cioccolato*
114. James Patterson, *Gatto & topo*
115. Clive Cussler, *L'oro dell'Inca*
116. Nick Horby, *Un ragazzo*
117. Nicholas Evans, *Insieme con i lupi*
118. Jeffery Deaver, *Il collezionista di ossa*
119. Maria Venturi, *Mia per sempre*
120. Tiziano Terzani, *In Asia*
121. Arundhati Roy, *Il dio delle piccole cose*
122. Tom Clancy, *Politika*
123. Daniele Luttazzi, *Adenoidi*
124. Torey L. Hayden, *Figli di nessuno*
125. Erica Jong, *Paura dei cinquanta*
126. Anne Rice, *Intervista col vampiro*

127. Jon Krakauer, *Nelle terre estreme*
128. Elizabeth Marshall Thomas, *La vita segreta dei cani*
129. James Ellroy, *I miei luoghi oscuri*
130. Jorge Amado, *Dona Flor e i suoi due mariti*
131. Wilbur Smith, *L'uccello del sole*
132. Umberto Eco, *L'isola del giorno prima*
133. David Guterson, *La neve cade sui cedri*
134. Konrad Lorenz, *L'anello di Re Salomone*
135. Tom Clancy, *Rainbow Six*
136. Luis Sepúlveda, *Un nome da torero*
137. Dacia Maraini, *Buio*
138. Jostein Gaarder, *L'enigma del solitario*
139. Wilbur Smith, *La notte del leopardo*
140. Silvia Ballestra, *Il compleanno dell'iguana*
141. Clive Cussler, *Onda d'urto*
142. Denis Guedj, *Il teorema del Pappagallo*
143. Beppe Severgnini, *Manuale dell'imperfetto viaggiatore*
144. Anne Tyler, *Per puro caso*
145. Steven Pressfield, *Le porte di fuoco*
146. Marco Buticchi, *Profezia*
147. Arthur Golden, *Memorie di una geisha*
148. Helen Fielding, *Che pasticcio, Bridget Jones!*
149. Wilbur Smith, *La spiaggia infuocata*
150. Alessandro Baricco, *City*
151. Irvine Welsh, *Ecstasy*
152. Maria Venturi, *La donna per legare il sole*

BEST THRILLER

VOLUMI PUBBLICATI

1. Elizabeth George, *Il morso del serpente*
2. Jeffery Deaver, *Lo scheletro che balla*
3. Richard North Patterson, *Nessun luogo è sicuro*
4. Kathy Reichs, *Resti umani*
5. James W. Hall, *L'alfabeto dei corpi*
6. Steve Martini, *Prova schiacciante*
7. Lynda La Plante, *Fredda determinazione*
8. Robert Ludlum, *Laboratorio mortale*
9. James Patterson, *Jack & Jill*
10. Douglas Preston & Lincoln Child, *Relic*